Trans-Europa-Express

Deutsch 1

Schülerbuch

Authors

Catherine Farrel

Freelance languages consultant

Paul Shannon

Head of Modern Languages at the King's School, Chester

Language Consultant

Dr Godela Weiß-Sussex

Senior Lecturer in German at De Montfort University, Bedford

Hodder & Stoughton

A MEMBER OF THE HODDER HEADLINE GROUP

Acknowledgements

The authors would like to thank Pamela Wells (teacher of German at Tunbridge Wells Girls' Grammar School), David Gordon (Head of Modern Languages at St Dunstan's College, London) and Gillian Clarke (Head of German at Wycombe Abbey School) for their help and encouragement in the production of this book. Many thanks, too, to Annett Morche of Leipzig Tourist Service, Herr Klingner of Gustav-Hertz-Schule, Paunsdorf, and Antje Hempe of Leipzig for their great help.

Catherine Farrel would particularly like to thank her husband Adrian for his unfailing support, Anna for being an inspiration and a delight, and Tom for living the story.

Paul Shannon would like to thank his wife Babette and baby William for their forbearance.

The authors and publishers would like to thank the following for permission to reproduce photographs: Leipzig Tourist Office , pp.85 (right), 87, 104 (left), 114 (title), 116 (nos.1-10); European Monetary Institute, pp.49, 88, 89 (Euro currency); Bavaria Bildagentur GmbH & Co. KG, p.49 (German currency); Anna Dowding, p.62. All remaining photos were supplied by Catherine Farrel, Paul Shannon and Peter Downes.

The authors and publishers would also like to thank the following for permission to reproduce copyright material: *Campina AG*, p.43; *Redaktion Fur Sie*, pp.42, 45; *Boehringer Ingelheim Pharma KG*, p.53; *Merck*, p.57; *Blub*, p.58; *Redaktion Blitz*, pp.84 (right), 94; *Redaktion Fritz*, p.84 (left); *FilmFour Ltd*, p.86 (bottom), *Oper Leipzig*, p.87; *Museum der Bildenden Künste*, p.87; *Staatliche Kunstsammlungen Dresden*, p.87; *Gewandhaus Leipzig*, p.87; *Kabarett academixer*, p.87; *Stadtgeschichtliches Museum Leipzig*, p.87; *The Tate Gallery*, p.88; *Redaktion Bravo Sport*, pp.89, 128, 129; *Verlag Aenne Burda*, p.91; *Alte Nikolaischule*, pp.91 (title), 93 (right); *Leipziger Jazz- und Musik-Club*, p.93 (left); *Hamburgische Staatsoper*, p.95; *Radio Leipzig*, p.96; all the TV stations featured on p.97; *Redaktion TV Spielfilm*, p.97 (main); *Kino im Grassimuseum*, p.98 (top); *Cinemaxx*, p.98 (bottom); *Verlag Volk und Welt*, pp.96 (title), 99; *Die Welt*, p.100; *Welt am Sonntag*, p.100; *Frankfurter Allgemeine*, p.100; *Focus*, p.100; *Die Zeit*, p.100; *Stern*, p.100; *Der Spiegel*, p.100; *Handelsblatt*, p.100; *Frankfurter Rundschau*, p.100; *Computerwoche*, p.100; *Häuser*, p.100; *Bild der Wissenschaft*, p.100; *Galtür Tourist Office*, p.109 (left); *Verkehrsamt Toblach*, pp.106 (title), 109 (centre), 111, 112; *Jugendtours*, p.109 (right); *Deutsche Jugendherbergswerk*, pp.110, 154, 155; *Stadtbad Leipzig*, p.114; *Sachsen Therme*, p.115; *Leipziger Verkehrsbetriebe*, p.117; *Leipzig Tourist Service*, pp.118 (top), 138 (top right); *Bundespost*, p.134; *Fremdenverkehrsverband*, p.138 (3 photos); *Redaktion Leipziger Volkszeitung, Deutscher Wetterdienst*, pp.141 (title), 143–145; *Deutsche Bahn AG*, pp.150-152.

The authors and publishers have made every effort to trace copyright holders. In the few cases where copyright holders could not be traced or acknowledged, due acknowledgement will be made in future reprintings if copyright holders make themselves known to the publishers.

Orders: please contact Bookpoint Ltd, 39 Milton Park, Abingdon, Oxon OX14 4TD. Telephone: (44) 01235 400414, Fax: (44) 01235 400454. Lines are open from 9.00 - 6.00, Monday to Saturday, with a 24 hour message answering service. Email address: orders@bookpoint.co.uk

British Library Cataloguing in Publication Data
A catalogue record for this title is available from The British Library

ISBN 0 340 72059 X

First published 1999

Impression number   10 9 8 7 6 5 4 3 2 1
Year   2005 2004 2003 2002 2001 2000 1999

Copyright © 1999 Catherine Farrel and Paul Shannon

Text design by Carla Turchini Graphic Design, London.

Typeset by **AMR** Ltd, Bramley, Hampshire.

Printed for Hodder & Stoughton Educational, a division of Hodder Headline Plc, 338 Euston Road, London NW1 3BH by Colorcraft Ltd, Hong Kong.

Inhalt

Einleitung für Schülerinnen und Schüler

Willkommen bei Trans-Europa-Express: Deutsch!

This book – *Schülerbuch Eins* – is the first of two books in the course **Trans-Europa-Express: Deutsch**. Together they form a complete GCSE course from scratch. We are assuming that you do not have any prior knowledge of German, but that you are aiming to cover the GCSE syllabus within two years (or three at the most). You may be in Year 10, in the Sixth Form, or in further education. If the latter, you may find that the necessary focus on school in this first book evokes some memories you'd prefer to forget, but we make up for it in *Schülerbuch Zwei*, where the setting is work experience and travel.

The pace of the course is demanding. It needs to be, because there is a lot to learn in a short time. For this reason, it is best suited to well-motivated students who are aiming high, and it will help if you have studied another foreign language already. You will be getting plenty of practice in speaking German from the very beginning, and by the end of the course you should be enjoying your ability to communicate very effectively in the German-speaking world. The small matter of an excellent exam grade is built into the scheme of things!

A couple of points are key if this is to happen. Firstly, learn the vocabulary as you go along, by finding the strategy that works for you and being disciplined about it. What works for some people is to copy out a list of German words after reading it through several times, and then to add the English meanings from memory, checking afterwards; then do it the harder way round, English first. If you are finding it difficult, try giving yourself the initial letters as a help. Another way is to imagine a picture that you associate with the word. This method is also useful for remembering the gender: for example, picture a man waiting outside a railway station to remind you that 'station' is masculine (**der Bahnhof**). Use anything, the zanier the better, to help it stick – and get someone to test you. Then revise the list after a few days. As a last resort, try teaching the words to your parrot or your grandmother, both of whom may appreciate the attention.

Secondly, tackle the grammar with courage and commitment! It is a truly satisfying system once you know what's going on, and so we explain it rather than keep you in the dark. However, you do need to make sure that you master each grammar point as it comes up, so that you have a solid foundation on which to base the more demanding tasks. If you find you haven't grasped some key point, check out the **Grammatik**, which explains it all fully in English and can be found at the end of the book. In the Teacher's Book there are photocopiable revision exercises for practising the grammar and vocabulary.

The GCSE exams will be almost entirely in German, and understanding the instructions is part of the test. For this reason, Chapter 4 teaches you how to do this, and gives you the vocabulary you will need in order to know what's going on. You may also find it helpful to write out for yourself a list of the most common instructions as they come up, to keep for future reference. There is some fairly advanced language involved in giving instructions, and it's difficult to get to grips with this early in a course, but don't let that put you off. It will make life much easier for you later on.

Your German dictionary should become a well-thumbed friend. You are allowed to use one in the exams, but that's little help if you are not very familiar with it. The purpose of the dictionary exercises throughout the course is to help you get to know your way around yours. There is also an art to using a dictionary in an exam – namely, not to overuse it – and reading exercises are best done with a mixture of guesswork and occasional looking up.

Finally, don't forget that there are about a hundred million expert native speakers in Germany (not to mention Austria, Switzerland, Northern Italy, Liechtenstein – and that's not all!), many of whom will be happy to be on the receiving end of an e-mail from you. You can check out what they really do eat, what music they actually listen to, or how they would do the homework you are stuck on. Your teacher should have links so that you can make contact via a school. Break down those barriers!

We have greatly enjoyed putting together this course for keen linguists, and hope you will have fun with it. Maybe that will help to mitigate all the hard work involved (on your part, that is – we've done ours!).

Also los – an die Arbeit!
Und viel Spaß dabei!

Catherine Farrel

Paul Shannon.

A. Der Alltag

Wo ist Kati?

Tom Robertson ist in Leipzig, in Deutschland. Er ist Anna Müllers Austauschpartner. Annas Schule ist die Gustav-Hertz-Schule, und Tom und Anna sind da.

Tom Robertson

Anna Müller

Gustav-Hertz-Schule

1.1

Mein Name ist ...

Ulli   Guten Tag. Mein Name ist Ulli – Ulrike.
Tom   Mein Name ist Tom.
Ulli   Das ist Andreas und das ist Karen.
Tom   Und wer ist das?
Ulli   Das ist mein Freund Jörg.

1.2

A	B
Guten Tag. Mein Name ist ...	Guten Tag.
Wer ist das?	Das ist ...

1.3

Guten Tag!

A Guten Tag. Mein Name ist ...
B Mein Name ist ... Guten Tag.

1.4

Deutschland	Germany	**mein Name ist ...**	my name is ...
Schule	school	**und das ist ...**	and that is ...
Austauschpartner	exchange partner	**wer ...?**	who ...?
guten Tag!	hello (greeting in morning and afternoon)	**Freund**	friend (male)
		Freundin	friend (female)

1.5

wie geht es?		es geht	OK
(wie geht's?)	*how are you?*	**nicht so gut**	*not very well*
prima	*great*	**schlecht**	*bad, not well*
sehr gut	*very well*	**danke**	*thanks*

1.6 **Wie geht's?**

Tom Guten Tag, Jörg!
Jörg Guten Tag!
Tom Wie geht's?
Jörg Gut, danke.
Tom Wie geht's, Karen?
Karen Nicht so gut.

1.7 **Gut, danke**

A Guten Tag. Wie geht's?   B Prima. / Schlecht. / Nicht so gut. / Gut, danke.

1.8

die Zahlen (von 0 bis 30)		
0 **null**		
1 **eins**	11 **elf**	21 **einundzwanzig**
2 **zwei**	12 **zwölf**	22 **zweiundzwanzig**
3 **drei**	13 **dreizehn**	23 **dreiundzwanzig**
4 **vier**	14 **vierzehn**	24 **vierundzwanzig**
5 **fünf**	15 **fünfzehn**	25 **fünfundzwanzig**
6 **sechs**	16 **sechzehn**	26 **sechsundzwanzig**
7 **sieben**	17 **siebzehn**	27 **siebenundzwanzig**
8 **acht**	18 **achtzehn**	28 **achtundzwanzig**
9 **neun**	19 **neunzehn**	29 **neunundzwanzig**
10 **zehn**	20 **zwanzig**	30 **dreißig**

1.9 **Was ist das?**

1.10 **Wie alt bist du?**

Ulli Wie alt bist du, Tom?
Tom Ich bin sechzehn Jahre alt. Und du?
Ulli Ich bin fünfzehn Jahre alt.
Tom Wie alt ist Jörg?
Ulli Er ist fünfzehn. Karen ist vierzehn.

1.11

wie alt	*how old*	**du bist**	*you are*
ich bin ... Jahre alt	*I am ... years old*	**er/sie ist**	*he/she is*

1.12 **Und du?**

A Wie alt bist du?   B Ich bin ... Jahre alt. Und du?
A Ich bin ...

1.13

A	B
Ist ... hier?	Ja/Nein.
Wo ist ...?	Er/Sie ist krank.
	nicht hier.
	in Berlin.

1.14 **Wo ist ...?**

Herr Stock	Guten Morgen!
Alle	Guten Morgen, Herr Stock.
Herr Stock	Wie geht's?
Alle	Schlecht / Nicht so gut / Sehr gut / Prima, danke.
Herr Stock	Und wer ist das?
Anna	Das ist Tom. Er ist mein Austauschpartner aus England.
Herr Stock	Also gut. Wo ist die Namensliste, bitte?
Andreas	Hier, Herr Stock.
Herr Stock	Danke, Andreas. Wo ist Matthias?
Andreas	Er ist nicht hier. Er ist krank.
Herr Stock	Und Ralf?
Andreas	Ich weiß nicht.
Karen	Er ist in Berlin.
Herr Stock	Ach so. Nina und Sigrid?
Karen	Nina und Sigrid sind mit Ralf in Berlin.
Herr Stock	Wo ist Kati?
Alle	Nicht hier.
Herr Stock	Ach, Kati.
Kati	Entschuldigung, Herr Stock.
Herr Stock	Na, endlich, da ist Kati. Also, schnell. Wer ist hier? Ich zähle ... eins, zwei, drei ... nur 14. Viele nicht hier. Das ist schlecht.

1.15

guten Morgen!	*good morning!*	**nein**	*no*
wo ...?	*where ...?*	**ich weiß nicht**	*I don't know*
er heißt	*he's called*	**also (gut)**	*well, right then*
aus England	*from England*	**Entschuldigung**	*excuse me*
die Namensliste	*the register*	**endlich**	*at last*
bitte	*please*	**da**	*there*
hier	*here*	**schnell**	*quick, quickly*
krank	*ill*	**zählen**	*to count*
mit	*with*	**nur**	*only*
ja	*yes*	**viele**	*many*

1.16

you

du	*informal singular (e.g. to a friend, a younger person, a member of your family)*
ihr	*informal plural (e.g. to a group of friends or children)*
Sie	*formal singular and plural (e.g. to one teacher, a group of teachers, strangers)*

1.17

sein *to be*

ich bin	*I am*	wir sind	*we are*
du bist	*you are (informal singular)*	ihr seid	*you are (informal plural)*
er/sie/es ist	*he/she/it is*	sie sind	*they are*
		Sie sind	*you are (formal singular and plural)*

 1.18 **Wo sind ...?**

Sind die Schüler und Schülerinnen alle hier? Welche sind nicht hier?

 1.19 **Wie alt ist ...?**

Wie alt sind sie?

1.20

A	**B**
Ich heiße ... Wie heißt du?	Mein Name ist ...
Wie heißt er/sie?	Er/Sie heißt ...

 1.21 **Ich heiße ...**

A Ich heiße ... Wie heißt du?   B Mein Name ist ... Wie heißt er/sie?
A Er/Sie heißt ... Wie heißt er/sie?   B ...

1.22 **Wo ist Tom?**

1. Wo ist Tom?
2. Ist Tom aus Deutschland?
3. Wie alt ist Tom?
4. Ist Anna aus Wales?
5. Wie alt sind Ulli und Jörg?
6. Ist Matthias krank?
7. Wo ist Ralf?
8. Ist Kati in Berlin?
9. Wie viele Schüler und Schülerinnen sind hier?
10. Wie heißt du und wie alt bist du?

1.23

alle	*all*	**Herr**	*Mr*
auf Wiedersehen!	*goodbye!*	**in**	*in*
tschüs!	*bye!*	**Jahr**	*year*
bis	*to*	**los!**	*off you go!*
Blatt	*sheet (of paper)*	**Schüler**	*pupils (male)*
dann	*then*	**Schülerinnen**	*pupils (female)*
Frau	*Mrs*	**von**	*from*
hallo	*hello*	**welche ...?**	*which ...?*
heißen	*to be called*	**wie ...?**	*how ...?*

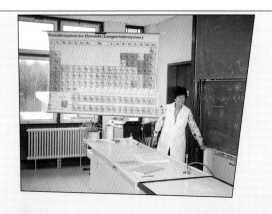

Das ist mein Kuli!

2.1

Schultasche *schoolbag*			
Buch	*book*	**Radiergummi**	*rubber*
Heft	*exercise book*	**Lineal**	*ruler*
Kuli	*ballpoint pen*	**Federtasche**	*pencil case*
Füller	*fountain pen*	**Ordner**	*file*
Bleistift	*pencil*	**Papier**	*paper*
Anspitzer	*pencil sharpener*		

2.2

Kugel + Schreiber = ?

1. Kugelschreiber = Kugel + Schreiber.
   Was ist Kugel?
   Was ist Schreiber?
   Also, was ist Kugelschreiber?

2. Filz = ?
   Stift = ?
   Filzstift = ?

3. Bunt = ?
   Stift = ?
   Buntstift = ?

4. Arbeit = ?
   Blatt = ?
   Arbeitsblatt = ?

5. Tasche = ?
   Rechner = ?
   Taschenrechner = ?

6. Kau(en) = ?
   Gummi = ?
   Kaugummi = ?

7. Wort (Wörter) = ?
   Buch = ?
   Wörterbuch = ?

8. Video = ?
   Kassette = ?
   Videokassette = ?

2.3

der, die, das *the*

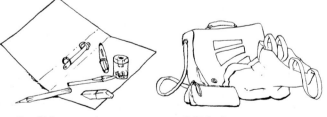 

männlich *masculine*	**weiblich** *feminine*	**sächlich** *neuter*
der Füller	**die** Tasche	**das** Buch
der Kuli	**die** Schultasche	**das** Heft
der Bleistift	**die** Federtasche	**das** Papier
der Anspitzer		**das** Lineal
der Radiergummi		
der Ordner		

2.4 Der, die oder das?

a   **b**   **c**   **d**

... Kugelschreiber   ... Filzstift   ... Buntstift   ... Taschenrechner

2.5

männlich	Das Hier	ist	**der** *the* **ein** *a* **mein** *my*	Anspitzer.
	Wo		**dein** *your*	Kuli?
weiblich	Das Hier	ist	**die** **eine** **meine**	Schultasche.
	Wo		**deine**	Federtasche?
sächlich	Das Hier	ist	**das** **ein** **mein**	Buch.
	Wo		**dein**	Heft?

2.6 Mein oder meine?

1. Wo ist ... Heft?
2. Wo ist ... Deutschbuch?
3. Wo ist ... Radiergummi?
4. Wo ist ... Schultasche?
5. Wo ist ... Taschenrechner?
6. Wo ist ... Lineal?
7. Wo ist ... Anspitzer?
8. Ist das ... Kuli?
9. Hier ist ... Federtasche.
10. Er ist ... Freund.

2.7 Was ist das?

2.8 Wo ist mein Kuli?

Anna   Wo ist mein Kuli?
Tom   Hier ist ein Kuli.
Anna   Das ist nicht mein Kuli. Das ist Karens Kuli.
Tom   Und ist das Karens Heft?
Anna   Nein, das ist mein Heft. Ach, wo ist mein Kuli?
Tom   Wo ist deine Federtasche?
Anna   Hier. Na, endlich, da ist mein Kuli.

2.9 Wo ist mein Lineal?

A   Wo ist mein Lineal?
B   Hier ist dein Lineal.
(usw.)

2.10 | **das Klassenzimmer** *classroom*

der Tisch	*table*	**der Fernseher**	*television set*
der Stuhl	*chair*	**das Videogerät**	*video recorder*
die Tür	*door*	**die Videokassette**	*video cassette*
das Fenster	*window*	**das Video**	*video*
die Tafel	*board*	**der Computer**	*computer*
die Kreide	*chalk*	**der Overheadprojektor**	*overhead projector*
der Schrank	*cupboard*	**der Kassettenrekorder**	*cassette recorder*
das Bild	*picture*	**die Kassette**	*cassette*

2.11 | **Plurale**

Plurals are formed in several different ways. These are some of the possibilities.

+ **e**	Heft**e** *exercise books*	+ (Umlaut) **er**	B**ü**ch**er** *books*
+ **n**	Kassette**n** *cassettes*	+ **s**	Kuli**s** *ballpoint pens*
+ **en**	Zahl**en** *numbers*	+ –	Ordner *files*
+ (Umlaut) **e**	St**ü**hl**e** *chairs*		

*Other endings are listed in the **Grammatik** section at the back of the book. There are some guidelines which will help you (for example, nearly all feminine plurals end in **n** or **en**), but the only sure way is to learn the plural when you learn the singular.*

2.12 **Plurale**

Was sind die Plurale für **Tisch, Blatt, Bleistift, Radiergummi, Lineal** und **Federtasche**?

2.13 | **Plurale** *(the, my, your)*

die *the*   **meine** *my*   **deine** *your*

2.14 **Annas Schultasche**

2.15 **Wörter und Bilder**

2.16 | **die Farben** *colours*

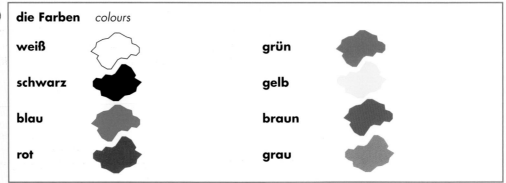

weiß		**grün**	
schwarz		**gelb**	
blau		**braun**	
rot		**grau**	

2.17 Ja oder nein?

1. Der Tisch ist braun.
2. Die Tür ist blau.
3. Die zwei Stühle sind rot.
4. Die Tafel ist grün.
5. Das Fernsehgerät und der Computer sind grau.
6. Die Videokassette ist schwarz.
7. Ein Buch ist gelb und grün. Das andere ist schwarz, rot und gelb.
8. Der Bleistift ist blau.
9. Das Papier ist weiß.
10. Annas Ordner hat alle Farben!

2.18 Klassenzimmer und Schultasche

Zwei Listen:

Mein Klassenzimmer
sechzehn Tische
dreißig Stühle
(usw.)

Meine Schultasche
ein Ordner
fünfzehn Blätter Papier
(usw.)

2.19 der Nominativ

Use the nominative for the subject of a sentence.

Wo ist **der Computer**? *Where is the computer?*	**Mein Name** ist … *My name is …*
Die Stühle sind braun. *The chairs are brown.*	Das ist **ein Buch**. *That's a book.*
Hier ist **mein Füller**. *Here's my pen.*	Das ist **deine Tasche**. *That's your bag.*

NB *Always use the nominative when you use the verb 'to be' ('is', etc.).*

2.20

die Klasse (-n)	*class*	**der Stift (-e)**	*pencil, crayon, pen*
das Schulbuch (-bücher)	*textbook*	**das Fernsehgerät (-e)**	*television set*
das Wort (¨-er)	*word*	**für**	*for*
die Schulmappe (-n)	*schoolbag*	**oder**	*or*
die Schultasche (-n)	*schoolbag*	**was …?**	*what …?*
die Federmappe (-n)	*pencil case*	**alles**	*everything*
das Federmäppchen (-)	*pencil case*	**die Chips**	*crisps*

i. Im Klassenzimmer

Ich habe mein Buch vergessen!

Annas Klasse hat Englisch und
Herr Stock ist da.
Viele Schüler und Schülerinnen
haben etwas vergessen.
Tom muss warten.

MEIN BUCH FEHLT!

3.1

vergessen*	to forget; forgotten	fehlen (fehlt, fehlen)	to be missing (is missing, are missing)
etwas	something		
warten	to wait	kann ich?	can I?
es tut mir Leid	I'm sorry	du kannst	you can
kaputt	broken	mitbenutzen	to share
		auch	also

3.2

Fehlt alles hier?

Herr Stock	Guten Tag.
Alle	Guten Tag, Herr Stock.
Herr Stock	Also, Englisch ...
Kati	Entschuldigung, Herr Stock. Mein Englischbuch fehlt.
Herr Stock	Ach, Kati. Wo ist es?
Kati	Ich weiß nicht. Nicht hier ...
Herr Stock	Kannst du Karens Buch mitbenutzen?
Karen	Es tut mir Leid, Herr Stock, mein Buch ist auch nicht da.

Herr Stock	Nicht da? *Nicht da?* Wo ist dein Buch?
Karen	Ich weiß nicht.
Udo	Hier ist Karens Buch.
Herr Stock	Danke, Udo.
Udo	Bitte. Herr Stock, mein Füller ...
Herr Stock	Fehlt *alles* hier?
Udo	Nein, Herr Stock. Mein Füller fehlt nicht. Er ist kaputt.
Herr Stock	Hier ist ein Kuli. Also, Englisch!

3.3

Was fehlt?

1. Was hat Sonja nicht?

2. Was ist kaputt?

3.4

Ist es kaputt? Fehlt es?

1. Mein Deutschbuch fehlt.
   (usw.)

6. Meine Schultasche ist kaputt.
   (usw.)

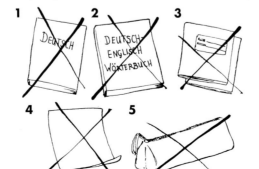

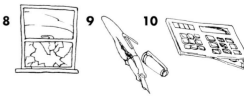

ICH BRAUCHE ...

3.5

regelmäßige Verben *regular verbs*

brauchen *to need*

ich brauch**e**	*I need*
du brauch**st**	*you need (informal singular)*
er/sie/es brauch**t**	*he/she/it needs*
wir brauch**en**	*we need*
ihr brauch**t**	*you need (informal plural)*
sie brauch**en**	*they need*
Sie brauch**en**	*you need (formal singular and plural)*

Conjugate all regular verbs in the present tense like this.

Regular verbs whose stem ends in **d** *or* **t** *add an* **e** *for* **du**, **er/sie/ es**, *and* **ihr** *(arbei**ten** – du arbeit**est**, etc.).*

3.6

unregelmäßige Verben *irregular verbs*

Some verbs do not follow the pattern above, and are marked * from now on. They vary in different ways, but usually only in the **du** *and* **er/sie/es** *form. The irregular verbs used in this book are listed in the verb table on pp. 174–5, where the* **er/sie/es** *form is given. Use* **-st** *for the* **du** *ending.*

Geben *(to give) is a typical example:*
ich gebe
du **gibst**
er/sie/es **gibt**
wir geben
ihr gebt
sie geben
Sie geben

3.7

der Akkusativ

Use the accusative for the direct object of a sentence.
The accusative feminine, neuter and plural endings are the same as the nominative.

Only the masculine ones show the difference:

männlich

d**en**	kein**en**
ein**en**	mein**en**

3.8

Ich brauche	**den**	Taschenrechner.	*I need the calculator.*
Brauchst du	**einen**	Kuli?	*Do you need a pen?*
Ich habe	**keinen**	Bleistift.	*I don't have a pencil.*
Hast du	**meinen**	Radiergummi?	*Do you have my rubber?*

 **3.9**

Hast du einen Füller?

A Hast du einen Füller?
B Ja, ich habe einen Füller. Bitte.
A Hast du einen Taschenrechner?
B Nein, ich habe keinen Taschenrechner. C, hast du eine Kassette?
C Nein, ich habe keine Kassette. A, hast du ein Video?
(usw.)

DARF ICH ...?

3.10

darf* ich?	may I?	**holen**	to fetch
muss* ich?	must I? do I have to?	**zurück**	back
kein	no, none	**zurückhaben***	to have back
haben*	to have	**zurückgeben***	to give back
finden*	to find	**es gibt**	there is
Moment	moment, just a moment	**das Wörterbuch**	dictionary
sprechen*	to speak	**die Hausaufgaben** (Pl.)	homework
reden	to talk	**zu**	too
öffnen	to open	**spät**	late
schließen*	to close		

3.11

dieser *this*

*Use the same endings for **dieser** as for **der**, **die**, **das**.*

	männlich	weiblich	sächlich	Plural
Nom.	dies**er**	dies**e**	dies**es**	dies**e**
Akk.	dies**en**	dies**e**	dies**es**	dies**e**

3.12 **Diese Klasse ...!**

Herr Stock	Diese Klasse ist schlimm! Keine Bücher, keine ...
Udo	Entschuldigung, Herr Stock. Darf ich das Fenster schließen?
Herr Stock	Ja, schnell, Udo.
Andreas	Entschuldigung, darf ich mein Heft zurückhaben?
Herr Stock	Moment, Andreas, ich habe alle Hefte.
Karen	Sie haben mein Heft nicht. Ich habe mein Heft.
Herr Stock	Und die Hausaufgaben, Karen?
Karen	Ja, zu spät. Es tut mir Leid.
Herr Stock	Kati, kannst du bitte die Wörterbücher holen?
Kati	Deutsch–Englisch?
Herr Stock	Kati, Kati, ja, Deutsch–Englisch.
Kati	Ach, muss ich? Wo sind sie?
Herr Stock	Ich weiß es nicht. Udo, kannst du die Wörterbücher finden?
Udo	Nein, Herr Stock. Ich muss mein Englischbuch finden. Und ich brauche einen Kuli.
Herr Stock	Wo ist *mein* Kuli? Diese Klasse ...!

3.13 **Kann ich ...?**

Was hörst du? *What do you hear?*

1. Darf ich das Fenster öffnen?
2. Kann ich ein Blatt Papier haben?
3. Kann ich das Wörterbuch haben?
4. Kannst du meinen Kaugummi zurückgeben?
5. Darf ich sprechen?

6. Kannst du die Hausaufgaben holen?
7. Ich brauche meine Namensliste.
8. Kannst du das Fenster schließen?
9. Kannst du Kevins Schultasche zurückgeben?
10. Darf ich einen Kuli haben?

3.14 **Darf ich ...?**

Was passt zusammen? *Match each question with an appropriate answer.*

1. Kann ich das Wörterbuch haben?
2. Darf ich diese Kassette haben?
3. Darf ich ein Englischbuch haben?
4. Brauchst du dein Lineal?
5. Gibt es Papier?

A. Ja, ich brauche es.
B. Nein, ich brauche es.
C. Nein, es gibt kein Papier.
D. Nein, du musst dein Buch finden.
E. Nein, sie ist kaputt.

ICH HABE ES VERGESSEN ...

3.15

	meinen	Kuli	
		Bleistift	
Ich habe	meine	Federtasche	vergessen.
	mein	Wörterbuch	
	meine	Hausaufgaben	

3.16

haben *to have*

ich habe	*I have*	wir haben	*we have*
du hast	*you have (informal singular)*	ihr habt	*you have (informal plural)*
er/sie/es hat	*he/she/it has*	sie haben	*they have*
		Sie haben	*you have (formal singular and plural)*

3.17

nichts	*nothing*	**du musst***	*you must*
es macht nichts	*it doesn't matter*	**arbeiten**	*to work*
die Ausrede (-n)	*excuse*	**schreiben***	*to write*
ohne	*without*	**keine Ahnung**	*no idea*
		mehr	*more*

3.18 Ich habe mein Buch vergessen

Ulli   Ach nein, wir haben Englisch und ich habe mein Buch vergessen.

Anna   Das macht nichts. Ich habe ein Buch. Du kannst das mitbenutzen.

Ulli   Danke, Anna.

Anna   Bitte.

Herr Stock   Guten Tag! Ulli, wo ist dein Buch?

Ulli   Ich habe es vergessen.

Herr Stock   Das ist keine Ausrede, Ulli.

Ulli   Es tut mir Leid, Herr Stock.

Udo   Herr Stock, ich kann mein Englischbuch nicht finden. Und meine Kulis ...

Herr Stock   Wo sind sie?

Udo   Keine Ahnung ...

Herr Stock   Ohne einen Kuli kannst du nicht schreiben und ohne Bücher kannst du nicht arbeiten.

Udo   Ich weiß. Darf ich bitte ein Buch haben?

Herr Stock   Ich habe keine Bücher.

Andreas   Du kannst mein Buch haben.

Herr Stock   Und du, Andreas?

Andreas   Ich habe zwei.

Udo   Das ist mein Buch! Und du hast meine Kulis! Andreas, du bist nicht mehr mein Freund!

3.19 Das ist keine Ausrede!

Ihr braucht Federmäppchen und Schultaschen:

A Ich habe mein Lineal vergessen.
A Keine Ahnung.

B Das ist keine Ausrede. Wo ist es?
B Es macht nichts. Hier ist ein Lineal. Ich habe meinen Taschenrechner vergessen.

(usw.)

3.20 Alles vergessen ...

Kannst du einen Dialog schreiben? Die Klasse hat alles vergessen.

Ich mache meine Hausaufgaben.

3.21

machen	*to do*	**so viel**	*so much*
suchen	*to look for*	**möglich**	*possible*
lesen*	*to read*	**unmöglich**	*impossible*
vorlesen*	*to read aloud*	**die Arbeit**	*work*
sehen*	*to see*	**allein**	*alone*
hören	*to hear*	**klar**	*clear*
sitzen*	*to sit*	**jetzt**	*now*
vorne	*at the front*	**reichen**	*to be enough*
stehen*	*to stand*	**fertig**	*ready, finished*
laufen*	*to run*	**die Ruhe**	*quietness*
anfangen*	*to begin*	**still**	*quiet*
aber	*but*	**raus!**	*out!*
noch nicht	*not yet*		

3.22

3.22 **Was machst du, Claudia?**

Herr Stock Was machst du, Claudia?
Claudia Ich mache meine Hausaufgaben.
Herr Stock Bitte nicht hier, Claudia.
Claudia Ich muss, ich habe so viel Arbeit. Es ist unmöglich ...
Herr Stock Klar, aber nicht hier. Also, Englisch. *Good morning, everyone!*
Alle *Good morning, Mr. Stock.*
Herr Stock Was machst du, Jörg?
Jörg Entschuldigung, Herr Stock. Ich bin noch nicht fertig. Ich suche etwas. Ich kann mein Heft nicht finden. Ach, da ist es ...
Herr Stock *So, let's begin. Page 32.* Tom, kannst du bitte den englischen Text vorlesen?
Tom Ja. „*Scotland is ...*"
Tanja Ich kann nicht hören.
Tom „*Scotland is ...*"
Herr Stock Ruhe, bitte, Udo! Ich kann Tom nicht hören. Bitte, Tom ...
Tom „*Scotland is ...*"
Herr Stock Udo! Kannst du nicht still sein?

Udo Es tut mir Leid, aber ich kann das Buch nicht sehen.
Herr Stock Du musst es nicht sehen. Kannst du hören?
Udo Ja, aber ...
Herr Stock Also, Ruhe! Tom, bitte ...
Kati Was ist „*Scotland*"?
Anna Schottland – ein Land.
Herr Stock Diese Klasse ist unmöglich! Ruhe, bitte! Tom, kannst du hier vorne stehen? Dann kann die Klasse gut sehen und hören.
Tom Ja. „*Scotland is not ...*"
Udo Ich kann nicht sehen ...
Herr Stock Jetzt reicht es! Du kannst sitzen und schreiben. Hier ist ein Blatt Papier, hier ist ein Kuli, du kannst allein arbeiten.
Udo Ich habe keine Arbeit.
Herr Stock Du kannst deine Hausaufgaben machen.
Claudia Darf ich auch meine Hausaufgaben machen?
Herr Stock Es reicht! Claudia – raus! Und nicht laufen!

3.23

Pronomen (Akkusativ)

mich	*me*	uns	*us*
dich	*you (informal singular)*	euch	*you (informal plural)*
ihn	*him or it (masculine nouns)*	sie	*them*
sie	*her or it (feminine nouns)*	Sie	*you (formal singular and plural)*
es	*it (neuter nouns)*		

Ist dieser Kaugummi für **mich**?　　　　Ich kann **dich** nicht finden.

3.24 **Kannst du ihn finden?**

1. Ich kann ... *(him)* nicht finden.
2. Ich kann ... *(you)* nicht sehen, Ulli.
3. Du musst ... *(him)* holen.
4. Kannst du ... *(me)* hören?
5. Herr Stock hat ... *(her)* vergessen.
6. Ich habe ... *(it – a pencil)* vergessen.
7. Ich kann ... *(it – a book)* nicht lesen.
8. Kannst du ... *(it – a dictionary)* für ... *(me)* finden?
9. Ohne ... *(it – a pen)* kann ich nicht anfangen.
10. Ist das für ... *(us)*?

4

An die Arbeit

Annas Klasse muss arbeiten. Tom ist da und sie haben Englisch. Tom hilft.

4.1

die Zahlen 40–100						
40	**vierzig**	70	**siebzig**		100	**hundert**
50	**fünfzig**	80	**achtzig**			
60	**sechzig**	90	**neunzig**			

4.2

Wie viele Bücher?

English Today   *English Life*
Union Jack   *Let's Speak English*
Red White Blue   *All Aboard!*
Green Line

DIE ARBEIT

4.3

der Imperativ

	du	ihr	Sie	
lernen *(to learn)*	lern(**e**)	lern**t**	lern**en Sie**	*(learn)*
machen *(to do)*	mach(**e**)	mach**t**	mach**en Sie**	*(do)*

Beispiele:
(to one person)
Mach das nicht! *(Don't do that.)*

(to a group)
Lernt die Liste! *(Learn the list.)*

(to the teacher)
Wiederholen Sie bitte die Hausaufgaben! *(Please repeat the homework.)*

NB – unregelmäßig

	du	ihr	Sie	
geben *(to give)*	**gib**	gebt	geben Sie	*(give)*
nehmen *(to take)*	**nimm**	nehmt	nehmen Sie	*(take)*

4.4

Imperativ

Finde ein Wörterbuch mit Listen von Verben und suche diese Imperative (du/ihr/Sie):

1. lesen   2. sehen   3. helfen   4. sein   5. kommen

4.5

Wiederhole …

Was passt zusammen?

1. Wiederhole		A.	das Wort.
2. Nimm		B.	mit Anna.
3. Hol		C.	meine Hand.
4. Gib		D.	ein Blatt Papier.
5. Komm		E.	die Schüler und Schülerinnen, bitte – sind alle hier?
6. Arbeite		F.	Tom das Deutschbuch.
7. Zähle		G.	mich nicht!
8. Vergiss		H.	schnell – ich brauche Hilfe.

15

4.6 Was macht man?

die Gruppe (-n)	group	**die Aufgabe (-n)**	exercise, task
bilden	to form	**das Beispiel (-e)**	example
man	one	**z. B. (zum Beispiel)**	e.g. (for example)
selbst	oneself	**usw. (und so weiter)**	etc. (and so on)
bekommen*	to receive, to get	**der Teil (-e)**	part
(ein)ordnen	to put in order	**der Dialog (-e)**	dialogue
alphabetisch	alphabetical(ly)	**die Tabelle (-n)**	table, chart
beginnen*	to begin	**die Liste (-n)**	list
gewinnen*	to win	**die Lücke (-n)**	gap
das Spiel (-e)	game	**passen** (+ Dat.)	to fit; to match
die Seite (-n)	page	**malen**	to paint
auf Seite 21	on page 21	**zeichnen**	to draw
die Übung (-en)	exercise, practice	**kleben**	to stick

4.7 Ein Spiel

Bildet Gruppen von fünf oder sechs Personen. Ihr bekommt eine Liste mit Aufgaben und müsst alles schnell machen. Welche Gruppe gewinnt?

4.8 Fragen und Antworten

die Antwort (-en)	answer	**wählen**	to choose
antworten	to answer (someone)	**stellen**	to put
beantworten	to answer (a question)	**eine Frage stellen**	to put (ask) a question
folgende	(the) following	**fragen**	to ask
sagen	to say	**ergänzen**	to complete, to fill in
bedeuten	to mean	**markieren**	to mark, to highlight
erklären	to explain	**lassen***	to let, to leave
helfen* (+ Dat.)	to help	**prüfen**	to check
die Hilfe	help	**üben**	to practise
verstehen*	to understand	**zu zweit**	in pairs
wiederholen	to repeat	**zusammen**	together
wieder	again	**richtig**	right, correct
noch einmal	again	**falsch**	wrong
nochmals	again	**der Fehler (-)**	mistake
langsam	slow(ly)	**der Haken (-)**	tick
leise	quiet(ly); soft(ly)	**das Kästchen (-)**	box; square
versuchen*	to try	**die Reihe (-n)**	row
buchstabieren	to spell	**die Reihenfolge**	order, sequence
unterstreichen*	to underline	**andere**	other

4.9 Lass mich arbeiten!

Was hörst du?

1. Lass mich arbeiten!
2. Gib mir meinen Kuli zurück!
3. Beantworte meine Frage!
4. Frag sie!
5. Frag Claudia!
6. Mach das nicht!
7. Buchstabiere dieses Wort!
8. Lass mich in Ruhe!
9. Sag das nicht!
10. Frag Herrn Stock!

4.10 trennbare Verben

The word **trennbar** *means 'separable'. The following are examples of separable verbs:*

aufstehen (auf + stehen) *to get up, to stand up*
ansehen (an + sehen) *to look at*
zuhören (zu + hören) *to listen*

Separable verbs are one word in the infinitive, but separate into two when used with a pronoun. The prefix then goes to the end. For example:

ich **stehe auf** *I get up*
er **sieht** es **an** *he's looking at it*
hörst du **zu?** *are you listening?*

Separable verbs will be marked '(trenn.)' in vocabulary boxes.

4.11 Imperativ (du)

The following are the **du***-form imperatives of some separable verbs you will need in the classroom.*

steh(e) auf	*stand up*	(*from* aufstehen)
sieh an	*look at*	(*from* ansehen)
schau(e) nach	*look up*	(*from* nachschauen)
schlag(e) nach	*look up*	(*from* nachschlagen)
schreib(e) auf	*write down*	(*from* aufschreiben)
schreib(e) ab	*copy out*	(*from* abschreiben)
füll(e) aus	*fill in*	(*from* ausfüllen)
kreuz(e) an	*put a cross/tick*	(*from* ankreuzen)
bereite vor	*prepare*	(*from* vorbereiten)
hör(e) zu	*listen*	(*from* zuhören)
nimm auf	*record*	(*from* aufnehmen)
hör(e) auf	*stop*	(*from* aufhören)
mach(e) auf	*open*	(*from* aufmachen)
mach(e) zu	*close*	(*from* zumachen)

4.12 Das geht nicht!

Markiere die richtigen Antworten! Sind andere Antworten auch möglich?

1. Schreibe diese Wörter auf, Udo!
2. Bereite bitte die Aufgabe auf Seite 20 vor!
3. Kreuze das richtige Wort an!
4. Hör gut zu, Jürgen!
5. Kreuze die richtigen Antworten an, Kati!

A. Ja klar, aber welche sind richtig?
B. Ich versuche es, aber ich kann nicht hören.
C. Aber welches ist das richtige Wort?
D. Ich kann nicht, ich habe kein Buch.
E. Ich kann nicht, ich habe kein Papier.

4.13 Schreibe es auf!

Was kannst du sagen? Schreibe es auf!
Beispiel: Antwort + ankreuzen = Kreuze die Antwort an.

1. Füller + finden
2. Hausaufgaben + machen
3. Seite 21 + abschreiben
4. Aufgabe + vorbereiten
5. Wort + erklären

6. Bild + malen
7. Beispiel + geben
8. Dialog + üben
9. Liste + ordnen
10. Frage + stellen

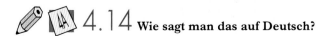 4.14 Wie sagt man das auf Deutsch?

HILFE!

4.15

das Alphabet								

A   *(ah)* H   *(hah)* Q   *(coo)* X   *(ix)*
B   *(beh)* I   *(ee)* R   *(air)* Y   *(ipsilon)*
C   *(tseh)* J   *(yot)* S   *(ess)* Z   *(tset)*
D   *(deh)* K   *(kah)* T   *(teh)*
E   *(eh)* L   *(el)* U   *(oo)*
F   *(ef)* M   *(em)* V   *(fow – rhymes*
G   *(geh)* N   *(en)* *with 'now')*
 O   *(oh)* W   *(veh)* ß   *(ess-tset)*
 P   *(peh)* Ä, Ö, Ü

4.16 **Buchstabiere!**

1	2	3	4	5	6	7	8	9	10	11	12	13	14	15	16	17	18	19	20	21	22	23	24	25	26	27
A	B	C	D	E	F	G	H	I	J	K	L	M	N	O	P	Q	R	S	T	U	V	W	X	Y	Z	ß

Spiel 1: Du hörst Zahlen. Wie ist der Name? (Beispiel: 19, 9, 13, 15, 14 = Simon)

Spiel 2: Du hörst einen Namen. Wie ist die Zahl? (Beispiel: H, A, N, S = 8+1+14+19 = 42)

4.17

Wie schreibt man ...? *How do you spell ...? (lit. How does one write ...?)*	
Wie schreibt man Liszt?	*How do you spell Liszt?*
Wie buchstabiert man Liszt?	
Langsam, bitte!	*Slowly, please!*
Noch einmal, bitte!	*Again, please!*
Wie sagt man „chips" auf Deutsch?	*How do you say 'chips' in German?*
Wie heißt das auf Deutsch?	*What is this called in German?*
Was ist das auf Deutsch?	*What is this in German?*
Was bedeutet das?	*What does this mean?*

4.18 **Wie schreibt man ...?**

Arbeitet zu zweit.

1 A Wie schreibt man Ashley *(Namen)* auf Deutsch?
   B A-S-H-L-E-Y. Wie schreibt man ...?
   (usw.)

2 A *(Nimm ein Objekt aus der Schultasche.)* Wie heißt das auf Deutsch?
   B Lineal.
   A Richtig. Buchstabiere!
   B L-I-N-E-A-L. *(Nimm ein Objekt.)* Was ist das auf Deutsch?
   A Das ist ein Radiergummi.
   B Richtig. Kannst du das buchstabieren?
   (usw.)

4.19

können *to be able to (can)*	
ich kann	wir können
du kannst	ihr könnt
er/sie/es kann	sie/Sie können

4.20

mir und dir

For indirect objects and after certain verbs you need dative pronouns, e.g. **mir** *(to me) and* **dir** *(to you). More in Chapter 5.*

Beispiele:
Gib **mir** das Buch! *(Give me the book.)*
Kann ich **dir** helfen? *(Can I help you?)*

 4.21 **Richtige oder falsche Antworten?**

4.22 **Und die richtige Antwort ist ...**

Welche passen zusammen?

1. Kann ich dir helfen?
2. Können Sie das bitte buchstabieren?
3. Wie sagt man „*I haven't done it*" auf Deutsch?
4. Wie schreibt man „ausgezeichnet", und was bedeutet es?
5. Gib mir bitte dein Heft!

A. Ja, du kannst mir bitte mit meinen Hausaufgaben helfen.
B. Es tut mir Leid, ich habe es nicht.
C. Ja, das ist E-M-I-L, Emil.
D. Man schreibt das A-U-S-G-E-Z-E-I-C-H-N-E-T und es bedeutet „*excellent*".
E. „Ich habe es nicht gemacht."

 4.23 „*I can't, Sir ...*"

HAUSAUFGABEN UND NOTEN

4.24

die Klassenarbeit (-en)	*test, class exam*	**das Ende**	*end*
der Aufsatz (-sätze)	*essay*	**am Ende**	*at the end*
die Note (-n)	*mark*	**korrigieren**	*to correct*
der Punkt (-e)	*point*	**ausgezeichnet**	*excellent*
die Verbesserung (-en)	*improvement; correction*	**besser**	*better*
der Anfang	*beginning*	**schlimm**	*bad*
am Anfang	*at the beginning*	**fast**	*almost*
die Mitte	*middle*	**kompliziert**	*complicated*
in der Mitte	*in the middle*	**faul**	*lazy*
		fleißig	*hard-working*

 4.25 **Die Noten**

Was bedeuten die Noten 1 bis 6 auf Englisch?

1 sehr gut	3 befriedigend	5 mangelhaft
2 gut	4 ausreichend	6 ungenügend

4.26 **Fleißig oder faul?**

Wer ist fleißig und wer ist faul?

 4.27 **Und du?**

1. Bist du fleißig?
2. Bekommst du gute Noten für alles?
3. Wie sind deine Noten in Deutsch?
4. Welche sind besser – deine Noten in Deutsch oder in Englisch?
5. Findest du Deutsch sehr kompliziert?
6. Bekommst du viele Hausaufgaben?
7. Schreibst du deine Verbesserungen aus?
8. Welche Noten bekommst du für englische Aufsätze?

5

Zu Hause

Tom ist zu Hause bei Anna.

DAS HAUS

5.1

zu Hause	at home	**hoch**	high
das Haus ("-er)	house	**die Doppelhaus-**	
im (=in dem) Haus	in the house	**hälfte (-n)**	semi-detached house
wohnen	to live	**das Doppelhaus**	pair of semi-detached
die Person (-en)	person		houses
die Familie (-n)	family	**der Stock** (no pl.)	storey
die Adresse (-n)	address	**das Stockwerk (-e)**	storey
in einem	in a (m. and n.)	**das Dach ("-er)**	roof
in einer	in a (f.)	**unter dem Dach**	under the roof
die Wohnung (-en)	flat	**die Hausnummer (-n)**	house number
der Bungalow (-s)	bungalow	**das Einfamilienhaus**	house (for one family)
das Einzelhaus	detached house	**das Mehrfamilien-**	large house divided into
das Reihenhaus	terraced house	**haus**	flats
das Hochhaus	high-rise building	**der Wohnblock (-s)**	block of flats

5.2

Wo wohnen Tom und Anna?

Siehe die Aufgabe auf Seite 161.

5.3

Wo wohnen Tom und Anna?

Anna Wo wohnst du, Tom?
Tom Ich wohne in einem Haus in Chester.
Anna Ja, ich habe die Adresse: 159 Whitefriars Street, Chester. Ist das ein Reihenhaus?
Tom Nein, es ist ein Einzelhaus. Wie heißt dieses Haus?
Anna Es ist ein Mehrfamilienhaus. Es gibt hier fünf Wohnungen. Die Adresse ist Dachstraße 11, 04155 Leipzig. Elf ist die Hausnummer.
Tom Also, fünf Wohnungen. Und das Haus hat fünf Stockwerke?
Anna Ja, fünf Stockwerke. Es ist nicht sehr hoch. Wir wohnen unter dem Dach.
Tom Wie viele Personen wohnen im Haus?
Anna Ich weiß nicht – vier Personen in dieser Wohnung und dann gibt es noch vier andere Familien im Haus.

die Küche

5.4 Und du ...?

Partnerarbeit: Wo wohnt ihr? Arbeitet zu zweit.

Beispiel

A Wo wohnst du?
A Wohnst du in einem Einzelhaus?

B Ich wohne in Norwich.
B Nein, ich wohne in einer Wohnung.
  Und du? Wo wohnst du?

A Ich wohne in Hethersett.
A Ja.
A 3 Sunnyside, Hethersett,
  Norfolk NR34 9TL.
A H-E-T-H-E-R-S-E-T-T.

B In einem Einzelhaus?
B Wie ist deine Adresse?

B Wie schreibt man „Hethersett"?
B Danke.

5.5

das Schlafzimmer

beschreiben*	to describe	im Keller	in the cellar
die Beschreibung (-en)	description	das Wohnzimmer	living room
draußen	outside	die Küche (-n)	kitchen
die Garage (-n)	garage	das Esszimmer	dining room
der Garten (¨)	garden	der Gang (¨e)	passage; hallway; landing
der Rasen (-)	lawn	die Diele (-n)	hall
der Hof (¨e)	yard	der Flur (-e)	hall, corridor
drinnen	inside	die Treppe	stairs
das Zimmer (-)	room	das Schlafzimmer	bedroom
unten	downstairs	das Badezimmer	bathroom
oben	upstairs	die Toilette (-n)	toilet
im Erdgeschoss	on the ground floor	das WC (-s)	WC
im ersten (1.) Stock	on the first floor	das Klo (-s)	loo
im zweiten (2.) Stock	on the second floor	die Dusche (-n)	shower
auf dem Dachboden	in the attic		

5.6 Toms Haus

Siehe die Aufgabe auf Seite 161.

das Wohnzimmer

5.7 Toms Haus

Anna Tom, kannst du mir dein Haus beschreiben?
Tom Ja klar. Draußen sind ein Garten und eine Doppelgarage.
  Das Haus hat drei Stockwerke, aber keinen Keller.
Anna Was ist im Erdgeschoss?
Tom Da sind eine Diele, ein Flur, ein Wohnzimmer, ein Esszimmer, eine Küche und ein WC.
Anna Und oben?
Tom Im ersten Stock haben wir drei Zimmer und ein Badezimmer. Im zweiten Stock sind noch ein kleines Badezimmer mit Klo und Dusche und ein Gästezimmer. Wir haben auch einen Dachboden.

5.8 Und ihr ...?

Partnerarbeit Was habt ihr zu Hause?

Beispiel

A Wie viele Zimmer habt ihr zu Hause?
A Welche Zimmer habt ihr im Erdgeschoss?
A Und was ist im ersten Stock?
(usw.)

B Wir haben acht.
B Ein Wohnzimmer, ein ... (usw.)

5.9 Drei Häuser

5.10 **Beschreibe dein Zuhause.**

Wo wohnst du und welche Zimmer hat das Haus?

Beispiel

Ich wohne in ... *(town)*, in einem ... *(type of house)*. Wir haben ... *(number)* Zimmer.
Es gibt einen ..., einen ... und eine ... *(rooms)* im Erdgeschoss, und ... im ersten Stock.
Wir haben ... im zweiten Stock und ... auf dem Dachboden.

5.11 | **der Dativ**

The dative case has two main uses. Firstly, it is used for the indirect object of a verb, as in the sentence 'I am giving <u>my teacher</u> £10' (i.e. 'I am giving £10 <u>to my teacher</u>'):

   Ich gebe **meinem** Lehrer zehn Pfund.

Secondly, it is used after certain prepositions (see 5.12 and 5.14).

*There are also a few verbs whose object always takes the dative, such as **helfen**:*

   Hilf **mir**, ich verstehe das nicht! (**mir** = Dativ von i**ch**)

m.	**w.**	**s.**	**Pl.**
d**em**	d**er**	d**em**	d**en**
ein**em**	ein**er**	ein**em**	–
kein**em**	kein**er**	kein**em**	kein**en**
mein**em**	mein**er**	mein**em**	mein**en**
dies**em**	dies**er**	dies**em**	dies**en**

5.12 | **Präpositionen + Dativ**

aus	*out of*	mit	*with*	von	*from, of*
bei	*near, at, at the house of*	nach	*after*	zu	*to*
gegenüber	*opposite*	seit	*since*		

Beispiele: Mein Zimmer ist **gegenüber dem** Badezimmer.
My room is opposite the bathroom.
Ich teile das Zimmer **mit meinem** Bruder.
I share the room with my brother.

5.13 | **Präpositionen + Akkusativ**

bis	*until*	für	*for*	ohne	*without*
durch	*through*	gegen	*against*	um	*around*

Beispiele: Ich kann **ohne meinen** Walkman nicht arbeiten.
I can't work without my Walkman.
Das ist **für meine** Freundin. *That's for my (girl)friend.*

5.14 | **Präpositionen + Akkusativ oder Dativ**

an	*at; on*	in	*in*	vor	*before, in front of*
auf	*on; on top of*	neben	*next to*	zwischen	*between*
entlang	*along*	über	*over*		
hinter	*behind*	unter	*under*		

Use the accusative when there is movement in relation to a location.
Use the dative when there is no change of location.

Beispiele:　　　Ich gehe **in das** Haus. *I go in(to) the house.*
　　　Ich wohne **in dem** Haus. *I live in the house.*

5.15

ans	<	an das	ins	<	in das	zum	<	zu dem
am	<	an dem	im	<	in dem	zur	<	zu der
beim	<	bei dem	vom	<	von dem			

IN DEN ZIMMERN

5.16

die Möbel (Pl.)	furniture	**die Wand** (¨e)	wall
eigen	own	**die Lampe** (-n)	lamp
teilen	to share	**das Regal** (-e)	shelf
die Schwester (-n)	sister	**der Spiegel** (-)	mirror
der Bruder (¨)	brother	**die Ecke** (-n)	corner
das Bett (-en)	bed	**der Boden** (¨)	floor
der Kleiderschrank (¨e)	wardrobe	**der Fußboden**	floor
die Kommode (-n)	chest of drawers	**der Teppich** (-e)	carpet; rug
das Plakat (-e)	poster	**der Teppichboden**	fitted carpet
das Poster (-)	poster		

5.18 5B 5.17 **Schlimm oder was?**

5.18 5.18 **Schlimm oder was?**

Anna Hast du ein eigenes Zimmer zu Hause oder musst du eins teilen?
Tom Ich teile eins mit meinem Bruder.
Anna Wie alt ist er?
Tom Achtzehn.
Anna Ist das ein Problem?
Tom Nein, es ist nicht schlimm.
Anna Also, wie ist das Zimmer?
Tom Es hat zwei Betten, viele Bücherregale, einen Tisch in der Ecke, Plakate an der Wand, Lampen neben den Betten, einen Computer ...
Anna Fernseher?
Tom Nein, der Fernseher ist unten im Wohnzimmer.
Anna Und auf dem Boden?
Tom Bücher, Socken, Schultaschen, Papier, Chips, CDs, Schokolade ...
Anna Halt! *Das* ist schlimm!
Tom Und einen Teppichboden.

5.19 5.19 **Annas Zimmer**

Was gibt es in Annas Zimmer? Höre gut zu und schreibe alles auf!

5.20 Dein Zimmer

Partnerarbeit: Wie ist dein Zimmer? Kannst du es beschreiben? Dein(e) Partner(in) kann alles aufschreiben und wiederholen.

5.21 Dein Haus

Partnerarbeit: Du hast einen Austauschpartner bei dir zu Hause. Du musst ihm erklären, wo alles ist.

Beispiel

A Wo ist die Toilette, bitte? B Oben, im Badezimmer.
A Wo ist das Badezimmer? B Gegenüber meinem Zimmer.
A Wo ist ... (usw.)?

5.22

das Sofa (-s)	sofa
der Sessel (-)	armchair
das Licht (-er)	light
der Fernsehapparat (-e)	television set
der Plattenspieler (-)	record-player
die Stereoanlage (-n)	stereo system
die Uhr (-en)	clock
das Telefon (-e)	telephone
die Elektrizität	electricity
das Gas	gas
die Waschmaschine (-n)	washing-machine
die Spülmaschine (-n)	dishwasher
benutzen	to use

5.23 Das Wohnzimmer

Siehe die Aufgabe auf Seite 161.

5.24 Das Wohnzimmer

Tom Wie heißt alles hier im Wohnzimmer?
Anna Das ist ein Sofa, und das sind Sessel. Es gibt zwei Sessel.
Tom Was ist das in der Ecke?
Anna Oh, das ist ein alter Plattenspieler. Wir benutzen ihn nicht mehr. Wir haben eine Stereoanlage für CDs und Kassetten.
Tom Und das ist der Computer. Bekommt ihr das Internet?
Anna Ja, ja.
Tom Und wo ist der Fernseher?
Anna Der Fernsehapparat ist hier in diesem Schrank. Man sieht ihn nicht.
Tom Können wir die Küche sehen?
Anna Ja klar. Also, da ist die Waschmaschine.
Tom Und wie heißt diese Maschine?
Anna Das ist eine Spülmaschine. Und da in der Ecke sind ein Tisch und sechs Stühle. Und eine Uhr an der Wand. Wie du siehst, haben wir Gas und Elektrizität und ... Ach, Entschuldigung, das Telefon ...

5.25 Ich wohne in ...

Du musst dein Haus für einen Austauschpartner beschreiben. Schreibe, wo du wohnst und welche Zimmer das Haus hat. Und welche Möbel hast du in deinem Zimmer?

Der Alltag zu Hause

Anna und Tom sprechen über ihren Alltag. Sie sind zu Hause.

Nur fünf Minuten …

WIE SPÄT IST ES?

6.1

der Alltag *daily life, daily routine*

die Minute (-n)	*minute*	**genau**	*exactly*
die Stunde (-n)	*hour*	**wie spät ist es?**	*what time is it?*
das Viertel (-)	*quarter*	**wie viel Uhr ist es?**	*what time is it?*
nach	*past*	**die Zeit vergeht**	*time flies*
vor	*to*	**der Zeiger (-)**	*hand (of clock)*
um	*at*	**zeigen**	*to show*
gegen	*about*		

6.2

Wie spät ist es?

Es ist …

ein Uhr (dreizehn Uhr)

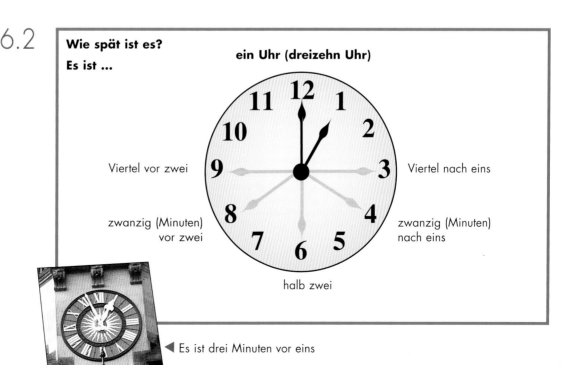

Viertel vor zwei

Viertel nach eins

zwanzig (Minuten) vor zwei

zwanzig (Minuten) nach eins

halb zwei

◄ Es ist drei Minuten vor eins

25

6.3   **Wie viel Uhr ist es?**

Höre zu und schreibe die Uhrzeit auf. Du hörst fünf Fragen und Antworten.

 6.4   **Wie spät ist es?**

1. **Partnerarbeit:** Wie spät ist es auf den Bildern?

Beispiel
A Wie spät ist es auf Bild 1?   B Es ist ...
(usw.)

   2. **Partnerarbeit** mit Blatt 6A.

Beispiel
A *(Benutze Blatt 6A und zwei Bleistifte als Zeiger.)* Wie spät ist es?
B Es ist fünfundzwanzig Minuten nach acht.
(usw.)

6.5

der Tag (-e)	*day*	**die Mitternacht** *midnight*		**der Nachmittag** *afternoon*	
die Nacht ("e)	*night*	**der Morgen (-)** *morning*		**der Abend (-e)** *evening*	
der Mittag	*midday*	**der Vormittag** *morning*			

6.6

a.m.	vormittags	*p.m.*	nachmittags
	am Vormittag		am Nachmittag
	morgens		abends
	am Morgen		am Abend
at midday	um 12 Uhr mittags		nachts
	um ein Uhr mittags		in der Nacht
		at midnight	um Mitternacht

 6.7   **Es ist dreizehn Uhr**

Höre zu und schreibe „vormittags", „mittags", usw. Fünf Personen sagen, wie spät es ist. Benutze die Uhrzeiten unten.

06.00–11.30	vormittags	17.00–22.00	abends
11.30–14.00	mittags	22.00–06.00	nachts
14.00–17.00	nachmittags		

 6.8   **Vormittags, nachmittags ...?**

Partnerarbeit

Beispiel
A Es ist ein Uhr mittags. Wie spät ist es?   B Es ist dreizehn Uhr.
A Es ist zweiundzwanzig Uhr. Wie spät ist es?   B Es ist zehn Uhr abends.
(usw.)

6.9 **Das ist nicht richtig!**

Was passt zusammen?

1. Es ist fünf Minuten nach elf.
2. Es ist zweiundzwanzig Uhr.
3. Es ist zehn vor zwölf.
4. Es ist sechs Uhr morgens.
5. Es ist fünfundzwanzig Minuten nach neun.

A. Es ist elf Uhr fünfzig.
B. Es ist fünf vor halb zehn.
C. Es ist elf Uhr fünf.
D. Es ist 06.00.
E. Es ist zehn Uhr abends.

WANN MACHST DU DAS?

6.10

trennbare Verben *separable verbs*	
aufwachen	ich wache auf *(I wake up)*
aufstehen	ich stehe auf *(I get up)*
einschlafen	ich schlafe ein *(I go to sleep)*

NB Die Vorsilbe (**auf**, **ein**) geht zum Ende.

Beispiele:
Ich **wache** um 7 Uhr **auf**.
Ich **stehe** nicht **auf**.
Ich **schlafe** in der Deutschstunde **ein**.

6.11

wann	*when*	**schlafen gehen***	*to go to bed*
schlafen*	*to sleep*	**früh**	*early*
aufwachen (trenn.)	*to wake up*	**nach Hause**	*home (i.e. to the house)*
aufstehen* (trenn.)	*to get up*	**kommen***	*to come*
duschen	*to shower*	**gehen***	*to go (on foot)*
einschlafen* (trenn.)	*to go to sleep*	**fahren***	*to go (except on foot)*

6.12 **Um wie viel Uhr?**

1. Wann wacht Anna auf?
2. Wann steht sie auf?
3. Wann duscht sie?

4. Wann kommt sie nachmittags nach Hause?
5. Wann geht sie schlafen?

6.13 **Wann wachst du auf?**

1. Wann wachst du auf? (**Beispiel**: Um 7.30.)
2. Wann stehst du auf?
3. Wann gehst/fährst du zur Schule?

4. Wann kommst du nach Hause?
5. Wann gehst du schlafen?

6.14 **Und du? Wann wachst du auf?**

Partnerarbeit

Beispiel
A Wann wachst du auf?
A Um Viertel nach sieben.
    Wann gehst du zur Schule?

B Ich wache um 7 Uhr auf. Und du?

(usw.)

6.15 **Toms Tag**

Ordne Toms Tag!

Er schläft spät in der Nacht ein.
Er geht zur Schule.
Er duscht.

Er wacht um sieben Uhr auf.
Er schläft in der Deutschstunde.
Er geht nach Hause.

Geh weg! Ich schlafe.

6.16 Ich wache auf ...

Du bist Tom! Was machst du?

Beispiel
Ich wache um sieben Uhr auf ... (usw.)

6.17

zuerst	*firstly*	**normalerweise**	*normally*
bevor	*before*	**immer**	*always*
tun* (ich tue, du tust, er/sie tut)	*to do*	**jeden Tag**	*every day*
sich waschen*	*to get washed*	**vielleicht**	*perhaps*
sich anziehen* (trenn.)	*to get dressed*	**interessant**	*interesting*
sich ausziehen* (trenn.)	*to get undressed*	**langweilig**	*boring*
essen* (du isst, er/sie isst)	*to eat*	**so**	*so*
frühstücken	*to have breakfast*	**wie**	*as*
das Frühstück	*breakfast*	**so viel wie du**	*as much as you*
das Mittagessen	*lunch, midday meal*	**fernsehen*** (trenn.)	*to watch television*
das Abendessen	*evening meal*	**enden**	*to end*

6.18

reflexive Verben

Beispiele

sich waschen › ich wasche **mich** *(I wash)* **sich** anziehen › ich ziehe **mich** an *(I get dressed)*
du wäschst **dich** du ziehst **dich** an
er/sie/es wäscht **sich** (usw.)
wir waschen **uns**
ihr wascht **euch**
sie/Sie waschen **sich**

6.19 Wie ist dein Alltag, Anna?

Siehe die Aufgabe auf Seite 161.

6.20 Wie ist dein Alltag, Anna?

Tom Wie ist dein Alltag, Anna? Was machst du jeden Tag?
Anna Also, zuerst mal morgens. Das ist nicht sehr interessant: Ich wache auf, ich stehe auf, ich wasche mich, ich ziehe mich an und ich frühstücke.
Tom Und nachts?
Anna Nach dem Abendessen?
Tom Ja, abends.
Anna Ich mache meine Hausaufgaben, ich lese, ich spiele am Computer ...
Tom Kein Fernsehen?
Anna Nein, normalerweise nicht – ich bin ein Computerfreak.
Tom Ja, ich auch. Wann schläfst du ein?
Anna Normalerweise um zehn Uhr, halb elf. Die Schule beginnt um acht Uhr morgens.
Tom Das ist ja früh! Und wann endet die Schule?
Anna Die Schule ist normalerweise um ein Uhr aus.
Tom Ach so, das ist auch früh.

 6.21 Dialog

Partnerarbeit: Lest zu zweit den Dialog oben. Macht dann einen anderen Dialog.

Beispiel
A Was tust du morgens?
B Ich wache um halb acht auf. Ich stehe um Viertel vor acht auf, ich dusche ... (usw.)

6.22 **Annas Tagebuch**

Lies Annas Tagebuch. Korrigiere dann die Liste.

1. Anna wacht um halb acht auf.
2. Zuerst zieht sie sich an.
3. Sie isst zwei Orangen zum Frühstück.
4. Der Bus kommt nie.
5. Anna findet die Schule sehr interessant.
6. Sie isst kein Mittagessen.
7. Anna sieht jeden Nachmittag fern.
8. Sie macht nie ihre Hausaufgaben.
9. Sie schläft sehr spät ein.
10. Annas Alltag ist interessant.

> Jeden Tag ist es dasselbe. Ich wache um 7 Uhr auf, ich gehe ins Bad und ich wasche mich. Danach ziehe ich mich an. Dann esse ich etwas, normalerweise eine Scheibe Toast oder ein Joghurt. Ich packe meine Schultasche und verlasse das Haus. Der Bus kommt um zwanzig vor acht. Die Schule ist so langweilig, ich muss stundenlang arbeiten – nur sitzen und zuhören oder lesen oder schreiben. Um halb zwei bin ich wieder zu Hause. Wir essen zu Mittag. Mein Bruder sieht nachmittags fern, aber ich spiele immer am Computer. Ich muss auch meine Hausaufgaben machen. Mein Bruder hat nicht so viele Aufgaben wie ich. Das Abendessen ist um sieben Uhr. Ich gehe nicht spät ins Bett, gegen zehn Uhr, und schlafe immer sofort ein. Muss es immer dasselbe sein? Der Alltag ist so langweilig!

 6.23 **Mein Alltag**

Wie ist dein Alltag? Beschreib ihn für einen Austauschpartner.

HILFST DU ZU HAUSE?

6.24

müssen*	to have to	**manchmal**	sometimes
abspülen (trenn.)	to wash up	**täglich**	daily
abwaschen* (trenn.)	to wash up	**nie**	never
abtrocknen (trenn.)	to dry up	**einmal, zweimal, usw.**	once, twice, etc.
aufräumen (trenn.)	to tidy up	**die Woche (-n)**	week
abräumen (trenn.)	to clear away	**das Wochenende (-n)**	weekend
putzen	to clean	**am Wochenende**	at the weekend
oft	often		

6.25

müssen

ich muss *(I must, I have to)*	wir müssen
du musst	ihr müsst
er/sie/es muss	sie/Sie müssen

6.26

Wortstellung *word order*

1 *The verb is the second idea in a sentence.*
Beispiele: Ich   **esse**   um 7 Uhr.
    Um 7 Uhr   **esse**   ich.

2 *If time, manner or place are mentioned in a sentence, they come in that order.*
Beispiele: Ich ziehe mich   **um 7 Uhr**   **im Badezimmer** an.
    Ich gehe   **morgens**   **schnell**   **zur Schule.**

 6.27 **Um sieben Uhr ...**

Ist die Wortstellung richtig? Korrigiere!

1. Um sieben Uhr ich stehe auf.
2. Ich gehe sehr schnell zur Schule morgens.
3. Immer ich esse Frühstück zu schnell.
4. Ich frühstücke in der Küche nie.
5. Ich gehe zur Schule mit dir um Viertel vor acht.

 **6.28** **Hilfst du manchmal?**

Lückentext.

6.29 **Hilfst du manchmal?**

Er spült ab

Tom	Hilfst du manchmal zu Hause?
Anna	Ja klar. Manchmal muss ich helfen.
Tom	Was machst du?
Anna	Jeden Morgen muss ich mein Bett machen. Ich räume immer mein Zimmer auf und ich muss manchmal putzen.
Tom	Zu Hause muss ich abspülen.
Anna	Das mache ich auch – ich wasche sehr oft ab.
Tom	Jeden Tag?
Anna	Nein, vielleicht dreimal in der Woche. Und du? Was machst du zu Hause?
Tom	Nicht so viel wie du! Ich räume manchmal den Tisch ab, ich spüle manchmal ab und ich räume mein Zimmer auf – normalerweise ist das alles.

 **6.30** **Was machst du?**

Partnerarbeit: Arbeitet zu zweit. Was macht ihr zu Hause?

Beispiel

A Was machst du zu Hause?   B Nicht viel. Ich ... (usw.)

6.31 **Faul oder fleißig?**

Wer ist faul, wer ist fleißig?
Mache zwei Listen.

Beispiel

faul	fleißig
Kati	
(usw.)	

> Kati macht ihre Hausaufgaben nie und hilft nicht sehr oft zu Hause. Anna spült oft ab und räumt ihr Zimmer auf. Udo macht viel im Haus: Er putzt und kocht. Claudia hat zu viel zu tun, immer eine Party oder eine Disko, und hilft nicht zu Hause. Andreas ist nicht sehr fleißig: Er spült nur einmal im Jahr ab! Jörg ist doppelt so fleißig: Er spült zweimal im Jahr ab. Annas Bruder Stefan hilft nicht sehr oft: Er trocknet manchmal ab. Toms Schwester Lorna ist sehr fleißig: Sie macht Pizza und kocht Spaghetti am Wochenende und räumt immer auf.

 6.32 **Eine Umfrage** *(a survey)*

Gruppenarbeit: Wer macht was in einer Woche zu Hause? Frage die Gruppe und mach deine Liste.

Beispiel

Frage: Wie oft in einer Woche spülst du ab?   Antwort: Zweimal in der Woche.

	Joe	*Luke*	*Rachel*	(usw.)
abspülen (wie oft?)	2	5	2	
abtrocknen				
die Spülmaschine füllen				
putzen				
Zimmer aufräumen				
vor 7 Uhr aufstehen				
nach 11 Uhr einschlafen				

6.33 **Wer tut was zu Hause?**

Schreibe die Ergebnisse der Umfrage auf. *(Write up the results of the survey.)*

Beispiel

Joe spült zweimal in der Woche ab, aber er trocknet nie ab.
Er räumt sein Zimmer nicht sehr oft auf (nur einmal in der Woche). Er putzt nicht.
Luke ist nicht so faul. Er ... (usw.)

ii. Zu Hause und in der Schule

Der Schultag

Tom ist in Annas Schule. Er lernt, wo alles ist, und was man in einer deutschen Schule macht.

WO IST WAS?

7.1

die Schule			
ich zeige dir	*I'll show you*	**unterrichten**	*to teach*
der Klassensprecher (-)	*form representative (m.)*	**das Lehrerzimmer**	*staffroom*
die Klassensprecherin (-nen)	*form representative (f.)*	**die Aula**	
natürlich	*of course*	(Pl. **Aulen**)	*assembly hall*
der Lehrer (-)	*teacher (m.)*	**die Turnhalle (-n)**	*gym*
die Lehrerin (-nen)	*teacher (f.)*	**das Labor**	
der Direktor (-en)	*headmaster*	(**-s** oder **-e**)	*laboratory*
die Direktorin (-nen)	*headmistress*	**das Gebäude (-)**	*building*
das Büro (-s)	*office*	**der Schulhof (-höfe)**	*playground*
das Sekretariat	*secretary's office*	**der Sportplatz**	
der Eingang (-gänge)	*entrance*	(**-plätze**)	*playing fields*

7.2

Wo ist was?

Lückentext.

7.3

Wo ist was?

Herr Stock Wo ist der Klassensprecher?
Udo Hier bin ich, Herr Stock.
Herr Stock Erkläre Tom, wo alles ist.
Udo Ja klar. Darf ich einen Plan an die Tafel zeichnen?
Herr Stock Natürlich.
Udo Also gut. *(Er zeichnet.)* Hier ist dieses Klassenzimmer und neben uns ist das Lehrerzimmer. Hört zu, die Lehrer sind sehr laut! Dann kommt die Aula. Die Aula ist auch die Turnhalle. Neben der Aula sind sechs Klassenzimmer. Es gibt noch mehr Klassenzimmer oben und das Labor ist auch oben, neben der Treppe.
Herr Stock Und wo ist Herrn Doktor Großmanns Büro?
Udo Ach, ich habe den Direktor vergessen. Sein Büro ist unten, neben dem Eingang. Er unterrichtet nicht viel.
Herr Stock Und draußen?
Udo Draußen ist der Schulhof. Gegenüber dem Eingang gibt es ein Gebäude mit noch mehr Klassenzimmern, und hinter dem Gebäude ist der Schulsportplatz.
Herr Stock Ist das alles?
Udo Ja, das ist alles.
Herr Stock Danke, Udo, das ist sehr klar.

7.4

Udos Plan

Kannst du Udos Plan zeichnen?

7.5 **Fragen, Fragen …**

Partnerarbeit: Übe den Dialog mit einem Partner oder einer Partnerin und stelle dann Fragen.

Beispiel

A Wo ist das Labor?   B Oben, neben der Treppe.
A Richtig. Wo ist … (usw.)

7.6 **Und weiter …**

Partnerarbeit: Frage einen Partner oder eine Partnerin, wo alles in *deiner* Schule ist, und weiter …

Beispiel

A Wo ist die Aula?   B Die Aula ist neben dem Eingang.
A Wo ist der Eingang?   B Der Eingang ist gegenüber dem Schulhof.
A Wo ist der Schulhof?   B Der Schulhof ist vor der Schule.
A Wo ist die Schule?   B Die Schule ist in Inverness.
A Wo ist Inverness?   B Inverness ist in Schottland.
A Wo ist Schottland?   B Schottland ist neben England.

7.7 **Deine Schule**

1. Wo ist das Büro von deinem Direktor oder deiner Direktorin?
2. Wie viele Labors hat deine Schule?
3. Wo sind die Sportplätze?
4. Wo ist die Aula?
5. Was ist neben deinem Klassenzimmer?

7.8 **Etwas stimmt hier nicht!**

MEINE SCHULE

7.9

groß	big	**die Kantine (-n)**	canteen
mittelgroß	medium-sized	**die Bibliothek (-en)**	library
klein	small	**der Kunstraum (-räume)**	artroom
ziemlich	fairly	**der Kochraum**	domestic science room
ungefähr	about	**Großbritannien**	Great Britain
der Assistent (-en)	assistant (m.)	**Wales**	Wales
die Assistentin (-nen)	assistant (f.)	**Schottland**	Scotland
der Hausmeister (-)	caretaker (m.)	**Nordirland**	Northern Ireland

7.10 der Komparativ

schnell   < schnell**er**   *(quick < quicker)*
spät   < spät**er**   *(late < later)*

schneller als *quicker than*

Beispiel: Anna ist schneller als Kati.

NB groß < gr**ö**ßer

🔊 7.12 **7.11** **Komm mal mit!**

Siehe die Aufgabe auf Seite 161.

🔊 7.12 **7.12** **Komm mal mit!**

Tom und Anna sind vor dem Eingang.

Anna   Komm mal mit, ich zeige dir die Schule. Hier stehen wir vor dem Eingang, auf dem Schulhof ...
Tom   Ist die Schule sehr groß?
Anna   Nein, nicht sehr groß.
Tom   Wie viele Schüler gibt es?
Anna   Ungefähr 750. Für eine deutsche Schule ist das nicht sehr groß.
Tom   Meine Schule ist kleiner. Wir haben nur 650 Schüler.
Anna   Sind die Schulen in Großbritannien normalerweise größer?
Tom   Oft, ja. Sie haben oft über tausend Schüler.
Anna   Oh ja, das ist groß.
Tom   Wie viele Lehrer habt ihr hier?
Anna   Ungefähr 50, mit den Assistenten. Also komm, ich zeige dir alles!

✏️ 7.13 **Meine Schule heißt ...**

Du musst deine Schule für deinen Austauschpartner (oder deine Austauschpartnerin) beschreiben. Was schreibst du?

Beispiel
Meine Schule heißt Nether Bottom High. Es gibt ...

Nicht vergessen: Wie viele Lehrer gibt es? Wie viele Schüler? Wie viele Klassenzimmer? Wie viele Labors? Gibt es eine Kantine? Eine Turnhalle? Bibliothek? Kunstraum? Kochraum? Wo ist das Sekretariat? Hat der Hausmeister ein Büro? Was gibt es draußen?

WIE KOMMST DU ZUR SCHULE?

Ich komme mit
dem Rad

7.14

zur Schule, in die Schule	*to school*	mit dem Zug	*by train*
zu Fuß	*on foot*	mit der Straßenbahn	*by tram*
mit dem Rad (Fahrrad)	*by bike*	mit dem Auto	*by car*
mit dem Bus	*by bus*		

Beispiel: Ich komme zu Fuß in die Schule.

Vergiss die Wortstellung nicht: wann? wie? wo?

🔊 7.15 **7.15** **Kommen sie zu Fuß?**

Wie kommen diese Schüler und Schülerinnen in die Schule? (Schreibe „Bus", „Fuß", „Auto" oder „Rad" für 1–10.)

DER STUNDENPLAN

7.16

die Woche

Montag	Freitag	am Montag	*on Monday*
Dienstag	Samstag <u>oder</u> Sonnabend	am Montagvormittag	*on Monday morning*
Mittwoch	Sonntag	heute	*today*
Donnerstag		morgen	*tomorrow*

7.17

der Stundenplan (-pläne) *timetable*

die Stunde (-n)	*lesson*	**(die) Erdkunde**	*geography*
das Fach (¨-er)	*subject*	**(die) Geographie**	*geography*
die Sprache (-n)	*language*	**(die) Geschichte**	*history*
die Fremdsprache (-n)	*foreign language*	**(die) Religion**	*RE*
(das) Englisch	*English*	**(die) Kunst**	*art*
(das) Deutsch	*German*	**(die) Musik**	*music*
(das) Französisch	*French*	**(die) Technologie**	*technology*
(das) Spanisch	*Spanish*	**(das) Werken**	*woodwork, crafts, etc.*
(das) Latein	*Latin*	**(die) Handarbeit**	*needlework*
(die) Mathe(matik)	*math(ematic)s*	**(die) Hauswirtschaft**	*home economics*
(die) Biologie	*biology*	**(der) Sport**	*PE*
(die) Chemie	*chemistry*	**die Pause (-n)**	*break*
(die) Physik	*physics*	**die Mittagspause**	*dinner break*
Naturwissenschaften (Pl.)	*science*	**stimmen**	*to be true, correct*
(die) Informatik	*IT*	**gar (nicht)**	*(not) at all*
(die) Wirtschaft	*economics*		

7.18 **Stundenpläne**

7.19 **Annas Stundenplan**

Siehe die Aufgabe auf Seite 161.

7.20 **Annas Stundenplan**

Tom   Was hast du heute, Anna?

Anna   Also, heute ist Dienstag – ich habe Mathe und Informatik und dann kommt die Pause.

Tom   Und nach der Pause?

Anna   Ich weiß nicht genau. Ah ja, Englisch und Latein.

Tom   Und dann?

Anna   Dann kommen Französisch und Deutsch.

Tom   So viele Sprachen ...

Anna   Ja, aber nicht alles Fremdsprachen!

Tom   Wann beginnt Mathe?

Anna   Mathe fängt um acht Uhr an, oder fünf nach acht, und Informatik ist um fünf vor neun.

Tom   Und dann ist Pause, stimmt's? Wie lange ist die Pause?

Anna   Zwanzig Minuten. Bis um zehn Uhr. Dann haben wir Englisch und um zehn Uhr fünfzig Latein.

Tom   Also, die Stunden sind fünfzig Minuten lang?

Anna   Nein, wir haben fünf Minuten Pause zwischen den Stunden.

Tom   Also, Englisch endet um Viertel vor elf und Latein fängt um zehn vor elf an?

Anna   Richtig. Dann kommt eine Pause von fünfzehn Minuten und dann Französisch und Deutsch.

Tom   Und wann essen wir?

Anna   Später, zu Hause.

Tom   Wann kommen wir zurück zur Schule?
Anna Wir kommen gar nicht zurück. Das ist alles für heute. Die Schule ist um halb zwei aus.
Tom   Und am Nachmittag?
Anna Nichts – nur Hausaufgaben.
Tom   Hm, gar nicht schlecht.

7.21 Mein Stundenplan

Und du? Wie ist dein Stundenplan? Beschreibe ihn für deinen Austauschpartner / deine Austauschpartnerin.

Beispiel

Mein Stundenplan ist schlimm! Ich habe Deutsch am Freitagnachmittag um halb zwei und am Montagvormittag um fünf vor neun. Ich habe auch ... (usw.)

UND DER REST ...

7.22

das Trimester (-)	term	die Jacke (-n)	jacket
das Wahlfach	option	die Hose (-n)	trousers
das Pflichtfach	compulsory subject	der Rock (¨e)	skirt
die Prüfung (-en)	exam	die Mütze (-n)	cap
das Orchester (-)	orchestra	der Hut (¨e)	hat
die Band (-s)	band	der Club (-s)	club
der Chor (¨e)	choir	das Schach	chess
singen	to sing	als	as
die Uniform (-en)	uniform	wahr	true
tragen	to wear	sicher	sure(ly), certain(ly)
die Krawatte (-n)	tie	hart	hard, tough

7.23 **Was machst du dieses Jahr?**

Anna Udo, was machst du dieses Jahr als Wahlfach?
Udo   Ich mache Technologie und Musik – aber ich mache die Prüfung nicht.
Anna Und als Fremdsprache?
Udo   Nur Englisch. Und du?
Anna Ich mache Englisch und Französisch. Und als Wahlfach nehme ich auch noch Latein.
Udo   Das ist doch langweilig! Musik ist viel besser.
Anna Für dich vielleicht. Für mich nicht. Du spielst in der Band, nicht wahr?
Udo   Ja, und im Orchester. Und du singst im Chor.
Anna Das ist wahr.
Udo   Vergiss nicht, der Chor singt heute mit dem Orchester in der Aula.
Anna Ja, ja. Ich mache auch im Computerclub mit. Das ist aber nach der Schule. Tom, spielst du in deinem Schulorchester?
Tom   Ja, sicher. Es ist hart – wir müssen manchmal am Wochenende spielen und die Schuluniform tragen.
Anna Auch am Wochenende? Das ist nicht fair! Der Chor hat auch eine Uniform, aber wir haben keine Schuluniform – man trägt keine Schuluniform in Deutschland.
Tom   Wir müssen immer die Schulkrawatte und -jacke tragen.
Anna Aber nicht hier.
Tom   Nein – nur in der Schule.
Anna Hast du auch eine Mütze?
Tom   Ja, sie ist schwarz und blau.
Anna Wie die Krawatte. Ach, ich hab' ja vergessen – schnell, Udo, der Schachclub fängt in zwei Minuten an und wir müssen für Frau Matt die Spiele aus dem Schrank holen.
Udo   *Wir* müssen? *Ich* habe keine Zeit.
Tom   Komm, Anna, ich kann dir helfen.
Anna Danke, Tom. Bis später, Udo.

7.24 Alles klar?

Lies den Dialog oben und fülle die Lücken im folgenden Text aus.

Als Wahlfächer macht Udo (1 ...) und Musik, aber er macht die Prüfungen für diese Fächer nicht. Als Fremdsprache macht er nur (2 ...). Anna hat Latein als Wahlfach gewählt und ihre anderen Fremdsprachen sind Englisch und (3 ...). Udo spielt in der (4 ...) und im (5 ...) und Anna singt im (6 ...). Tom spielt in seinem (7 ...). Er tut das nicht gern, weil er manchmal am Wochenende spielen muss und dabei seine Schuluniform tragen muss – das tut er überhaupt nicht gern! Er muss immer die (8 ...) und (9 ...) tragen. In Deutschland trägt man (10 ...) Schuluniform.

SPORT IN DER SCHULE

7.25

der Basketball	basketball	schwimmen*	to swim
der Handball	handball	springen*	to jump
die Gymnastik	gym	turnen	to do gym
das Turnen	gym	Sport treiben*	to do sport
der Fußball	football	die Mannschaft (-en)	team
der Federball	badminton	das Mitglied (-er) (in)	member (of)
spielen	to play		

7.26 Und hier?

Treibst du Sport in der Schule? Suche die Wörter im Wörterbuch.

7.27 Jörg macht alles!

Was macht Jörg?

7.28 Was machst du?

Fülle dieses Formular für dich selbst aus:

Name: _____   Schule: _____

Klasse: _____   Klassenlehrer(in): _____

Schulfächer: _____

Sport: _____

Clubs: _____

7.29 Die Schule ist nicht nur harte Arbeit ...

Schreibe einen Brief an einen Austauschpartner (oder eine Austauschpartnerin) in Deutschland. Beschreibe deine Wahlfächer, Clubs, Sportmannschaften und so weiter.

Beispiel

Hastings, den 25. November

Lieber Robert,

hallo aus England!

Was für Sport treibst du in der Schule? Ich spiele ....

Ich bin Mitglied in ....

Als Wahlfach nehme ich ....

Und du? Was machst du als Wahlfach?

Schreib mir bald!

Dein

Adam

Wie findest du die Schule?

Es ist zwei Uhr nachmittags und die Schule ist aus. Tom und Anna sind in der Straßenbahn. Sie besprechen die Schule und das deutsche Schulsystem.

MEINUNGEN

8.1

Schule ist ...	
+3	spitze
+2	toll, klasse
+1	gut
0	okay, in Ordnung
−1	langweilig
−2	blöd, doof
−3	schrecklich, furchtbar

8.2

die Meinung (-en)	*opinion*	**der Satz (¨e)**	*sentence*
übersetzen	*to translate*	**der Durchschnitt (-e)**	*average*

8.3 **Wie heißt das auf Englisch?**

Übersetze die Liste 8.1 ins Englische. Was sagen Schüler heute? (Das Wörterbuch ist nicht immer richtig!)

8.4

Und die Fächer ...?			
einfach	*easy*	**total**	*totally*
schwierig	*difficult*	**besonders**	*particularly*
scheußlich	*dreadful*	**deshalb**	*therefore, because of that*
dumm	*stupid*	**hassen**	*to hate*
ganz	*quite (fairly or completely)*	**ich mag**	*I like*
ziemlich	*fairly*		

8.5

ich bin gut in Sport	*I'm good at sport*
ich bin gut in Sprachen	*I'm good at languages*

8.6   **Wie findest du Mathe?**

Siehe die Aufgabe auf Seite 161.

 8.7   **Wie findest du Mathe?**

Anna   Wie findest du Mathe?
Tom   Spitze!
Anna   Und die Naturwissenschaften – Biologie, Chemie, Physik?
Tom   Interessant, aber schwierig.
Anna   Du bist gut in Sprachen.
Tom   Danke. Deutsch ist ziemlich schwierig, aber toll.
Anna   Welche Fächer findest du einfach?
Tom   Mathe und Englisch.

8.8   **Und du?**

Partnerarbeit: Und du? Beantworte Annas Fragen.

Beispiel: A Wie findest du Mathe?   B Furchtbar – sehr schwierig und deshalb langweilig.
(usw.)

8.9   **Wie findet ihr die Schulfächer?**

Gruppenarbeit: Bildet Gruppen mit 6–8 Personen. Zuerst muss jede Person jedem Fach eine Note geben. (Siehe das Thermometer in 8.1 für die Noten.) Dann muss die Gruppe die Fächer ordnen. Eine Person kann die Fragen stellen. Zum Beispiel: „Welche Note gibst du Kunst, Robert?", usw. Dann braucht ihr einen Taschenrechner – ihr müsst die Durchschnittsnoten finden! Am Ende schreibt jede Gruppe eine Liste von den Fächern in der richtigen Reihenfolge.

8.10

> ### *I like ...*
>
> Verb + **gern**
>
> **Beispiele:** Ich schlafe gern. *I like sleeping.*
> Ich spiele gern Kricket. *I like to play cricket.*

 8.11   **Was macht Anna gern?**

Siehe die Aufgabe auf Seite 161.

 8.12   **Was macht Anna gern?**

Tom   Anna, machst du gern Mathe?
Anna   Mathe? Ja, ziemlich gern. Der Lehrer ist gut!
Tom   Lernst du gern Sprachen?
Anna   Ja, ja, Sprachen lerne ich sehr gern – Englisch, Französisch und Latein.
Tom   Machst du gern Naturwissenschaften? Biologie zum Beispiel?
Anna   Biologie ist ziemlich interessant, aber Chemie finde ich langweilig: Das ist zu schwierig. Deshalb mag ich Biologie, aber Chemie mache ich nicht gern.
Tom   Und Kunst und Musik?
Anna   Ich bin nicht sehr musikalisch, deshalb mache ich Musik nicht gern. Kunst finde ich schrecklich – ich kann nicht malen.
Tom   Bist du gut in Sport?
Anna   Nein, nicht besonders. Ich spiele gern Tennis, aber ich hasse Basketball.
Tom   Ich habe Deutsch vergessen. Machst du gern Deutsch?
Anna   Ja, Deutsch ist spitze – ich lese sehr gern.

8.13 Was machst du gern?

Partnerarbeit: Und du? Was machst du gern? Beantworte Toms Fragen.

Beispiel
A Machst du gern Mathe?   B Nein, ich hasse Mathe.
(usw.)

8.14

> **Gut, besser, am besten** *(used as adverbs)*
>
> gut   < besser < am besten
> *well < better < best*
>
> **Beispiel:** Ich spiele **gut** Tennis, ich spiele **besser** Fußball, aber ich spiele **am besten** Hockey.

8.15 Gut, besser, am besten

Schreibe die folgenden Informationen in Sätzen auf.

Beispiel
Anna: Tennis, Hockey und Federball spielen.
Anna spielt gut Tennis, sie spielt besser Hockey, aber sie spielt am besten Federball.

1. Tom: Hockey, Rugby und Fußball spielen.
2. Jörg: Handball, Basketball und Fußball spielen.
3. Claudia: Basketball, Fußball und Federball spielen.
4. Ulrike: Musik machen, singen und malen.
5. Kati: schwimmen, turnen und springen.

8.16 Bist du gut in Sport?

Antworte mit mehr als „ja" oder „nein"!

1. Bist du gut in Sport?
2. Bist du besser in Schwimmen oder in Turnen?
3. Was machst du am besten (als Sport)?
4. Bist du besser in Sport oder in Sprachen?
5. Welches Fach ist schwieriger für dich – Kunst oder Sport?
6. Bist du besser in Sprachen oder in Naturwissenschaften?
7. Welche Naturwissenschaft kannst du am besten?
8. Hast du Geschichte und Erdkunde?
9. Machst du gern Deutsch?
10. Findest du Deutsch schwieriger als Französisch?

8.17

> **der Superlativ**
>
> **Adverbien**
> schnell < schneller < **am** schnell**sten**   *quickly < more quickly < most quickly*
> spät   < später   < **am** spät**esten**   *late   < later   < latest*
> (usw.)
>
> **Beispiele:** Kati wacht **am spätesten** auf. Sie läuft **am schnellsten** zur Schule.

8.18 Das ist nicht wahr!

Sind die folgenden Sätze richtig oder falsch? Hör zu und antworte „ja" oder „nein".

1. Kati singt am besten.
2. Udo schwimmt am schnellsten.
3. Physik ist schlimmer als Chemie.
4. Deutsch ist schwieriger als Latein.
5. Kati kommt immer zu spät, noch später als Udo.

📖 8.19 **Ich bin am schnellsten!**

Wer ist am schnellsten (oder am besten)?

1. Du liest schneller als ich, aber Karen liest schneller als du.
2. Ich trinke schnell, aber Udo trinkt schneller als ich. Ich trinke schneller als Jörg.
3. Ulli spricht Englisch besser als ich, und ich spreche besser als Kati.
4. Tobias spielt Basketball besser als Torsten. Tobias ist nicht so gut wie Jörg.
5. Nicole spricht Englisch besser als Alex. Nicole ist auch besser als Carolin.

DAS SCHULSYSTEM

8.20

die Grundschule	primary school	**das Zeugnis (-se)**	report
die Gesamtschule	comprehensive school	**sitzen bleiben***	to repeat a year
das Gymnasium		**die Strafarbeit**	extra homework
(Pl. **Gymnasien**)	grammar school		(punishment)
die Realschule	high school between	**nachsitzen*** (trenn.)	to have detention
	a grammar and a	**streng**	strict
	secondary modern	**die Regel (-n)**	rule, regulation
die Hauptschule	secondary modern	**die Meinung (-en)**	opinion
	school	**besprechen***	to discuss
die Privatschule	private/independent/	**die Wahl**	choice
	public school	**wichtig**	important
das Internat (-e)	boarding school	**die Ganztagsschule**	full-day school
besuchen	to visit; to go to	**hitzefrei haben**	to have time off
	(a school)		school for hot
			weather
der Unterricht (Sing.)	lessons		
die Qualifikation (-en)	qualification	**schulfrei**	time when there's
die Oberstufe	upper school; sixth form		no school
das Abitur	equivalent to A level	**wenn nötig**	if necessary
	exams		

 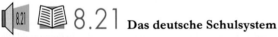 8.21 **Das deutsche Schulsystem**

Das deutsche Schulsystem

Mit sechs Jahren kommen die Kinder in die Grundschule. Meistens bleiben sie vier Jahre da, aber in Berlin und Brandenburg sind es sechs Jahre. Danach gibt es eine Wahl zwischen Gymnasium, Realschule und Hauptschule. Die Schüler und Schülerinnen mit den besten Noten besuchen das Gymnasium. Die anderen besuchen eine Realschule oder eine Hauptschule (die Realschule steht zwischen Gymnasium und Hauptschule). Rund 30% besuchen das Gymnasium, 40% die Realschule und 30% die Hauptschule.

In ein paar Ländern in Deutschland gibt es auch Gesamtschulen.

In der Oberstufe im Gymnasium bereitet man sich auf das Abitur vor. Man braucht das Abitur, wenn man die Universität besuchen will. Meistens sind deutsche Schüler und Schülerinnen 18 oder 19 Jahre alt, wenn sie das Abitur machen.

Der deutsche Schultag

In Deutschland geht die Schule von Montag bis Freitag und oft ist auch am Samstag Schule. Die Schule beginnt morgens um acht Uhr und ist normalerweise um halb zwei aus. Bei sehr hohen Temperaturen im Sommer haben die Kinder hitzefrei – das heißt, es gibt keinen Unterricht.

Uniform

In Deutschland trägt man keine Schuluniform.

Noten

Schüler und Schülerinnen bekommen keine Strafarbeiten. Sie müssen auch sehr selten nachsitzen. Die Regeln sind also nicht sehr streng. Die Noten sind aber sehr wichtig. Man bleibt sitzen, wenn man mehrere 5en oder 6en im Zeugnis bekommt. (Siehe die Noten unten.)

1	sehr gut	3	befriedigend	5	mangelhaft
2	gut	4	ausreichend	6	ungenügend

1. Wann beginnt man die Grundschule in Deutschland?
2. Wie lange bleibt man in einer Grundschule in Berlin?
3. Ist das Gymnasium eine Sportschule?
4. Welche Qualifikation hat man am Ende des Gymnasiums?
5. Gehen die Kinder in Deutschland den ganzen Tag in die Schule?
6. Was passiert bei sehr hohen Temperaturen?
7. Muss man in Deutschland eine Schuluniform tragen?
8. Was passiert, wenn man schlechte Noten im Zeugnis bekommt (mehrere 5en oder 6en)?
9. Gibt es oft Strafarbeiten in der deutschen Schule?
10. Gehen die Kinder in Deutschland am Samstag in die Schule?

			Abitur	
13			**Gymnasiale**	
12			**Oberstufe**	
11		Realschulabschluss		
10	Hauptschulabschluss			
9				
8	**Hauptschule**	**Realschule**	**Gymnasium**	**Gesamtschule**
7				
6				
5		**Orientierungsstufe**		
4				
3				
2		**Grundschule**		
1				

  8.22 **Das deutsche Schulsystem**

Lückentext.

8.23 **Deutsch oder britisch?**

Schreibe zwei Titel: <u>D</u> und <u>GB</u>. Dann höre gut zu. Welches ist das deutsche Schulsystem und welches ist das britische System? Schreibe die Nummer unter den richtigen Titel.

8.24 **Deine Meinung**

Partnerarbeit: Was meinst du? Ist das Schulsystem besser in Deutschland oder wo du wohnst? Mach zwei Listen mit einem Partner / einer Partnerin: Liste 1 hat als Titel „besser in Deutschland", Liste 2 „besser in England" (oder Schottland, usw.). Was ist besser wo? Besprich deine Meinung mit deinem Partner / deiner Partnerin.

Beispiel

besser in Deutschland	besser in Wales
man hat hitzefrei	man lernt Walisisch
(usw.)	

 8.25 **Das Zeugnis**

Dein Halbjahreszeugnis musst du für dich selbst ausfüllen! Benutze wenn nötig ein Wörterbuch und fülle das Zeugnis auf Blatt 8B aus. Bekommst du gute Noten?

41

iii. Das Essen und die Gesundheit

9

Das Essen zu Hause

Anna und Tom sind zu Hause. Sie besprechen das Essen und dann frühstücken sie. Danach kochen sie.

Mutti, es gibt nichts zu essen ...

WAS ISST DU GERN?

9.1

das Essen *food; eating; meal*			
der Fisch	*fish*	**das Gemüse**	*vegetable(s)*
das Fleisch	*meat*	**die Kartoffeln**	*potatoes*
der Schinken	*ham*	**die Pommes frites**	*chips*
das Hähnchen	*chicken*	**die Erbsen**	*peas*
die Wurst (¨e)	*sausage*	**die Karotten**	*carrots*
die Frikadelle (-n)	*rissole*	**der Salat**	*lettuce; salad*
die Boulette (-n)	*rissole*	**das Obst** (no pl.)	*fruit*
das Ei (-er)	*egg*	**die Frucht (¨e)**	*fruit*
der Käse (-)	*cheese*	**der Apfel (¨)**	*apple*
das Butterbrot (-e)	*sandwich; piece of bread and butter*	**die Apfelsine (-n)**	*orange*
		die Orange (-n)	*orange*
die Milch	*milk*	**die Schokolade (-n)**	*chocolate*
das/der Joghurt	*yoghurt*	**der Kakao**	*cocoa, drinking chocolate*

9.2

mögen *to like*	
ich mag	wir mögen
du magst	ihr mögt
er/sie/es mag	sie/Sie mögen

Beispiel: Ich mag Joghurt, aber ich mag Milch nicht.

9.3

I like eating ...; I prefer eating ...; I like eating ... best

♥ Ich esse **gern** Käse.
♥♥ Ich esse **lieber** Joghurt.
♥♥♥ Ich esse **am liebsten** Schokolade.

9.4

Benutze dein Wörterbuch!

1. Isst du gern Joghurt? Fruchtjoghurt? Mit welchen Früchten am liebsten?
   Suche die Wörter im Wörterbuch.
2. Was heißt „*berry*" auf Deutsch?
3. Wie sagt man „*vegetarian*" auf Deutsch?

 9.5

Isst du gern ...?

Siehe Blatt 9A.

9.6

Isst du gern ...?

Tom Anna, isst du gern Käse?

Anna Ja, sehr gern. Am liebsten esse ich Emmentaler - aber er muss vegetarisch sein.

Tom Isst du gern Fisch?

Anna Nein. Hörst du nicht gut? Ich bin Vegetarierin.

Tom Ah, ja, das habe ich vergessen. Also, du isst kein Fleisch, kein Hähnchen und so weiter?

Anna Richtig. Keine Wurst, keinen Schinken, keine Bouletten.

Tom Isst du Eier?

Anna Ja, Eier esse ich gern.

Tom Eier sind aber kein Gemüse ...

Anna Ich esse nicht nur Gemüse. Sei doch nicht so dumm!

Tom Tut mir Leid. Isst du gern Joghurt?

Anna Ja, sehr gern. Besonders Fruchtjoghurt. Am liebsten esse ich Erdbeerjoghurt.

Tom Ich esse am liebsten Haselnussjoghurt.

Anna Ja, das ist auch gut.

Tom Welches Gemüse magst du?

Anna Erbsen, Salat, ...

Tom Und Karotten?

Anna Nein, nicht besonders.

Tom Was isst du am liebsten?

Anna Schokolade. Und du?

Tom Wurst und Kartoffeln.

Anna Scheußlich!

9.7

Und du?

Partnerarbeit: Lest den Dialog zu zweit. Dann wiederholt den Dialog, aber mit anderen Wörtern.

Beispiel

A David, isst du gern Käse?
(usw.)

B Nein, ich hasse Käse, besonders Cheddar.

DAS FRÜHSTÜCK

9.8

ich habe Hunger *I am hungry*			
hungrig	*hungry*	**das Ding (-e)**	*thing*
rufen*	*to call*	**das Spiegelei**	*fried egg*
schon	*already*	**das Rührei**	*scrambled egg*
guten Appetit!	*equivalent of 'enjoy your meal'*	**ein weiches Ei**	*a soft-boiled egg*
		das Salz	*salt*
Mahlzeit!	*equivalent of 'enjoy your meal'*	**der Pfeffer**	*pepper*
		das Stück (-e)	*piece*
die Mahlzeit	*meal*	**das Brot (-e)**	*bread; loaf*
ein bisschen	*a bit, a little*	**das Brötchen (-)**	*roll*
riechen*	*to smell*	**die Butter**	*butter*
lecker	*delicious*	**die Margarine**	*margarine*
gesund	*healthy*	**der Honig**	*honey*
satt	*full*	**die Konfitüre**	*jam*
reichen	*to be enough; to pass*	**die Orangenmarmelade**	*marmalade*

9.9

ich habe Durst *I am thirsty*			
durstig	*thirsty*	**der Kaffee**	*coffee*
trinken*	*to drink*	**die Kaffeekanne (-n)**	*coffee pot*
der Saft ("-e)	*juice*	**der Tee**	*tea*
der Orangensaft	*orange juice*	**die Tasse (-n)**	*cup*
der Apfelsaft	*apple juice*	**der Becher (-)**	*mug*

9.11 **9.10 Familie Müller beim Frühstück**

Siehe die Aufgabe auf Seite 161.

9.11 **9.11 Familie Müller beim Frühstück**

Frau Müller	Anna, kannst du bitte Stefan rufen? Es ist schon sieben Uhr.
Anna	Stefan! Steh auf!
Frau Müller	Das reicht, danke, Anna! Also Tom, was isst du zum Frühstück? Hast du Hunger?
Tom	Ja. Was isst du, Anna?
Anna	Ich esse Joghurt.
Tom	Ist das alles?
Anna	Ja, ich bin nicht hungrig.
Frau Müller	Magst du Eier, Tom? Ein weiches Ei vielleicht?
Tom	Ja, gerne. Gibt es auch Müsli? Das esse ich gern zu Hause.
Frau Müller	Ja, sicher. Isst du auch Toast und Orangenmarmelade?
Tom	Manchmal, ja, oder Rührei auf Toast.
Frau Müller	Was trinkst du gern?
Tom	Orangensaft oder Milch. Manchmal Tee mit Milch. Kaffee trinke ich nicht gern.
Anna	Kaffee ist auch nicht gesund.
Frau Müller	Oh Anna, hör auf! Iss deinen Joghurt und sei still! Liebling, eine Tasse Kaffee?
Herr Müller	Gerne. Mmm, der Kaffee riecht gut! Anna, reiche mir bitte den Zucker. Also, guten Appetit, alle zusammen!

9.12 Was isst du zum Frühstück?

Partnerarbeit: Was esst und trinkt ihr gern zum Frühstück?

Beispiel
A Was isst du gern zum Frühstück?   B Ich esse gern Cornflakes, ...
(usw.)

9.13 Und am liebsten ...?

Partnerarbeit: Was esst ihr gern / lieber / am liebsten? A wählt drei Dinge zu essen oder trinken. B muss die Dinge ordnen.

Beispiel
A Was trinkst du am liebsten? Tee, Kaffee oder Apfelsaft?
B Ich trinke (nicht) gern Kaffee, ich trinke lieber Tee, und ich trinke am liebsten Apfelsaft.
(usw.)

9.14 Was ich mag ...

Was isst und trinkst du gern? Was magst du nicht? Beschreibe es deinem Austauschpartner.

Beispiel:
Zum Frühstück esse ich gern Cornflakes und ...   Ich esse nicht gern ...
Mittags esse ich oft ...   Ich bin Vegetarier. Ich esse kein ...
Zum Abendessen mag ich ...

DAS KOCHEN

9.15

das Rezept (-e)	recipe	**süß**	sweet
kochen	to cook; to boil	**das Eis**	ice-cream
schneiden*	to cut	**das Speiseeis**	ice-cream
die Suppe (-n)	soup	**die Sahne**	cream
die Nachspeise (-n)	dessert	**zuordnen** (trenn.)	to assign, match
der Kuchen (-)	cake	**backen***	to bake; to fry
der Zucker	sugar		

9.16 Anna und Tom gehen in den Supermarkt

Anna und Tom gehen in den Supermarkt. Was brauchen sie? Schreibe eine Liste.

 9.17 Bananen, Mandarinen oder Nuss?

Sieh die Rezepte für Eisbecher an. Dann beantworte die Fragen unten.

1. Für welches Rezept braucht man weiße Schokolade?
2. Nur ein Rezept braucht keine Sahne. Welches?
3. Es gibt drei Nusssorten im Nusseisbecher. Welche? Wie heißen sie auf Englisch?
4. Wie viel Zucker braucht man für alle drei Rezepte?
5. Welchen Eisbecher isst du am liebsten?

Nußeisbecher

Das brauchen Sie:

... Kugeln Haselnuß- oder Mandel-... amel-Eis und Walnuß-Eis, 6 Schoko-... n-Mandelsplitter, 6 Schokoladentäfel-..., 6 Eßlöffel Eierlikör.

... wird's gemacht:

...elnuß- oder Mandel-Caramel-Eis und ...uß-Eis auf 2 Becher verteilen. Mit je ...andelsplittern und Schokoladentäfel-...n anrichten. 3 Eßlöffel Eierlikör dar-...rgeben.

Mandarinenbecher

Das brauchen Sie:

Je 4 Kugeln Mandarinen- und Pistazien-Eis, 150 g Mandarinen (aus der Dose), 100 ml Sahne, 10 g Zucker, 40 g Krokant, 2 Waffeletten mit Schokolade.

So wird's gemacht:

Mandarinen- und Pistazien-Eis auf 2 Eis-becher verteilen. Abgetropfte Mandari-nen darauf verteilen. Sahne steif schla-gen, süßen. Eis mit Sahne, Krokant und Waffeletten anrichten.

Bananenbecher

Das brauchen Sie:

2 Bananen, je 4 Kugeln Weiße-Schokolade- und Bananen-Eis, 100 ml Sahne, 10 g Zucker, 4 Eßlöffel Scho-koladensoße, 6 Schokoladensticks.

So wird's gemacht:

Bananen abziehen und in Scheiben schneiden. Weiße-Schokolade- und Ba-nanen-Eis auf 2 Eisbecher verteilen. Sah-ne steif schlagen, süßen. Eis mit Bana-nenscheiben, Sahne, Schokoladensoße und -sticks anrichten.

 9.18 Lebkuchen-Tannenbäume

Anna bäckt morgen diese Lebkuchen, aber sie hat nichts im Schrank. Was braucht sie vom Supermarkt? Kannst du die Liste aufschreiben?

Lebkuchen-Tannenbäume

Pro Stück ca. 250 Joule/60 Kalorien.
Zubereitungszeit ca. 1½ Stunden (ohne Wartezeit).

Zutaten für ca. 55 Stück:
175 g Honig, 75 g Zucker
25 g Butter oder Margarine
250 g Mehl, ½ Päckchen
Backpulver, 1 Ei
50 g gemahlene Haselnüsse
½ Teel. Zimt, je 1 Messerspitze
gemahlene Gewürznelken und
Kardamom, 1 Eigelb
100 g weiße Kuvertüre
Mehl für die Arbeitsfläche

Zubereitung: 1. Honig, Zucker und Fett erwärmen, bis sich der Zucker gelöst hat. (Nicht kochen lassen!) Die Masse wieder abkühlen lassen.

2. Mehl und Backpulver in eine Schüssel sieben. Ei, Nüsse und Gewürze zufü-gen. Honiggemisch in die Mitte geben und alles mit den Knethaken des Hand-

rührgerätes zu einem glatten Teig verkneten. Zugedeckt ca. 2 Stunden kalt stellen.

3. Teig auf bemehlter Ar-beitsfläche ca. ½ cm dick ausrollen und Tannenbäume in verschiedenen Größen ausstechen. Eigelb verquir-len und die Tannenbäume damit bestreichen. Auf ein mit Backpapier ausgelegtes Backblech legen und im vorgeheizten Backofen (E-Herd: 175 °C/Gas: Stufe 2) ca. 15 Minuten backen. Auf einem Kuchengitter auskühlen lassen.

4. Kuvertüre im heißen Wasserbad schmelzen und in einen Gefrierbeutel füllen. Eine kleine Ecke abschnei-den und die Tannenbäume verzieren. Trocknen lassen.

Maxi

Im Restaurant

Familie Müller besucht ein Restaurant.

DAS RESTAURANT

10.1

das Gasthaus	inn	**die Wurstbude**	fast-food stall
das Café (-s)	café	**wir haben gesagt**	we (have) said
die Kneipe (-n)	pub	**gern(e)**	gladly, with pleasure
der Imbiss (-e)	snack	**anrufen*** (trenn.)	to telephone
die Imbisshalle (-n)	snack bar	**gleich**	immediately
die Imbissbude (-n)	fast-food stall	**hinein**	in
der Imbissstand (¨e)	fast-food stall		

10.2

ich möchte ...

ich möchte *I would like*   du möchtest *you would like*   Sie möchten *you would like*

10.3 **Wo essen wir heute?**

Siehe die Aufgabe auf Seite 161.

10.4 **Wo essen wir heute?**

Herr Müller	Wo essen wir heute Abend?
Frau Müller	Essen wir nicht zu Hause?
Herr Müller	Wir haben doch gesagt, wir essen heute in einem Restaurant.
Stefan	Ich esse am liebsten Currywurst von der Imbissbude.
Anna	Ach, du. Ich esse lieber Kirschtorte im Café Klimmt.
Frau Müller	Man muss mehr als Currywurst und Kirschtorte essen können! Ich möchte im Gasthaus Schiller essen.
Herr Müller	Prima. Machen wir das. Tom, möchtest du auch im „Schiller" essen?
Tom	Ja, gerne.
Herr Müller	Also gut, ich rufe gleich an.

10.5

die Speisekarte (-n) *menu*

die Vorspeise (-n)	starter	**der Senf**	mustard
das Hauptgericht (-e)	main course	**das Kotelett (-s** oder **-e)**	chop, cutlet
das Gericht (-e)	dish	**das Omelett (-s** oder **-e)**	omelette
der Teller (-)	plate	**das Schnitzel (-)**	schnitzel, veal/ pork escalope
braten*	to roast; to fry		
der Braten (-)	roast meat	**der Reis**	rice
das Brathähnchen	roast chicken	**die Salzkartoffeln**	boiled potatoes
die Bratwurst	fried sausage	**die Bratkartoffeln**	sauté potatoes
die Bockwurst	bockwurst (type of sausage)	**die Nudeln**	pasta; noodles
die Currywurst	curried sausage	**gemischt (gem.)**	mixed

10.6

der Nachtisch (-e) *dessert*

die Torte (-n)	*gateau, flan*	**die Erdbeeren**	*strawberries*
der Eisbecher (-)	*ice-cream sundae; tub*	**die Kirschen**	*cherries*
die Vanille	*vanilla*	**die Schlagsahne**	*whipped cream*

10.7 Vor dem Restaurant

Siehe die Aufgabe auf Seite 161.

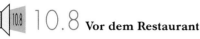

10.8 Vor dem Restaurant

Herr Müller	Also, was gibt es hier zu essen?
Frau Müller	Lesen wir die Speisekarte draußen. Schau mal, Stefan, du kannst doch Currywurst essen.
Anna	Und ich kann ein Omelett essen. Schau die Nachspeisen an! Eisbecher, Erdbeeren – lecker! Was nimmst du, Mutti?
Frau Müller	Kein Problem. Sie haben Schnitzel, das esse ich am liebsten.
Herr Müller	Und für mich das Brathähnchen. Oder vielleicht Bratwurst. Und für dich, Tom?
Tom	Kotelett mit Bratkartoffeln und Erbsen.
Herr Müller	Also gut, gehen wir hinein.

10.9 Die Speisekarte

Partnerarbeit: Schaut Blatt 10A an. Was esst ihr gerne von dieser Speisekarte?

Beispiel

A Was isst du gern?   B Ich esse gern Omelett. Und du?
A Ich esse gern Brathähnchen. Isst du gern Currywurst?   B Ich weiß nicht.
(usw.)

10.10

der Kellner (-) *waiter*

das Menü (-s)	*set menu*	**die Limonade (Limo)**	*soft drink*
das Tagesmenü	*menu of the day*	**das Bier**	*beer*
die Auswahl	*selection, choice*	**der Wein**	*wine*
gewählt	*chosen*	**das Wasser**	*water*
bestellen	*to order*	**das Mineralwasser**	*mineral water*
das Getränk (-e)	*drink*	**der Strohhalm (-e)**	*drinking straw*
das Glas (¨er)	*glass*	**sofort**	*immediately*
die Cola	*Coke ®*		

10.11 Die Familie bestellt

Siehe die Aufgabe auf Seite 161.

10.12 Die Familie bestellt

Kellner	Guten Abend! Die Speisekarte, bitte sehr.
Frau Müller	Danke. Haben Sie heute ein Menü?
Kellner	Das Tagesmenü steht da an der Wand.
Frau Müller	Ich kann es nicht gut sehen. Gibt es eine Auswahl?
Kellner	Ja. Es gibt zwei Vorspeisen – Suppe oder Schinkensalat. Als Hauptgericht können Sie zwischen Brathähnchen und Wiener Schnitzel wählen. Als Nachtisch gibt es Erdbeertorte oder Eis.

Herr Müller	Also, ich nehme bitte das Menü: als Vorspeise die Suppe, als Hauptgericht Brathähnchen.
Kellner	Gern. Und was bekommen Sie? Haben Sie schon gewählt?
Frau Müller	Ja. Ich nehme auch das Menü: Schinkensalat und Wiener Schnitzel. Stefan, was nimmst du?
Stefan	Ich möchte bitte die Currywurst. Mit Pommes frites und Erbsen.
Anna	Und für mich ein Käseomelett mit Pommes frites.
Tom	Ich nehme ein Schweinekotelett mit Bratkartoffeln und Erbsen.
Kellner	Es tut mir Leid, es gibt kein Kotelett mehr.
Tom	Mm, also, dann nehme ich das Schnitzel.
Kellner	Ja gut. Und zu trinken?
Frau Müller	Für mich ein Mineralwasser. Und ein Glas Rotwein – nein, Weißwein.
Herr Müller	Ein Bier, bitte. Stefan, was trinkst du?
Stefan	Eine Cola, bitte, mit einem Strohhalm.
Anna	Für mich auch eine Cola.
Tom	Und für mich.
Kellner	Dreimal Cola. Kommt sofort.

10.13

> **einmal, zweimal, usw.**
>
> **Beispiele:** Viermal die Suppe, bitte.
> Zweimal Kaffee, bitte.

 ## 10.14 Deine Speisekarte

Partnerarbeit: Schreibe eine Speisekarte. Dein(e) Partner(in) bestellt dann von deiner Karte.
NB In deinem Restaurant sagt man „Sie".

Beispiel

A Guten Abend.   B Guten Abend. Ich möchte bitte die Speisekarte.
A Bitte schön ...
  Haben Sie schon gewählt?   (usw.)

10.15 Ein Spiel

Gruppenarbeit mit Blatt 10B, Würfeln und Spielmarken. Was bestellt ihr?

Beispiel

A *(mit 5 auf dem Würfel)* Für mich eine Bratwurst, bitte.
B *(mit 4)* Ich möchte ein Brathähnchen.
C *(mit 6)* Einmal die Suppe.
(usw.)

📖 10.16 **Etwas zu essen**

Was passt zusammen? Und wie heißen die Gerichte?

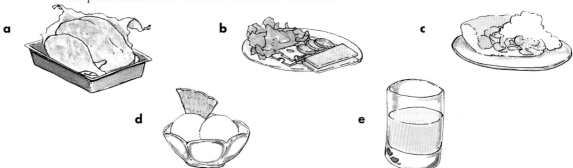

1. Es ist weiß und sehr kalt.
2. Es ist aus einer Frucht gemacht, ist orangenfarbig und ist in einem Glas.
3. Es ist eine Art von Torte, mit Obst und Schlagsahne.
4. Dieses Hauptgericht ist Fleisch, ein Braten.
5. Auf diesem Teller ist Salat mit Käse und Tomaten, und Brot.

ZAHLEN, BITTE!

10.17

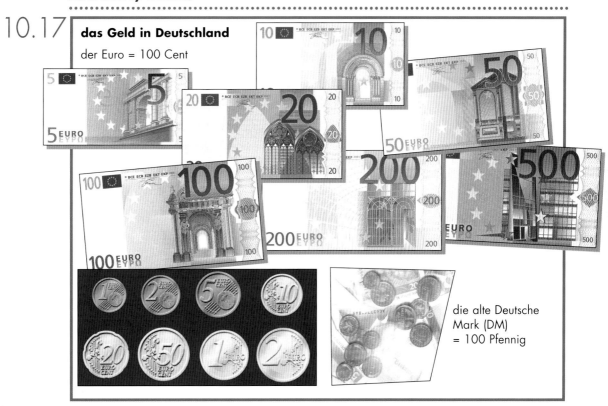

das Geld in Deutschland

der Euro = 100 Cent

die alte Deutsche Mark (DM) = 100 Pfennig

10.18

Herr Ober!	(to call the waiter)	**die Rechnung (-en)**	bill
Entschuldigung!	(to call the waiter or waitress)	**das Geld**	money
		der Euro	euro
leider	unfortunately	**der Cent**	cent
das Kännchen (-)	pot	**die Mark**	mark (German currency)
hat es Ihnen geschmeckt?	was everything all right? (did it taste good?)		
		DM (die Deutsche Mark)	Deutschmark
zahlen	to pay		
kosten	to cost	**der Pfennig**	pfennig

10.19 **Die Rechnung**

Siehe die Aufgabe auf Seite 161.

 10.20 **Die Rechnung**

Frau Müller   Herr Ober!
Kellner   Bitte?
Frau Müller   Zahlen, bitte.
Kellner   Sofort. Hat es Ihnen geschmeckt?
Frau Müller   Ja, ausgezeichnet, danke.
Kellner   So, die Rechnung, bitte schön.
Frau Müller   Das ist leider nicht richtig. Wir haben kein Kännchen Kaffee gehabt.
Kellner   Entschuldigung. Ja, das ist falsch. Also, neunundfünfzig Euro fünfzig.
Frau Müller   So, bitte schön.

  10.21 **Was kostet das?**

Partnerarbeit: Siehe Blatt 10A. Was kostet das?

Beispiel
A Was kostet das Brathähnchen?   B Das kostet acht Euro zwanzig.
(usw.)

 10.22 **Ihr seid dran!**

Gruppenarbeit: Ihr seid in einem Restaurant und müsst das Mittagessen bestellen (und essen). Ihr müsst zuerst eine Speisekarte schreiben und einen Kellner wählen. Vergesst die Rechnung nicht!

  10.23 **Nudelmacher und Emek**

10.24

regelmäßige Verben im Perfekt
haben + Partizip Perfekt
Partizipien von regelmäßigen Verben beginnen mit **ge** und enden mit **t**. Zum Beispiel: sagen > **ge**sag**t**
Beispiel
ich habe gesagt *I have said*
du hast gesagt *you have said*
(usw.)
NB Das Partizip steht am Ende: z.B. Ich habe das schon **gesagt**.

10.25

der Würfel (-)	*die, dice*	doch	*(used for emphasis, as 'really')*
die Spielmarke (-n)	*counter*	mal	*(used for emphasis, short for* **einmal**)
schauen	*to look*	ihr seid dran	*it's your turn*
anschauen (trenn.)	*to look at*		

Es tut weh!

Heute hat Stefan ein Fußballspiel. Aber etwas geht schief ...

DER KÖRPER

11.1

der Körper (-)	body	**die Hand (¨e)**	hand
der Kopf (¨e)	head	**das Handgelenk (-e)**	wrist
das Gesicht (-er)	face	**der Finger (-)**	finger
das Auge (-n)	eye	**der Daumen (-)**	thumb
die Nase (-n)	nose	**der Nagel (¨)**	nail
das Ohr (-en)	ear	**der Rücken (-)**	back
der Mund (¨er)	mouth	**die Brust (¨e)**	chest
der Zahn (¨e)	tooth	**der Magen (¨)**	stomach
die Zunge (-n)	tongue	**der Bauch (¨e)**	tummy, belly
der Hals (¨e)	neck; throat	**das Bein (-e)**	leg
die Schulter (-n)	shoulder	**das Knie (-)**	knee
der Arm (-e)	arm	**der Fuß (¨e)**	foot
der Ell(en)bogen (-)	elbow	**der Zeh (-en)**	toe

11.2 **Das ist mein ...**

Partnerarbeit: Was ist das?

Beispiel
A *(points to arm)* Was ist das?
B Das ist ein Arm. (usw.)

Das ist mein Finger ...

11.3 **Der Gorilla**

ES TUT WEH!

Au! Ich habe Zahnweh!

Ich habe Magenschmerzen!

11.4

was ist los?	what's wrong? <u>or</u> what's up?	**Schmerzen haben***	to be in pain
es tut weh	it hurts	**liegen* (auf)**	to lie (on)
wehtun* (trenn.)	to hurt	**schief gehen***	to go wrong
der Schmerz (-en)	pain	**das Tor (-e)**	goal

51

11.5

Wo tut es weh?

mein Hals (usw.) tut weh *my throat (etc.) hurts*

ich habe		ich habe			
	Halsweh		Halsschmerzen	*I have*	*a sore throat*
	Bauchweh		Bauchschmerzen		*a stomach-ache*
	Magenweh		Magenschmerzen		*a stomach-ache*
	Zahnweh		Zahnschmerzen		*toothache*
	Kopfweh		Kopfschmerzen		*a headache*
			Ohrenschmerzen		*earache*
			Rückenschmerzen		*backache*

 11.6 **Stefan spielt Fußball**

Siehe die Aufgabe auf Seite 161.

 11.7 **Stefan spielt Fußball**

Stefan	Schnell, Peter, spiel den Ball ab! Ja, ja, zu mir.
Alex	Peter, hier! Guter Kopfball! Jetzt geht's los, es ist mein Ball ...
Stefan	Alex! Zurück zu Peter, nicht zu mir!
Alex	Peter, wo bist du? Schläfst du oder was? Stefan ...
Stefan	Nein, nicht zu mir! Dummkopf! Ich kann nichts sehen ... Paul ist ...
Alle	Tor!
Peter	Schönes Eigentor, Alex! Klasse! Aber Stefan, was ist los? Stefan liegt auf dem Boden!
Stefan	Au, mein Knie ... Es tut weh! Und mein Arm ...
Peter	Hilfe, Herr Pfeiffer! Stefan hat Schmerzen im Knie und im Arm.
Herr Pfeiffer	Wo tut der Arm weh, Stefan?
Stefan	Au, hier, unter dem Ellenbogen.
Herr Pfeiffer	Kannst du gehen?
Stefan	Ja, aber nur langsam. Das Knie tut weh.
Herr Pfeiffer	Komm, Alex, hilf Stefan. Und für dich, junger Mann, eine rote Karte!
Paul	Das ist nicht fair!

 11.8 **Wo tut es weh?**

Partnerarbeit mit Karten von Blatt 11B. Wo tut es weh? Nimm eine Karte und antworte.

Beispiel
A Wo tut es weh?   B (*nimmt eine Karte*) Mein Finger tut weh.
(usw.)

IST ES GEBROCHEN?

11.9

unregelmäßige Verben im Perfekt

Einige Beispiele

ich habe **gebrochen**	(brechen *to break*)	ich habe **gesehen**	(sehen *to see*)
ich habe **genommen**	(nehmen *to take*)	ich habe **getan**	(tun *to do*)
ich habe **gegessen**	(essen *to eat*)	ich habe **verstanden**	(verstehen *to understand*)

Regelmäßige und unregelmäßige Verben mit **ver-**, **er-**, **be-** (usw.) haben kein **ge-** am Anfang. Zum Beispiel: Ich habe **vergessen**. Ich habe **erklärt**. Was hat das **bedeutet**?

Trennbare Verben haben das **ge** in der Mitte. Zum Beispiel: Ich habe **angerufen**.

11.10 **Namen im Genitiv**

Kein Apostroph!

Beispiel: Tom**s** Zahn tut weh.

 **11.11** **Hast du ihn gesehen?**

11.12 **Was ist gebrochen?**

Partnerarbeit: Mit Karten von Blatt 11B, stellt Fragen wie die folgenden.

A Was ist gebrochen?　　　　　B (*nimmt eine Karte*) Mein Arm ist gebrochen.
(usw.)

11.13 **ich habe mir ... gebrochen**

ich habe mir das Bein gebrochen	*I have broken my leg*
ich habe mir das Knie verletzt	*I have injured my knee*
ich habe mir das Handgelenk verstaucht	*I have sprained my wrist*
(usw.)	

mir tut ... weh

mir tut der Bauch weh	*I have stomach-ache*
(usw.)	

11.14 **Ich habe mir ...**

Partnerarbeit: Nehmt wieder die Karten von Blatt 11B und stellt Fragen wie vorher. Antwortet mit „Ich habe mir den/die/das ... gebrochen/verletzt/verstaucht" oder „Mir tut der/die/das ... weh."

Beispiel

A Was hast du gemacht?　　　　　B (*nimmt eine Karte*) Ich habe mir den Daumen verstaucht.
(usw.)

BEIM ARZT

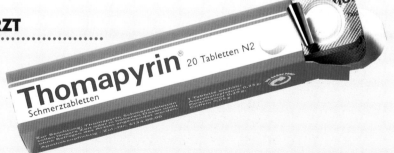

11.15 **Was ist los?**

Was hörst du – (a) oder (b)?

1. (a) Das Knie tut weh. 　　　　　(b) Sie hat Kopfschmerzen.
2. (a) Der Arm tut weh. 　　　　　(b) Das Bein ist gebrochen.
3. (a) Das Rezept ist für Schlaftabletten. 　　　(b) Das Rezept ist für Kopfschmerztabletten.
4. (a) Sie braucht einen Zahnarzt. 　　　(b) Sie braucht einen Tierarzt.
5. (a) Der Mann muss ins Krankenhaus gehen. 　　　(b) Der Mann muss Tabletten nehmen.

11.16

weinen	to cry	**die Pille (-n)**	pill
der Unfall (¨e)	accident	**die Tablette (-n)**	tablet
verletzen	to injure	**verschreiben***	to prescribe
schwer	serious, seriously	**das Rezept (-e)**	prescription
sauber	clean	**die Apotheke (-n)**	dispensing chemist's
schmutzig	dirty	**die Klinik (-en)**	clinic; hospital
die Wunde (-n)	wound	**das Krankenhaus**	hospital
das Blut	blood	**operieren**	to operate
bluten	to bleed	**der Gips**	plaster (of Paris)
schwach	weak	**die Behandlung (-en)**	treatment
der Arzt (¨e)	doctor (m.)	**der Zahnarzt**	dentist (m.)
die Ärztin (-nen)	doctor (f.)	**die Spritze (-n)**	injection
die Sprechstunde (-n)	surgery times	**du darfst, Sie dürfen***	you are allowed to
untersuchen	to examine	**du sollst, Sie sollen***	you are to, you
das Medikament (-e)	medicine		are supposed to
die Medizin	medicine	**bleiben***	to stay
die Creme (-s)	cream	**die Besserung**	improvement
einreiben* (trenn.)	to rub in	**gute Besserung!**	get well soon!
das (Heft)pflaster (-)	sticking-plaster	**gestern**	yesterday
der Verband (¨e)	bandage; dressing	**vorher**	beforehand
einige	some		

11.17 **Sprechstunde**

Du musst den Arzt besuchen.
Wann hat Dr. Ziehr Sprechstunde?

11.18 **Stefan bei der Ärztin**

Siehe die Aufgabe auf Seite 161.

Dr. med.
Torsten Ziehr
Arzt für Allgemeinmedizin

Mo - Fr 9 - 11   Mo Di Do 15³⁰ - 18⁰⁰
Freitagnachm. nur nach Vereinbarung

11.19 **Stefan bei der Ärztin**

Frau Doktor Schneider	Ah, Stefan, komm bitte herein! Und Frau Müller – guten Tag!
Stefan	Guten Tag!
Frau Müller	Guten Tag, Frau Doktor Schneider!
Frau Doktor Schneider	Was kann ich für dich tun, junger Mann?
Stefan	Mir tut das Knie weh und ich habe Schmerzen hier unter dem Ellenbogen.
Frau Doktor Schneider	Also, lass mal sehen. Ich schau mir das mal an. Na, ja, hmm.
Stefan	Au!
Frau Doktor Schneider	Tut das weh? Es tut mir Leid. Es ist nicht allzu schlimm: Nichts ist gebrochen. Die Wunde ist ein bisschen schmutzig. Ich mache sie sauber, und dann schreibe ich dir ein Rezept – nimm das mit zur Apotheke. Du musst diese Creme dreimal pro Tag einreiben.
Stefan	Darf ich morgen Fußball spielen?
Frau Doktor Schneider	Du kannst nicht sofort wieder spielen. Vielleicht nächste Woche wieder. Also, gute Besserung! Auf Wiedersehen!
Stefan	Danke schön. Auf Wiedersehen!
Frau Müller	Auf Wiedersehen, Frau Doktor Schneider.

11.20 **Was soll ich tun?**

Partnerarbeit: A hat Schmerzen. B ist der Arzt oder die Ärztin. B muss sagen, was A tun soll.

Beispiel
A Ich habe Kopfschmerzen. Was soll ich tun?   B Sie müssen diese Tabletten nehmen.
(usw.)

11.21 Unfall!

Gruppenarbeit mit Arbeitsblatt 11D.

11.22 Was sagen sie?

Sieh dir die Patienten und Patientinnen unten an. Was sagen sie?
Beispiel: 1. *Ich habe mir das Handgelenk verstaucht.*

11.23 Gerhards Unfall

11.24

sollen	dürfen
ich soll *(I am to, I am supposed to)*	ich darf *(I am allowed to, I may)*
du sollst	du darfst
er/sie/es soll	er/sie/es darf
wir sollen	wir dürfen
ihr sollt	ihr dürft
sie/Sie sollen	sie/Sie dürfen

+ Verb (Infinitiv) am Ende

Beispiele: Ich **soll** heute meinen Freund im Krankenhaus **besuchen**.
Darf ich nach Hause **gehen**?

55

iii. Das Essen und die Gesundheit

12

Gesundheit!

Stefan und Frau Müller müssen die Creme für Stefans Knie in der Apotheke holen. Zuerst aber muss Tom zum Zahnarzt gehen, weil er Zahnschmerzen hat.

Andre Chorschew
Zahnarzt

Montag	Dienstag	Mittwoch	Donnerstag	Freitag
8-18	8-18	8-18	8-19	8-14

und nach Vereinbarung · Tel. 960 45 54

BEIM ZAHNARZT

12.1

behandeln	*to treat*	**der Diabetes**	*diabetes*
die Allergie (-n)	*allergy*	**leiden* (unter/an** + Dat.**)**	*to suffer (from)*
allergisch (gegen)	*allergic (to)*	**beißen***	*to bite*
atmen	*to breathe*	**kauen**	*to chew*
atemlos	*breathless*	**die Angst (¨e)**	*fear*
der Heuschnupfen	*hay fever*	**Angst haben (vor** + Dat.**)**	*to be frightened (of)*
das Asthma	*asthma*	**vollkommen**	*complete(ly)*
die Krankheit (-en)	*illness*		

12.2

seit + Präsens

Beispiele

Ich **leide seit** zehn Jahren unter Asthma. I **have suffered** from asthma **for** ten years.

Ich **lerne seit** vier Monaten Deutsch. I **have been learning** German **for** four months.

NB Dativ Plural: Substantiv + **n** (z.B. seit zehn Jahre**n**)

12.3

Tom geht zum Zahnarzt

Siehe die Aufgabe auf Seite 162.

12.4

Tom geht zum Zahnarzt

Zahnarzt	Guten Tag, Frau Müller! Und das ist Tom?
Frau Müller	Ja.
Zahnarzt	Guten Tag, Tom! Bitte, setz dich hin! Wo tut es weh?
Tom	Hier oben.
Zahnarzt	Seit wann tut der Zahn denn weh?
Tom	Seit gestern.
Zahnarzt	Mm. Ja, das müssen wir behandeln. Aber zuerst ein paar Fragen: Nimmst du im Moment Tabletten?
Tom	Nein.
Zahnarzt	Hast du Allergien?
Tom	Manchmal habe ich Heuschnupfen.
Zahnarzt	Also kein Problem. Kein Asthma? Nie atemlos? Keine anderen Probleme? Diabetes?
Tom	Nein. Aber ich kann nicht beißen oder kauen – es tut weh!
Zahnarzt	Gut. Ich gebe dir eine kleine Spritze gegen die Schmerzen.
Tom	Was ist „Spritze"?
Frau Müller	Auf Englisch, „*injection*", Tom.
Tom	Mmm.
Zahnarzt	Fertig. Vollkommen schmerzlos. Jetzt kommt die Behandlung.

12.5

Wie sagt man ...?

Wie sagt man Folgendes auf Deutsch?

My filling's come out. I need a filling. Do you have to take the tooth out?

IN DER APOTHEKE

12.6

das Fieber	temperature	mindestens	at least
der Schnupfen	cold	eine Medizin	to make up a
erkältet sein*	to have a cold	zubereiten (trenn.)	prescription
die Grippe	flu	die Tropfen	drops
schwind(e)lig	dizzy	alle zwei Stunden	every two hours
husten	to cough	die Verstopfung	constipation
niesen	to sneeze	verstopft	constipated
Verzeihung!	excuse me!	der Durchfall	diarrhoea
Gesundheit!	bless you!	der Sonnenbrand	sunburn
die Gesundheit	health	die Sonnencreme	sun cream
brechen*	to be sick	die Zahnpasta	toothpaste
mir ist übel	I feel sick	die Seife	soap
seekrank	seasick	die Drogerie	non-dispensing
die Luft	air		chemist's
das Fliegen	flying	kaufen	to buy
empfehlen*	to recommend	verkaufen	to sell

12.7 12.7 **In der Apotheke**

Stefan und Frau Müller müssen in der Apotheke warten. Sie hören viele Probleme.
Verstehst du sie auch? Vollende die Sätze unten.

1. Der Mann hat ...
2. Der alte Mann hat einen ...
3. Die junge Dame soll zu einem ... gehen.
4. Der Mann hat Angst vor ...
5. Die Dame hat Probleme mit den ...
6. Die Dame (oder vielleicht ihr Freund) ist ...

7. Die Präservative für den jungen Mann kosten ...
8. Die Dame leidet unter ...
9. Der Mann soll alle ... Stunden Augentropfen nehmen.
10. Das Kind leidet unter ...

Endlich sind Stefan und Frau Müller dran. Können sie die Creme für Stefan sofort mitnehmen?

12.9 12.8 **Vor der Drogerie**

Siehe die Aufgabe
auf Seite 162.

12.9 12.9 **Vor der Drogerie**

Stefan	Tom hat gesagt, er braucht Zahnpasta. Sollen wir sie für ihn kaufen?
Frau Müller	Gute Idee, Stefan.
Stefan	Und wir brauchen Sonnencreme und Pflaster.
Frau Müller	Also gut. Gehen wir hinein.
(sie gehen in die Drogerie)	
Frau Müller	Guten Tag. Ich möchte eine Tube Zahnpasta.
Drogist	Zahnpasta finden Sie in der Ecke.
Frau Müller	Und Heftpflaster und Sonnencreme.
Drogist	Heftpflaster, so, bitte schön. Wir verkaufen Sonnencreme, Sonnenmilch, Sonnenöl. Was benutzen Sie am liebsten?
Frau Müller	Am liebsten eine gute Creme. Diese hier, die nehme ich.
Drogist	Bitte schön. Das macht dreizehn Euro fünfunddreißig zusammen.
Frau Müller	Danke schön. Auf Wiedersehen.

12.10 **Was kann man da kaufen?**

Was kann man in der Drogerie kaufen? Finde mindestens fünf Dinge im Wörterbuch.

 12.11 **In der Drogerie**

Partnerarbeit: A ist der Drogist oder die Drogistin. B muss diese fünf Dinge kaufen (siehe oben).

Beispiel

A Guten Tag. Darf ich Ihnen helfen?   B Guten Tag. Ich möchte ein Päckchen ...

(usw.)

12.12 **Haben Sie ...?**

a   b   c    d   e

Was passt zu welchem Bild?

1. Ich möchte bitte Heftpflaster.
2. Haben Sie Tabletten gegen Kopfschmerzen?
3. Haben Sie etwas gegen Seekrankheit?

4. Ich hätte gern eine Tube Zahnpasta.
5. Was haben Sie gegen Sonnenbrand?

 12.13 **Beim Arzt**

Du bist krank. Ist es eine Grippe? Du hast Halsweh und kannst nicht sprechen! Du musst deine Symptome für den Arzt hinschreiben. Leider kannst du auch nicht hören (schlimme Ohrenschmerzen!) und der Arzt muss seine Antworten auch aufschreiben.

Beispiel

Ich Seit drei Tagen kann ich nicht sprechen. Ich ...   *Arzt* Nehmen Sie ...

FIT ODER NICHT?

12.14

die Diät (-en)	*diet*	**joggen**	*to jog*
abnehmen* (trenn.)	*to lose weight*	**das Herz (-en)**	*heart*
zunehmen* (trenn.)	*to gain weight*	**der Blutdruck**	*blood pressure*
vorhaben* (trenn.)	*to plan*	**schützen**	*to protect*
warum	*why*	**sonst**	*otherwise*
weil	*because*	**die Sorge (-n)**	*worry; care*
niemand	*no-one*	**wenn**	*if; whenever*
stark	*strong*	**betrunken**	*drunk*
fit	*fit*	**die Zigarette (-n)**	*cigarette*
dünn	*thin*	**rauchen**	*to smoke*
blass	*pale*	**leben**	*to live*
(sich) fühlen	*to feel*	**das Leben**	*life*
müde	*tired*	**aufpassen** (trenn.)	*to watch out, be careful*
in Form sein*	*to be fit*	**gleichfalls**	*likewise*

blub-FITNESS-CLUB

Fitness-Preise
Sportbekleidung erforderlich. Auskünfte zum Fitness-Club: 606 13 73
Fitness-Club zusätzlich zum blub-Eintritt
Einzelkarte (freie Gerätebenutzung) **18,–**
Probetraining (nach Terminvereinbarung) mit Trainer **25,–**
Fitness-Club inklusive blub und Gemeinschaftssauna
Jahresvertrag monatlich **105,–**
(Ermäßigung ab 2. Jahr auf 100,– DM, ab 3. Jahr auf 95,– DM)
Jahresvertrag inkl. Saunagarten monatlich **155,–**
Jahresvertrag Jugendl. (bis 17 J.) u. Studenten (bis 26 J.) mtl. **95,–**
1/2 Jahresvertrag monatlich **130,–**
1/4 Jahresvertrag **450,–**
Aufnahmegebühr inklusive Fitness-Test **95,–**
Intensiv-Solarium mit Gesichtsbräuner, 12 Minuten **6,–**

Kids-Aerobic / Kids-Judo
Jahresvertrag mit 2 Kursteilnahmen pro Woche
inkl. anschließendem blub Besuch monatlich **60,–**
1/2 Jahresvertrag mit 2 Kursteilnahmen pro Woche
inkl. anschließendem blub Besuch monatlich **75,–**
Aufnahmegebühr **50,–**

blub. Europas vielseitigstes Badeparadies mit Saunagarten.
Verkehrsgünstig gelegen. Schnell zu erreichen.

...da können Sie was erleben!

12.15 Adjektive und Adverbien

Adjektiv: ich bin **gesund** *(I am **healthy**)*
Adverb: ich lebe **gesund** *(I live **healthily**)*

Fast alle Adjektive können auch Adverbien sein.

12.16 weil ... *because ...*

weil + Verb am Ende

Beispiel: Ich bin fit, **weil** ich jeden Tag **schwimme**. *I'm fit because I swim every day.*
Weil ich jeden Tag **schwimme**, bin ich fit. *Because I swim every day, I'm fit.*

NB + Komma!

Gleichfalls: **wenn**, **wann**, **bevor**, usw.

12.17 Was haben sie vor?

Diese zehn Schüler möchten fit werden. Was haben sie vor?

12.18 Gesund oder nicht?

Leben folgende Personen gesund oder nicht? Gib Punkte (+1 für gesund, -1 für ungesund).
Wer ist der/die Gesündeste?

Beispiel
Jörg: Er spielt Fußball. (+1)
       Er geht zu spät schlafen. (-1)   (usw.)

Jörg
Er spielt jedes Wochenende Fußball und schwimmt oft. Er geht fast jeden Tag in die Turnhalle und joggt zweimal pro Woche. Er ist oft müde, weil er zu spät schlafen geht. Er isst nie Frühstück, weil er zu spät aufsteht. Mittags, auf dem Weg nach Hause, isst er Pommes frites. Wenn er nach Hause kommt, trinkt er ein Glas Milch und isst ein Schinkenbrot oder ein Käsebrot, weil er großen Hunger hat. Niemand in der Schule treibt so viel Sport wie Jörg.

Anna
Sie fährt jeden Tag mit der Straßenbahn zur Schule. Manchmal geht sie zu Fuß zum Schwimmbad und schwimmt eine halbe Stunde. Im Sommer spielt sie dreimal pro Woche Tennis und im Winter spielt sie Federball in der Sporthalle. Zum Frühstück isst sie Joghurt und Toast und sie trinkt Orangensaft. Oft isst sie gar nichts zu Mittag. Sie hat viele Hausaufgaben und muss fast jeden Abend mindestens drei Stunden in ihrem Zimmer arbeiten. Sie hat öfter mal einen Schnupfen und hat letzten Winter eine Grippe gehabt. Sie ist im Moment ein bisschen blass.

Herr Großmann
Herr Großmann leidet unter hohem Blutdruck und nimmt dagegen Tabletten. Er treibt nicht viel Sport, weil er nicht viel Zeit hat. Für ihn ist es nicht nötig, sagt er. Er arbeitet oft bis spät am Abend und geht immer nach Mitternacht schlafen. Er trinkt Kaffee während der Pausen und isst Schokolade zu Mittag. Am Wochenende geht er mit seinen Freunden in die Kneipe. Er hat schon einen Bierbauch, und der Arzt hat ihm gesagt, er soll nicht so viel Bier trinken. Er soll auch nicht so viel Butter und Sahne essen. Er hustet viel, weil er jeden Tag mindestens 20 Zigaretten raucht. Wenn er die Treppe hinauf geht, atmet er schwer. Darüber macht er sich Sorgen.

12.19 Wie gesund bist du?

Beantworte den Fragebogen unten. Wie viele Punkte bekommst du?

Fit fürs Leben?

	Ja	Nein
1. Treibst du mindestens dreimal in der Woche Sport?	☐	☐
2. Bist du Nichtraucher?	☐	☐
3. Gehst du zu Fuß zur Schule?	☐	☐
4. Benutzt du oft die Treppe, auch wenn es einen Lift gibt?	☐	☐
5. Gehst du meistens vor halb elf schlafen?	☐	☐
6. Isst du jeden Tag Frühstück?	☐	☐
7. Du isst nicht zu viele Chips. Richtig?	☐	☐
8. Du isst nicht zu viel Schokolade. Richtig?	☐	☐
9. Du trinkst nicht zu viel Cola. Richtig?	☐	☐
10. Du bist nie betrunken. Richtig?	☐	☐

Du bekommst +1 für „Ja", -1 für „Nein":

7–10   Ausgezeichnet – du bist fit und gesund und wirst ein langes Leben haben!
4–6   Nicht schlimm – aber fühlst du dich immer fit?
0–3   Nicht gut – pass auf! Schütz dein Herz besser!

12.20

Konjunktionen

After conjunctions linking main clauses, keep main clause word order.

z.B.   und   *and*   oder   *or*
        aber   *but*   denn   *for (because)*

Ich habe Asthma **und ich brauche** meinen Inhalationsapparat.
Ich brauche Sonnencreme, **aber ich kann** keine finden.

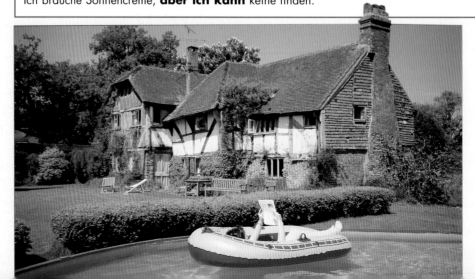

B. Familie und Freizeit

13

Die Familie kommt zu Besuch

Es wird eine Hochzeit in der Familie geben: Cousine Steffi wird heiraten. Aber die Familie Müller hat ein größeres Problem, weil Tante Mona und Onkel Adelbert eine Woche bei ihnen wohnen werden.

Steffi und Thomas werden heiraten

DIE ZUKUNFT

13.1

das Futur	
werden + Infinitiv	**NB** Der Infinitiv steht am Ende.
Ich **werde heiraten**. *I will marry.*	Ich **werde** nie in meinem ganzen Leben **heiraten**.
Steffi und Thomas **werden heiraten**. *Steffi and Thomas will marry.*	

13.2

werden		
ich werde	wir werden	**NB werden** ohne Infinitiv = *to become*
du wirst	ihr werdet	(z.B. ich werde fit)
er/sie/es wird	sie/Sie werden	

13.3

die Monate				
Januar	Mai	September	im September	*in September*
Februar	Juni	Oktober	nächsten September	*next September*
März	Juli	November		
April	August	Dezember		
der Frühling	*spring*		der Herbst	*autumn*
der Sommer	*summer*		der Winter	*winter*

13.4

der Monat (-e)	month	der Brief (-e)	letter
die Zukunft	future	die Tante (-n)	aunt
reisen	to travel	der Onkel (-)	uncle
die Reise (-n)	journey	die Eltern	parents
zu Besuch kommen	to come for a visit	die Mutter (¨)	mother
wissen*	to know (a fact)	der Vater (¨)	father
kennen*	to know (a person or place)	die Großeltern	grandparents
		die Großmutter	grandmother
kennen lernen	to meet (become acquainted with)	der Großvater	grandfather
		glauben	to believe
heiraten	to marry	passieren	to happen
die Hochzeit (-en)	wedding	genug	enough
die Einladung (-en)	invitation		

13.5 **Wann?**

Höre dem Text auf der Kassette gut zu und beantworte die Fragen unten.

1. Wann wird Tom die Prüfung machen?
2. Wann werden Tom und Anna nach Berlin reisen?
3. Wann werden Tante Mona und Onkel Adelbert zu Besuch kommen?
4. Wann wird Tom Annas Cousine kennen lernen?
5. Wann wird Steffi heiraten?

13.6 **Wenn nicht jetzt, wann?**

Siehe die Aufgabe auf Seite 162.

13.7 **Wenn nicht jetzt, wann?**

Herr Stock Kati, gib mir bitte deine Hausaufgaben!

Kati Mmm, es tut mir Leid, Herr Stock, aber ich kann Ihnen im Moment meine Hausaufgaben nicht geben.

Herr Stock Warum nicht?

Kati Weil ich meine Hausaufgaben nicht gemacht habe.

Herr Stock Wann *wirst* du deine Hausaufgaben machen, Kati?

Kati Ich kann sie heute Abend nicht machen, weil meine Großmutter zu Besuch kommt.

Herr Stock Und morgen?

Kati Morgen werde ich es versuchen, aber ich bin nicht sicher. Es wird vielleicht nicht möglich sein.

Herr Stock Und wenn es nicht möglich ist?

Kati Ich kann es jetzt nicht sagen.

Herr Stock Wenn du es jetzt nicht sagen kannst, wann dann, Kati?

Kati Ich weiß nicht, Herr Stock. Ich habe keine Ahnung. Ich kann nicht in die Zukunft sehen.

Herr Stock Ach Kati, du bist unmöglich!

Kati Also gut, am Dienstag.

Herr Stock Hmm, warum glaube ich dir nicht?

13.8 **Wann wirst du das machen?**

Partnerarbeit: Zuerst stellt A folgende Fragen und B muss sie beantworten. Dann stellt B die Fragen.

1. Wann wirst du morgen aufstehen?
2. Wann wirst du morgen frühstücken?
3. Wann wirst du heute deine Hausaufgaben machen?
4. Wann wirst du deine Großeltern besuchen?
5. Möchtest du in Zukunft einmal nach Deutschland reisen? Wenn ja, wann?

📖 13.9 **Wann passiert das?**

Lies Annas Brief: Was wird **im Frühling, im Sommer, im Herbst** und **im Winter** passieren?

Leipzig, den 28. März

Liebe Natalie,

du hast mich gefragt, was dieses Jahr bei uns passieren wird. Eigentlich viel! Steffis Hochzeit ist am 4. April, also schon nächste Woche. Kennst du Steffi? Sie ist meine Cousine.

Im Juni reisen wir nach Amerika. Stefan wird im Juli vierzehn Jahre alt und wird eine Party geben. Wir werden im Oktober meine Großeltern in Bayern besuchen. Vielleicht können wir auch das Münchner Bierfest besuchen. Wir werden unsere Großeltern auch im Januar sehen, weil wir nach Garmisch-Partenkirchen fahren werden. Ich habe keine Zeit länger zu schreiben: Es klingelt! Das sind bestimmt meine Tante Mona und mein Onkel Adelbert. Sie werden eine ganze Woche bei uns wohnen - bis zu Steffis Hochzeit. Und morgen hat Tante Mona Geburtstag. Glaub mir, es wird schlimm!

Bis bald,

deine

Anna

DIE BESUCHER

13.10

ankommen* (trenn.)	to arrive	**höflich**	polite
klingeln	to ring (bell)	**der Brieffreund (-e)**	penfriend (m.)
grüßen	to greet	**die Brieffreundin**	
begrüßen	to greet	**(-nen)**	penfriend (f.)
der Gast (¨e)	guest	**das Heimweh**	homesickness
der Gastgeber (-)	host	**der/die/das erste**	the first
hereinkommen* (trenn.)	to come in	**zum ersten Mal**	for the first time
willkommen	welcome	**schön**	lovely
war	was	**vorstellen** (trenn.)	to introduce
das Gepäck	luggage	**sich** (Akk.) **vorstellen**	to introduce oneself
die Leute	people	**sich** (Dat.) **vorstellen**	to imagine
Mutti	Mum	**erzählen**	to tell
Vati	Dad	**der Vorname (-n)**	first name
das Mädchen (-)	girl	**der Familienname**	surname
der Junge (-n)	boy	**der Nachname**	surname
jung	young	**der Buchstabe (-n)**	letter (of the alphabet)

13.12 13A **13.11** **Es klingelt!**

Tante Mona und Onkel Adelbert kommen an. Höre dem Text auf der Kassette zu und fülle die Lücken auf Blatt 13A aus.

13.12 **13.12** **Es klingelt!**

Tante Mona und
Onkel Adelbert

Frau Müller	Ach, es klingelt! Das müssen Mona und Adelbert sein. Anna, mach bitte die Tür auf!
Anna	Ach Mutti, Stefan kann das machen. Ich schreibe einen Brief.
Frau Müller	Lass den Brief. Du kannst ihn später schreiben. Jetzt musst du deine Gäste begrüßen.
Anna	Sie sind nicht meine Gäste.
Frau Müller	Anna! Sei nicht so unhöflich! Bitte, mach die Tür auf!
Anna	Ja, gut, ich gehe gleich.
	(es klingelt wieder) Ich komme gleich!
Tante Mona	Hannah! Ach, bist du groß!
Anna	Anna. Ja, danke, Tante Mona, so ist das Leben.
Tante Mona	Adelbert, begrüße Hannah!
Onkel Adelbert	Wunderbar, Hannah, wunderbar. So ein großes Mädchen! Wie geht's dir, Hannah?
Anna	Gut danke, Onkel Adelbert. Kommt bitte herein.
Tante Mona	Ja, endlich! Gehen wir hinein. Komm, Adelbert!
Frau Müller	Mona! Adelbert! Willkommen! Wie geht's euch? Wie war die Reise?
Tante Mona	Schlimm, wie immer. Adelbert, du hast das Gepäck vergessen. Hol das mal! Und wer ist das?
Anna	Darf ich vorstellen? Das ist Tom Robertson. Er ist mein Brieffreund aus England.
Tante Mona	Guten Tag, Robert.
Tom	Guten Tag!
Anna	Nein, Tante Mona. Sein Vorname ist Tom. Robertson ist sein Familienname.
Tante Mona	Tom, Robert, was macht das schon? Wo ist Adelbert? Er ist immer so langsam.
Onkel Adelbert	Hier bin ich, Liebling. Und wer ist dieser junge Mann?
Tante Mona	Das ist Robert, aus Schottland.
Tom	Guten Tag! Tom, aus England.
Onkel Adelbert	Schottland? Ich war einmal in Schottland, in Edinburgh. Sehr schön, sehr schön.
Tom	England, ich komme aus England. Aber mein Großvater kommt aus Schottland.

Onkel Adelbert	Sehr schön. Also Robert, bist du zum ersten Mal in Deutschland?
Tom	Ja, ich bin zum ersten Mal hier.
Onkel Adelbert	Und du hast kein bisschen Heimweh?
Tom	Nein. Ich fühle mich hier zu Hause.
Onkel Adelbert	Ja, das kann ich mir vorstellen. Diese Leute sind gute Gastgeber.
Tante Mona	Gibt es in diesem Haus keinen Kaffee?
Frau Müller	Natürlich, Mona. Komm, gehen wir in den Garten. Dort kann Adelbert seine Zigarette rauchen.
Tante Mona	Keineswegs! Adelbert kann das Gepäck nach oben tragen. Adelbert, rauf mit dir!

 13.13 **Wer macht was?**

1. Wer kommt zu Besuch?
2. Wer macht die Tür auf?
3. Wer hat das Gepäck im Auto vergessen?
4. Wer muss das Gepäck holen?
5. Wer stellt Tom vor?
6. Wer kommt aus Edinburgh?
7. Wer hat kein Heimweh?
8. Wer fühlt sich zu Hause bei der Familie Müller?
9. Wer möchte Kaffee trinken?
10. Wer wird das Gepäck nach oben tragen?

 13.14 **Ihr seid dran!**

Gruppenarbeit: Bildet Gruppen von fünf Personen. Übt den Dialog 13.12 (lernt ihn, wenn möglich). Dann präsentiert der Klasse den Dialog.

 13.15 **Was werden sie tun?**

Sieh dir nochmals Aufgabe 13.13 an. Schreibe die Fragen für 1–5 und deine Antworten in der Zukunft.

Beispiel
1. Wer wird ... ? (usw.)

EIN PROBLEM

13.16

das Problem (-e)	*problem*	**das Handtuch (¨er)**	*towel*
auspacken (trenn.)	*to unpack*	**die Bürste (-n)**	*brush*
der Augenblick (-e)	*moment*	**leihen***	*to lend*
verlieren*	*to lose*	**legen**	*to lay, put*
etwas zu Hause lassen*	*to leave something at home*	**dort**	*there*
		bestimmt	*certainly, definitely*
verlassen*	*to leave (e.g. a place)*	**die Gastfreundschaft**	*hospitality*

 13.17 **Wir haben ein Problem ...**

Siehe die Aufgabe auf Seite 162.

 13.18 **Wir haben ein Problem ...**

Tante Mona	Adelbert! Komm mal her!
Onkel Adelbert	Augenblick, Liebling, ich spreche mit Tom.
Tante Mona	Das kannst du später machen. Ich brauche dich jetzt zum Auspacken.
Onkel Adelbert	Es tut mir Leid, Tom, wir werden später sprechen. Ich komme sofort, mein Liebling! ... Also, was kann ich tun?

Tante Mona	Ich habe alles dort auf das Bett gelegt, aber ich kann kein Handtuch finden. Wir haben unsere Handtücher verloren! Oder hast du vielleicht keine eingepackt? Du hast bestimmt die Handtücher vergessen!
Onkel Adelbert	Ich habe sie nicht vergessen. Ich habe sie zu Hause gelassen. Ich habe sie nicht eingepackt, weil es hier Handtücher gibt.
Tante Mona	Wir können Liesels Handtücher nicht benutzen! Sie sind immer so schmutzig. Du musst zurück nach Hause fahren und unsere Handtücher holen.
Onkel Adelbert	Liebling, das ist nicht möglich. Es ist zu spät. Liesel wird uns saubere Handtücher leihen. Das ist doch kein Problem. Liesels Gastfreundschaft ist wunderbar!
Tante Mona	Gut finde ich das nicht, aber wenn es sein muss ...
Onkel Adelbert	Komm Liebling, gehen wir nach unten.

13.19 Ich habe es zu Hause vergessen

Partnerarbeit: A hat viel vergessen. B kann alles leihen (oder geben).
Hier sind Möglichkeiten: die Zahnpasta, die Zahnbürste, die Seife, die Sonnencreme, das Handtuch, das Briefpapier, das deutsche Wörterbuch, ein Buch.

Beispiel
A Ich habe meine Zahnbürste zu Hause vergessen.   B Ich kann dir eine Zahnbürste leihen.

DIE FAMILIE

13.20

das Foto (-s)	photo	**die Oma/Omi**	granny, grandma
nett	nice	**der Opa/Opi**	grandpa, grandad
hinten	behind, at the back	**der Neffe (-n)**	nephew
sich (hin)setzen	to sit down	**die Nichte (-n)**	niece
die Dame (-n)	lady	**die Kusine (-n)**	cousin (f.)
die Frau (-en)	woman	**die Cousine (-n)**	cousin (f.)
der Mann (¨er)	man	**der Cousin (-s)**	cousin (m.)
der/die Erwachsene (-n)	adult	**der Vetter (-)**	cousin (m.)
das Kind (-er)	child	**Stief-**	step-
das Baby (-s)	baby	**Halb-**	half-
der/die Verwandte (-n)	relative	**das Einzelkind**	only child
das Familienmitglied (-er)	member of the family	**der Zwilling (-e)**	twin
		die (Ehe)frau	wife
die Geschwister	brothers and sisters, siblings	**der (Ehe)mann**	husband
		verheiratet	married
die Tochter (¨)	daughter	**sie sind geboren**	they were born
der Sohn (¨e)	son	**sie ist gestorben**	she died
der Schwiegersohn	son-in-law	**Recht/Unrecht**	
der Enkel (-)	grandson	**haben**	to be right/wrong
die Enkelin (-nen)	granddaughter	**die Notizen**	notes

13.21 Onkel Adelbert und das Fotoalbum

Siehe die Aufgabe auf Seite 162.

13.22 Onkel Adelbert und das Fotoalbum

Onkel Adelbert	Tom, du wirst am Samstag die ganze Familie kennen lernen. Komm, schau mal dieses Fotoalbum mit mir an. Ich erzähle dir, wer alle diese Leute sind.
Tom	Das ist sehr nett von Ihnen, aber ich muss ...
Onkel Adelbert	Komm, komm, setz dich hin!
Tom	Es tut mir Leid, aber ich muss ...

Onkel Adelbert	Kein Problem, wir haben viel Zeit. Wir können in Ruhe durch dieses Album schauen. So, neben mir auf dem Sofa, das ist richtig. Oh hier, schau mal hier, diese Frau hier ist meine Schwester Gloria und der Mann da hinten ist Glorias Ehemann Albert. Sie haben acht Kinder, ja, ich habe sieben Neffen und eine Nichte. So ein schönes Mädchen, sie heißt Dora.
Tom	Haben Sie Kinder?
Onkel Adelbert	Nein, wir haben leider keine Kinder.
Tom	Das tut mir Leid.
Onkel Adelbert	Kein Problem, kein Problem. Meine Neffen und Nichten sind wunderbar und sie besuchen uns oft. Sie sind unsere Familie. Kommst du aus einer großen Familie, Tom?
Tom	Ja, ziemlich groß.
Onkel Adelbert	Hast du Geschwister?
Tom	Ja, ich habe drei Schwestern und einen Bruder. Die zwei Jüngsten sind Zwillinge.
Onkel Adelbert	Das ist eine sehr große Familie. Wie alt sind deine Geschwister?
Tom	Mein Bruder Duncan ist achtzehn Jahre alt, meine Schwester Lorna ist vierzehn, und die Zwillinge sind sechs.
Onkel Adelbert	Und wie heißen die Zwillinge?
Tom	Sie heißen April und May. Sie sind am 30. April um Mitternacht geboren, aber April ist fünf Minuten vor Mitternacht geboren und May fünf Minuten nach Mitternacht.
Onkel Adelbert	Wunderbar, wunderbar. April und May. Eine gute Geschichte. Oh, schau mal, hier ist ein Foto von Anna als Baby, mit Hans und Hannelore.
Tom	Das ist Annas Vater, aber wer ist Hannelore?
Onkel Adelbert	Das ist Annas Mutter, aber sie ist gestorben, als Anna sehr klein war. Hans ist wiederverheiratet. Liesel ist Annas Stiefmutter.
Tom	Stefan ist dann Annas Halbbruder?
Onkel Adelbert	Ja, du hast Recht, er ist der Sohn von Liesel und Hans.
Tom	Eine komplizierte Familie!
Onkel Adelbert	Nicht allzu kompliziert – das passiert oft. Ich kann dir so viele Geschichten erzählen ...
Tom	Das ist alles sehr interessant, aber ich muss ...
Anna	Tom, wo bist du? Ich brauche Hilfe!
Tom	Ich auch. Ich komme gleich. Entschuldigung, Onkel Adelbert.
Onkel Adelbert	Kein Problem, junger Mann, kein Problem. Wir können den Rest später anschauen.

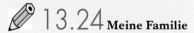

13.23 Eure Familien

Gruppenarbeit: Bildet Gruppen von drei Personen: A, B und C.

1. A stellt Fragen über Bs Familie und macht Notizen.
2. A erzählt C alles über Bs Familie. B muss zuhören: Ist das richtig, was A erzählt?
3. Dann ist B dran: Er (oder sie) befragt C und erzählt A alles über Cs Familie.

Alles klar? Also los! Hier sind ein paar mögliche Fragen:

Kommst du aus einer großen Familie?	Wie heißen deine Geschwister?
Ist deine Familie groß oder klein?	Wie alt sind deine Brüder und Schwestern?
Hast du Geschwister?	Wie heißen deine Eltern?
Wie viele Geschwister hast du?	Wie viele Tanten und Onkel hast du?
Hast du Brüder und Schwestern?	Hast du Großeltern?
(usw.)	

13.24 Meine Familie

Beschreibe deine Familie für deinen Austauschpartner / deine Austauschpartnerin.

Beispiel

Meine Familie ist nicht sehr groß. Ich habe ... (usw.)

i. Meine Familie, Freunde und ich

14

Alles über mich

Wann hast du Geburtstag? Wie siehst du aus?
Bekommst du Taschengeld? Jetzt stehst du
im Rampenlicht!

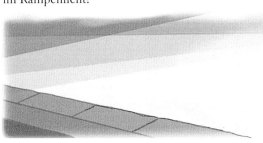

PERSÖNLICHE INFORMATIONEN

14.1

die Zahlen

100	**hundert**	1.000	**tausend**
101	**hunderteins**	1.999	**tausendneunhundertneunundneunzig**
(usw.)		2.000	**zweitausend**
121	**hunderteinundzwanzig**	(usw.)	
(usw.)			
200	**zweihundert**	**NB** Für das Tausend: Punkt, nicht Komma!
(usw.)			

14.2

das Datum

der **erste**	*1st*	1–19: + **te**
der zweite	*2nd*	20–31: + **ste**
der **dritte**	*3rd*	
der vierte	*4th*	**Beispiel**
der fünfte	*5th*	Der Wievielte ist heute?
der sechste	*6th*	Heute ist der achtundzwanzig**ste** Februar.
der **siebte**	*7th*	
der **achte**	*8th*	
der neunte	*9th*	
der zehnte	*10th*	

14.3

am + Datum mit -n

Ich bin **am** dreiundzwanzigste**n** Juni geboren.

14.4 **Wie alt bist du?**

Partnerarbeit: Wie alt bist du und wann bist du geboren?

Beispiel

A Ashi, wie alt bist du?
A Und wie viele Monate?
A Du bist also im Oktober geboren?
A In welchem Jahr?

B Ich bin fünfzehn Jahre alt.
B Und vier Monate.
B Nein, ich bin am ersten November geboren.
B ...

14.5 **Wann sind sie geboren?**

Wann sind die zehn Schüler geboren?

14.6

der Geburtstag	
Wann hast du Geburtstag?	*When's your birthday?*
Ich habe am ersten April Geburtstag.	*My birthday's on the first of April.*
Ich habe im April Geburtstag.	*My birthday's in April.*
Tante Mona hat am 29. März Geburtstag.	*Aunt Mona's birthday is on the 29th of March.*

14.7 **Die Klasse**

In welchem Monat haben die meisten Personen in deiner Klasse Geburtstag?
Mache eine Umfrage.

14.8 **Das durchschnittliche Alter**

Eine zweite Umfrage: Wie alt sind deine Klassenkameraden und -kameradinnen im Durchschnitt?

14.9

das Alter (-)	*age*	**ledig**	*single*
im Durchschnitt	*on average*	**verlobt**	*engaged*
die Geburt	*birth*	**geschieden**	*divorced*
der Geburtstag	*birthday*	**getrennt**	*separated*
das Datum (Daten)	*date*	**der Ausweis (-e)**	*identity card*
das Geburtsdatum	*date of birth*	**sein**	*his*
der Wievielte ist	*what is the*	**ihr**	*her*
heute?	*date today?*	**Ihr**	*your (formal)*
der Ort (-e)	*place*	**der Klassenkamerad (-en)**	*classmate (m.)*
der Geburtsort	*place of birth*	**die Klassenkameradin**	
der Staat (-en)	*state; nation*	**(-nen)**	*classmate (f.)*
die Staatsangehörigkeit	*nationality*	**nun**	*now*
der Familienstand	*marital status*		

14.10

Was ist deine Staatsangehörigkeit? *What's your nationality?*		
	(m.)	(w.)
Ich bin …	Deutscher	Deutsche
	Brite	Britin
	Engländer	Engländerin
	Waliser	Waliserin
	Schotte	Schottin

Ich komme aus …	Nordirland	Meine Staatsangehörigkeit ist …	nordirisch
	Wales		walisisch
	Schottland		schottisch
	England		englisch
	Großbritannien		britisch
	(usw.)		(usw.)

 14.11 **Der Ausweis**

Partnerarbeit: Benutze das Formular (Teil 1) auf Blatt 14A und mache einen Ausweis für deinen Partner / deine Partnerin. Du musst natürlich die Fragen auf Deutsch stellen.

Beispiel

Wie heißt du mit Nachnamen? Und mit Vornamen? Wann bist du geboren? (usw.)

 14.12 **Zu schnell!**

Diese Dame ist zu schnell gefahren. Der Polizist hat sie gestoppt und nun muss er ein Formular ausfüllen. Hör dem Dialog auf der Kassette zu und fülle zur gleichen Zeit das Formular aus. Benutze das Formular auf Blatt 14A (Teil 1).

14.13 **Zu schnell!**

Polizist	So, was haben wir denn hier? Guten Abend! Machen Sie bitte das Fenster auf.
Dame	Guten Abend! Was ist das Problem?
Polizist	Ich glaube, Sie wissen das schon. Das Problem ist, Sie sind zu schnell gefahren. Wissen Sie, wie hoch das Tempolimit ist?
Dame	Hier ist es 100, nicht wahr?
Polizist	Sie haben Recht. 100 Kilometer pro Stunde. Und wissen Sie, wie schnell Sie gefahren sind?
Dame	Ich glaube genau 90, aber ich habe eine neue Kassette in den Kassettenspieler gesteckt und habe es nicht gesehen.
Polizist	Das ist keine Ausrede. Sie sind mindestens 133 gefahren.
Dame	In diesem Auto ist es schwierig, langsam zu fahren.
Polizist	Warum?
Dame	Weil es ein Porsche ist.
Polizist	Auch keine Ausrede. Sie müssen 160 Euro bezahlen. Zuerst muss ich dieses Formular ausfüllen. Wie heißen Sie bitte mit Nachnamen?
Dame	Johnson.
Polizist	Buchstabieren Sie, bitte.
Dame	J-O-H-N-S-O-N.
Polizist	Und Ihr Vorname?
Dame	Cindy. C-I-N-D-Y.
Polizist	Was ist Ihr Geburtsdatum?
Dame	Ich bin am vierten April 1979 geboren.
Polizist	Und was ist Ihre Staatsangehörigkeit?
Dame	Ich bin Amerikanerin. Ich komme aus Kentucky in den Vereinigten Staaten.
Polizist	Sie sind keine Deutsche? Wo wohnen Sie?
Dame	Ich arbeite bei der US Airforce und wohne in Mannheim.
Polizist	Mannheim. Gut. Das ist alles. Jetzt bekomme ich 160 Euro von Ihnen. Wie bezahlen Sie?
Dame	American Express?
Polizist	*That'll do nicely.*

14.14 **Alles verstanden?**

1. Wie schnell ist die Dame gefahren?
2. Warum ist sie so schnell gefahren?
3. Wie viel Geld muss sie bezahlen?
4. Was ist ihre Staatsangehörigkeit?
5. Warum ist sie in Deutschland?
6. Wo wohnt sie in Amerika?
7. Wie heißt ihr Wohnort in Deutschland?
8. In welchem Jahr ist sie geboren?
9. Wann hat sie Geburtstag?
10. Wie möchte sie das Geld bezahlen?

14.15 Perfekt + sein

Verben mit **sein** im Perfekt:

kommen	ich bin gekommen	Schon gesehen: „ich bin geboren"
gehen	ich bin gegangen	„er ist gestorben"
fahren	ich bin gefahren	
sein	ich bin gewesen	

DAS AUSSEHEN

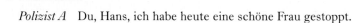

14.16 14.16 Phantasien

Polizist A Du, Hans, ich habe heute eine schöne Frau gestoppt.
Polizist B Na und? Es gibt viele schöne Frauen.
Polizist A Diese war besonders schön. Dunkles Haar, grüne Augen, Sonnenbrille ...
Polizist B Woher weißt du, welche Farbe ihre Augen haben, wenn sie eine Sonnenbrille trägt?
Polizist A Ich darf doch meine Phantasien haben, oder?
Polizist B Deine Phantasien sind langweilig. Wo war diese Frau?
Polizist A In ihrem Porsche.
Polizist B Heute Nachmittag, hier in Stuttgart?
Polizist A Ja, aber sie wohnt in Mannheim.
Polizist B Sie hat dunkle Haare, lockige dunkle Haare und grüne Augen?
Polizist A Das habe ich schon gesagt.
Polizist B Und fährt einen roten Porsche? Und spricht mit einem amerikanischen Akzent?
Polizist A Ja, genau. Kennst du diese Frau?
Polizist B Ob ich sie kenne? Du Dummkopf! Das ist meine Verlobte!

Schön! Null bis sechzig in
3,9 Sekunden ...

14.17

aussehen* (trenn.)	to look (like)	**glatt**	straight
das Aussehen	appearance	**lockig**	curly
etwa	approximately	**kurz**	short
groß	tall	**lang**	long
klein	short	**die Brille** (Sing.)	glasses
das Haar	hair	**die Sonnenbrille**	sunglasses
die Haare	hair	**eine Brille tragen***	to wear glasses
dunkel	dark	**haselnussbraun**	hazel
blond	blond	**gleich**	same
dunkelblond	light brown	**stecken**	to put (in)
mausgrau	mousey	**ob**	whether
hell	light		

14.18

Wie siehst du aus? *What do you look like?*

Ich habe ... dunkles Haar / dunkle Haare
blondes Haar / blonde Haare
hellbraunes Haar / hellbraune Haare
rotes Haar / rote Haare
grünes Haar am Wochenende

... und ...

braune Augen
blaue Augen
grüngraue Augen
haselnussbraune Augen
rote Augen am Wochenende

Ich bin ... sehr groß
mittelgroß
1 Meter 60 groß
nicht sehr groß
ziemlich klein

Ich trage eine Brille.

14.19

Endungen für Adjektive			
männlich	**weiblich**	**sächlich**	**Plural**
Nom.			
der groß**e** Mann	die groß**e** Dame	das groß**e** Kind	die groß**en** Kinder
ein groß**er** Mann	eine groß**e** Dame	ein groß**es** Kind	keine groß**en** Kinder
Akk.			
den groß**en** Mann	die groß**e** Dame	das groß**e** Kind	die groß**en** Kinder
einen groß**en** Mann	eine groß**e** Dame	ein groß**es** Kind	keine groß**en** Kinder

Plurale Adjektive im Nominativ und Akkusativ ohne **die** (usw.) enden mit **e**.
Zum Beispiel: Sie hat lang**e** blond**e** Haare und grün**e** Augen.

Singulare Adjektive im Nominativ und Akkusativ ohne **der** (usw.) bekommen die **ein**-Endungen.
Zum Beispiel: Ich möchte lang**es** Haar haben.

Nach dem Substantiv hat das Adjektiv keine Endung.
Zum Beispiel: Das Kind ist groß.

 ## 14.20 Ich habe ...

Partnerarbeit: Wie siehst du aus? A stellt die Fragen zuerst.

Beispiel

A Wie siehst du aus?

B In der Woche habe ich mausgraue Haare, aber am Wochenende sind meine Haare oft grün oder rot.

A Wie groß bist du?

B Ich weiß nicht. Ein Meter sechzig vielleicht?

A Welche Farbe haben deine Augen?

B Blaugrau.

14.21 Mein Aussehen

Benutze das Formular auf Blatt 14A (Teil 2). Beschreibe dein Aussehen.

14.22 Wie sieht er aus?

Partnerarbeit: A beschreibt einen Klassenkameraden / eine Klassenkameradin oder einen Lehrer / eine Lehrerin.
B muss sagen, wer er/sie ist.

Beispiel

A Er hat lange blonde Haare und hellbraune Augen. Er ist sehr klein.
A Richtig. Jetzt bist du dran.
(usw.)

B Er heißt William.
B Sie trägt manchmal eine Brille, hat ...

14.23 Noch eine Familie

Beschreibe diese Familienmitglieder.
Du kannst Ihnen auch Namen geben.

14.24 **Meine Familie**

Wie sieht deine Familie aus? Beschreibe die Mitglieder deiner Familie.

Beispiel

Es gibt neun Personen in meiner Familie. Ich habe einen Bruder und zwei Halbbrüder, und ich habe drei Stiefschwestern. Es ist eine komplizierte Familie, weil meine Eltern geschieden sind und meine Mutter wiederverheiratet ist. Mein Bruder John hat braune Augen und ... (usw.)

DAS TASCHENGELD

14.25

das Taschengeld	pocket money	**ausgeben*** (trenn.)	to spend
wie viel	how much	**meistens**	mostly
sparen	to save		

14.26

Wie viel Taschengeld bekommst du?	Ich bekomme drei Pfund pro Woche.
	Ich bekomme kein Taschengeld: Ich muss für mein Geld arbeiten.
Sparst du dein Geld?	Nein, ich gebe es für CDs aus.

 14.27 **Wer spart?**

Wir haben Anna und ihre Klassenkameraden und -kameradinnen gefragt, ob sie sparen oder nicht. Schreibe zuerst eine Namensliste (du wirst Claudia, Anna, Nina, Jörg, Ralf, Steffi, Sigrid, Jan, Andreas und Kati hören) und dann kreuze an.

 14.28 **Wie viel?**

Wie viel Geld bekommen diese Schüler? Was macht das zusammen pro Woche?

 14.29 **Und du?**

Wie viel Taschengeld bekommst du? Ist das pro Woche oder pro Monat? Arbeitest du? Wenn ja, wie viel Geld bekommst du dafür? Gibst du alles aus, oder sparst du? Wie viel sparst du?

i. Meine Familie, Freunde und ich

15

Die ganze Familie

Steffis Hochzeit ist am Freitag. Anna bereitet Tom vor. Sie erklärt, wer kommt und wie sie alle aussehen. Dann gehen Anna und Tom zu einem Freund. Sie helfen ihm, seine Tiere zu füttern.

WER KOMMT ZUR HOCHZEIT?

15.1 **Wer kommt?**

Siehe die Aufgabe auf Seite 162.

15.2

sympathisch	*pleasant, nice*	**lachen**	*to laugh*
lieb	*lovely, kind*	**frech**	*cheeky*
schüchtern	*shy*	**tot**	*dead*
hübsch	*pretty*	**außer**	*except*
modebewusst	*stylish, fashionable*	**außerdem**	*apart from that, besides*
freundlich	*friendly*		
geduldig	*patient*	**schade!**	*what a pity!*
auskommen* (trenn.)	*to get on*	**sich auf etwas freuen**	*to look forward to something*
ich komme gut mit ihm aus	*I get on well with him*	**erkennen**	*to recognize*

15.3 **Die Familie**

Siehe die Aufgabe auf Seite 162.

15.4 **Die Familie**

Tom   Anna, kommt die ganze Familie zur Hochzeit?

Anna   Ich glaube ja, außer Onkel Oskar. Er ist super, aber er ist in Amerika. Omi und Opi kommen am Donnerstag mit Tante Mimi aus München. Tante Mimi ist sehr süß, sehr sympathisch. Omi und Opi sind auch lieb. Mimis Kinder kommen am Freitag Vormittag an. Du wirst meine Cousine Angelika mögen. Sie ist intelligent und schön, mit langen dunklen Haaren und grünen Augen. Sehr hübsch und auch sehr modebewusst.

Tom   Wie alt ist sie?

Anna   Zu alt für dich! Schon einundzwanzig. Sie besucht die Universität in Hamburg.

Tom   Schade! Was studiert sie?

Anna   Politik und Geschichte. Aber genug von Angelika. Die anderen sind auch nett, besonders Karl-Heinz. Er kann doof sein, aber meistens komme ich sehr gut mit ihm aus. Wir lachen viel zusammen. Seine jüngere Schwester heißt Dora: Sie ist sehr frech, aber lieb.

Tom   Kommt niemand von der Familie von deiner Mutter?

75

Anna   Die Eltern meiner Mutter sind tot, aber meine Tante Barbara kommt. Als meine Mutter gestorben ist, hat Tante Barbara meinem Vater viel geholfen. Sie ist sehr geduldig und ich komme sehr gut mit ihr aus. Außer ihr weiß ich nicht, wer von dieser Seite der Familie kommt. Aber die Familie meiner Stiefmutter kommt und viele Freunde werden auch kommen. Am Freitag wirst du viele Leute kennen lernen.

Tom   Ich freue mich darauf.

15.5

der Genitiv				
m.	**w.**	**s.**	**Pl.**	
des	der	des	der	*of the*
eines	einer	eines	-	*of a*
dieses	dieser	dieses	dieser	*of this/these*

Beispiel: diese Seite **der** Familie

NB Substantiv + **s** oder **es** für männliche und sächliche Substantive.

Beispiel: das Gesicht **des** Kind**es**

 ## 15.6 Erkennst du dich selbst?

Wie schnell kannst du folgende Charakterzüge im Wörterbuch finden?

1. brummig   2. grantig   3. zänkisch   4. lästig   5. ein Schwachkopf

15.7 Die Verwandtschaft

Partnerarbeit: Wer sind deine Verwandten? Wähle fünf (oder mehr) von deinen Verwandten und beschreibe sie deinem Partner / deiner Partnerin. Er/Sie macht zur gleichen Zeit Notizen und muss dann von diesen Notizen deine Verwandten beschreiben.

Beispiel
A Zuerst Onkel Guy: er ist der Bruder meiner Mutter. Dann Tante Portia: sie ist die Schwester meines Vaters (usw.).

B Du hast einen Onkel. Er heißt Guy und ist der Bruder deiner Mutter (usw.).

 ## 15.8 Deine Verwandten

Schreibe die Beschreibung dieser fünf Verwandten auf.

15.9

er hat eine Glatze	*he's bald*	schlank	*slim*
der Bart (¨e)	*beard*	dick	*fat*
der Schnurrbart	*moustache*	streiten*	*to argue, fight*
hässlich	*ugly*		

HAST DU EIN HAUSTIER?

1   2   3   4

15.10

das Tier (-e)	animal	das Kaninchen (-)	rabbit
das Haustier	pet	die Maus (¨e)	mouse
der Goldfisch (-e)	goldfish	die Schildkröte (-n)	tortoise
der Vogel (¨)	bird	die Schlange (-n)	snake
der Kanarienvogel	canary	das Meerschweinchen (-)	guinea-pig
der Wellensittich (-e)	budgerigar	das Pferd (-e)	horse
die Katze (-n)	cat	der Käfig (-e)	cage
der Hund (-e)	dog	das Geschlecht (-er)	gender, sex

15.11 Deine Haustiere

A

Hast du andere Haustiere? Suche sie im Wörterbuch.

B

1. Warum „Schild-kröte"? Warum „Meer-schwein-chen"?
2. Wo schlafen folgende Tiere? Kaninchen, Hund, Katze, Goldfisch, Pferd
3. Was tue ich, wenn ich Schlange stehe?
4. Welches Wort fehlt? „Wenn die Katze aus dem Haus ist, ... die Mäuse."
   (Das Wort ist nicht „spielen"!)
5. Wie sagt man „eine freche Kröte" auf Englisch?

15.12 Was haben sie?

Welche Haustiere haben diese Leute?

15.13

böse	bad, naughty; cross	picken	to peck
schlau	clever, crafty	bellen	to bark
ander(er/e/es)	other	fallen*	to fall
beide	both	aufheben* (trenn.)	to lift up
lieben	to love	zudecken (trenn.)	to cover
nennen	to name	Vorsicht!	careful!
pflegen	to look after	merken	to notice
füttern	to feed	klopfen	to knock
fressen*	to eat (for an animal)	es klopft	there's a knock at the
ein wenig	a little		door
eine Menge	a lot	brav	good, well-behaved

15.14 Kartenspiel

15.15 Boris und seine Tiere

Siehe die Aufgabe auf Seite 162.

15.16 Boris und seine Tiere

(es klopft)

Anna   Boris, wo bist du? Dürfen wir hereinkommen?
Boris   Wer ist da?
Anna   Tom und Anna. Wo bleibst du denn?
Boris   Hallo Anna! Kommt herein! Hallo Tom! Wie geht's?
Tom   Gut danke.
Boris   Kommt mit, ich muss die Tiere füttern.
Tom   Du hast eine ganze Menge Tiere! Wie viele hast du genau?

Boris	Ich weiß nicht: Ich muss einmal zählen. Also, zuerst den Hund. Nicht bellen! Er kann böse sein, wenn er Hunger hat. Augenblick, ich gebe ihm etwas zu fressen. So, das wäre das. Jetzt die zwei Katzen. Hier, ihr zwei, ein wenig Fisch! Brave Katzen! Ich liebe euch!
Anna	Wie heißen die Katzen?
Boris	Diese hier nenne ich Papaya, weil sie orangenfarbig ist, und die andere heißt Graumaul. Beide sind zu dick, weil sie immer zu viel fressen und den ganzen Tag schlafen.
Anna	Ich höre Vögel!
Boris	Ja, im Käfig da. Sie brauchen etwas zu trinken. So. Vier Wellensittiche. Vorsicht! Der blaue ist sehr schlau. Er wird aus dem Käfig fliegen, wenn er eine Chance hat. Mach die Tür bitte zu.
Anna	Au! Er hat mir in die Hand gepickt!
Boris	Ich habe vergessen zu sagen, er kann sehr stark picken.
Anna	Ja, das habe ich gemerkt. Schön!
Boris	Tut mir Leid. Keine große Wunde. Schau mal die weißen Mäuse an! Sind sie nicht süß?
Anna	Süß, hm. Beißen sie auch?
Boris	Nicht oft. Nur wenn sie Angst haben.
Anna	Haben sie im Moment Angst?
Boris	Vielleicht. Die Schlange hat noch Hunger.
Tom	Wie viele Mäuse hast du?
Boris	Warte mal, ich muss sie zählen: eins, zwei, drei, vier, fünf, sechs, sieben, acht ... Schnell, deck den Käfig zu! Ach, zu langsam. Eine ist herausgefallen. Kannst du sie aufheben? Wo ist sie?
Anna	Boris! Die Schlange ist in der Ecke!
Boris	Zu spät, die Schlange hat die Maus gefressen. Jetzt habe ich nur noch sieben Mäuse! So, was macht das zusammen? Ich habe einen Hund, zwei Katzen, vier Wellensittiche, eine Schlange und sieben Mäuse.
Anna	Das reicht.

 **Alles klar?**

Lies den Dialog oben. Hast du alles verstanden?

1. Wer kann böse sein, wenn er Hunger hat?
2. Was fressen die Katzen?
3. Warum heißt eine Katze „Papaya"?
4. Warum sind die Katzen zu dick?
5. Welcher Wellensittich ist schlau?
6. Was macht der schlaue Wellensittich, wenn er eine Chance hat?
7. Ist Anna schwer verletzt?
8. Wann beißen die Mäuse?
9. Wer hat noch Hunger?
10. Was ist aus dem Käfig gefallen?

 **Deine Tiere**

Hast du Haustiere? Du musst die Tiere für deinen Brieffreund oder deine Brieffreundin beschreiben. Wenn du keine hast, kannst du ein bisschen Phantasie benutzen!

Beispiel

> Norwich, den 12. Februar
>
> Lieber Otto,
> wie geht's? Du hast mich über meine Haustiere befragt. Hast du Allergien gegen Tiere?
> Ich habe ... . Er heißt ... . Er ist ... .
> Ich habe auch ... und ... .
> Hast du Haustiere?
> Bis bald!
>
> Dein
>
> Jon

i. Meine Familie, Freunde und ich

16

Wie ist deine Meinung dazu?

Tom möchte alles über Annas Freunde wissen. Sie besprechen auch ihre Meinungen über andere Leute.

Annas Freunde

ANNAS FREUNDE

16.1

intelligent	humorvoll	laut	ehrlich
optimistisch	froh	ruhig	ernst
lustig	glücklich	zärtlich	

16.2 Gegenteile

1. Was bedeuten die Wörter im Kasten oben auf Englisch?
2. Finde das beste deutsche Gegenteil zu diesen Wörten.
3. Diskutiere deine Antworten mit einem Klassenkameraden / einer Klassenkameradin. Habt ihr die gleichen Wörter? Wenn nicht, welche sind besser?

16.3

der Mensch (-en)	*person*	**einsam**	*lonely*
der Nachbar (-n)	*neighbour (m.)*	**der Grund (¨e)**	*reason*
die Nachbarin (-nen)	*neighbour (f.)*	**die meisten**	*most (of them)*
der/die Jugendliche	*young person, teenager*	**manche**	*some (of them)*
		ein paar	*a few*
der/die Bekannte	*acquaintance*	**ein Paar**	*a couple, a pair*
berühmt	*famous*	**das Gegenteil (-e)**	*opposite*
gut/schlecht gelaunt	*in a good/bad mood*	**im Gegenteil**	*on the contrary*
		als	*than*
neugierig	*curious, inquisitive*	**eher als**	*rather than*
nervös	*nervous*	**die Welt**	*world*
klug	*clever*	**der Fall (¨e)**	*case (grammatical)*
sportlich	*sporty*	**schriftlich**	*written, in writing*
lebhaft	*lively*	**das Ergebnis (-se)**	*result*

16.4

Substantive mit Adjektivendungen

Ein paar Substantive (z.B. die/der **Jugendliche**, die/der **Bekannte**, die/der **Verwandte**) haben Endungen wie Adjektive.

Beispiele
Den Jugendlich**en** kenne ich nicht.
Der Mann ist mein Bekannt**er**.
Ich sehe meinen Bekannt**en** Boris nicht oft.
Sie ist meine Verwandt**e**.

16.5 schwache Substantive

Einige männliche Substantive haben in allen Fällen (außer im Nominativ) die Endung **(e)n**. Sie heißen **schwache Substantive**.

Nominativ	der Mensch
Akkusativ	den Mensch**en**
Genitiv	des Mensch**en**
Dativ	dem Mensch**en**

Andere schwache Substantive sind:
der Kamerad, der Nachbar, der Kollege

Beispiele

Ich sitze neben meinem Klassenkamerad**en**.
Ich habe einen sehr freundlichen Nachbar**n**.

 16.6 Wie sind deine Freunde?

Siehe die Aufgabe auf Seite 162.

 16.7 Wie sind deine Freunde?

Tom   Wie sind deine Freunde, Anna?
Anna Meine Klassenkameraden? Die meisten sind ganz intelligent und nett. Was möchtest du wissen?
Tom   Udo zum Beispiel: wie ist er?
Anna Udo ist sehr klug. Er ist immer gut gelaunt und freundlich, aber ruhig.
Tom   Und Karen?
Anna Karen ist das Gegenteil: sehr lebhaft, nie ruhig. Vielleicht ein bisschen laut, aber sehr süß.
Tom   Kannst du Claudia beschreiben?
Anna Mm, Claudia ist interessant. Sie arbeitet nicht gern, sie hasst Sport und ist oft frech in der Klasse, besonders zu Herrn Stock. Aber sie ist sympathisch. Ich mag sie und komme mit ihr sehr gut aus.
Tom   Ralf ist auch dein Freund, nicht wahr?
Anna Ja, ich kenne ihn gut. Ein sehr intelligenter Mensch. Er sagt nicht viel, und man weiß oft nicht, was er denkt. Er interessiert sich für alles, er ist auf alles neugierig und liest die ganze Zeit.
Tom   Hast du andere besondere Freunde?
Anna Ich habe viele Bekannte: meinen Nachbarn, Herr Myrza, zum Beispiel. Er ist auch ein Freund. Er wohnt allein und ist einsam – ohne Grund, denn er ist sehr sympathisch. Ich besuche ihn manchmal nach der Schule. Er ist ein alter Mann, sehr nett, sehr geduldig und freundlich, ein guter Mensch. Er ist besonders humorvoll und wir lachen viel zusammen. Er erzählt mir alles über sein Leben und viele lustige Geschichten über seine Bekannten. Er spricht lieber mit Jugendlichen als mit älteren Leuten. Er mag unseren Humor.
Tom   Es gibt viele nette Leute hier!
Anna Ja. Ich habe natürlich auch ein paar doofe Klassenkameraden, aber nicht allzu viele.

16.8 Possessivpronomen

mein	*my*		unser	*our*
dein	*your (informal sing.)*		euer	*your (informal pl.)*
sein	*his, its*		ihr	*their*
ihr	*her, its*		Ihr	*your (formal, sing. and pl.)*

+ Endungen wie **ein**

16.9 Klassenkameraden

Partnerarbeit: Wie sind eure Klassenkameraden? Wählt drei und beschreibt sie.

Beispiel

A Jo, wen hast du gewählt?
B Sophie, Richard und Susannah.
A Beschreibe Sophie, bitte.
B Sie ist sympathisch, meistens gut gelaunt, ruhig und intelligent. Sie liebt Tiere und hat vier Katzen zu Hause. Mit ihr komme ich sehr gut aus und wir streiten nie. Sie hat im März Geburtstag, wie ich.
A Beschreibe Richard.
(usw.)

16.10

Interrogativpronomen

Nominativ	wer?	who?	**Beispiele**	
Akkusativ	wen?	who(m)?	**Wer** spricht?	*Who's speaking?*
Dativ	wem?	(to) whom?	**Wen** kennst du hier?	*Who(m) do you know here?*
			Mit **wem** sprichst du?	*To whom are you speaking? / Who are you speaking to?*
			Wem hilfst du heute?	*Who(m) are you helping today?*

16.11 Die Verwandten

Partnerarbeit: Mit wem möchtest du bei einer Familienhochzeit sprechen? Das heißt, mit welchen deiner Verwandten sprichst du am liebsten und aus welchen Gründen? Beschreibe deinem Partner / deiner Partnerin ein paar Verwandte.

Beispiel

A Ich spreche am liebsten mit meinem Onkel Brian, weil er lustig und lebhaft ist. Und du?
(usw.)

16.12 Ein besonderer Klassenkamerad

16.13 Mein Klassenkamerad

Gib eine schriftliche Beschreibung deines (auf Blatt 16A genannten) Klassenkameraden. Benutze die Notizen vom Formular.

Beispiel

Er heißt Kevin Edward Montague Smith und ist 15 Jahre alt. Er wohnt in Ryde und ist ein Einzelkind. Er ist jünger als ich und ... (usw.)

16.14 Die Mitglieder meiner Familie

Wie sind die Mitglieder deiner Familie? Beschreibe ein paar.

Beispiel

Mein Bruder Robert ist doof. Er ist zu laut und er redet die ganze Zeit. Wir streiten oft. Meine Schwester Cassie ist sympathisch und intelligent und ich komme besser mit ihr aus. Meine Mutter ist neugierig: Sie fragt immer, was ich tue, wie spät ich zurückkommen werde, ... (usw).

FREIZEIT

Anna macht einen Stadtbummel

16.15

die Freizeit	*free time*	**tanzen**	*to dance*
das Interesse (-n)	*interest*	**die Disko (-s)**	*disco*
das Hobby (-s)	*hobby*	**der Club (-s)**	*club*
ausgehen* (trenn.)	*to go out*	**einkaufen gehen***	*to go shopping*
einen Stadtbummel		**kontaktfreudig**	*sociable*
machen	*to stroll around town*	**gesellig**	*sociable*
spazieren gehen*	*to go for a walk*	**es war**	*it was*

16.16

weitere reflexive Verben

sich interessieren (für)	*to be interested (in)*
sich amüsieren	*to enjoy oneself, to have fun*
sich ärgern	*to be (or to get) annoyed*
sich entschuldigen	*to excuse oneself; to apologize*
sich unterhalten	*to talk, to have a conversation*

Beispiele

Ich interessiere **mich** für Autos.
Du ärgerst **dich** immer, wenn die andere Mannschaft gewinnt.
Er muss **sich** entschuldigen, weil er die Regeln verletzt hat.
Sie kann **sich** mit ihm nicht unterhalten.
Wir werden **uns** am Samstag beim Fußballspiel amüsieren.
Ihr unterhaltet **euch** die ganze Zeit!
Sie interessieren **sich** für Deutsch.

NB sich (Dat.) etwas ansehen *to have a look at something*
z. B. Sieh **dir** den Dialog an. *Have a look at the dialogue.*

16.17 Deine Freizeit

Partnerarbeit: Was machst du gern in deiner Freizeit? Besprich das mit einem Partner / einer Partnerin.

Beispiel

A Was machst du in deiner Freizeit?
B Ich lese gern, ich sehe fern, ich höre Musik, ich gehe in die Disko, ich gehe einkaufen, ich unterhalte mich mit meinen Freunden ... (usw.)

 16.18 Was machst du, Udo?

Was machen diese Leute in ihrer Freizeit?

1. Udo   2. Andreas   3. Ralf   4. Jörg   5. Claudia

✎ 16.19 Wie oft machst du das?

Wie oft machst du Folgendes? Jeden Tag? Jede Woche? Zweimal im Monat? Einmal im Jahr? Nie?

1. Wie oft gehst du einkaufen?
2. Wie oft siehst du einen Film?
3. Wie oft siehst du fern?
4. Wie oft treibst du Sport?
5. Wie oft siehst du Sport im Fernsehen?
6. Wie oft hörst du Musik?
7. Wie oft gehst du in eine Disko?
8. Wie oft unterhältst du dich mit Freunden/Freundinnen am Telefon?
9. Wie oft siehst du deine Verwandten?
10. Hast du ein besonderes Hobby oder ein besonderes Interesse? Wenn ja, wie viel Zeit nimmst du dir dafür?

Anna hört oft Musik

📖 📖 16.20 Der Mensch ist ein geselliges Tier

📔 16.21 Deine Interessen

Mache eine Liste deiner Hobbys und Interessen. Benutze dabei ein Wörterbuch, wenn nötig.

✎ 16.22 Ein Brief

Vollende den Brief. Dein deutscher Brieffreund hat dich über deine Freizeit befragt und du sollst den Brief beantworten. Du darfst das Beispiel natürlich ändern.

Ich bastele gern

> Windsor, den 4. März
>
> Lieber Sebastian,
>
> danke für deinen Brief. Er war sehr interessant. Du hast gefragt, was ich in meiner Freizeit mache. Ich werde versuchen, alles zu schreiben. Bitte korrigiere meine Fehler: Mein Deutsch ist nicht sehr gut!
>
> Jeden Tag nach der Schule gehe ich schwimmen.
> Abends...
> ...., und am
> Wochenende...
> Meine Hobbys sind .... und ich
> interessiere mich für...
> Ich bin ziemlich gesellig. Ich sehe meine Freunde oft und
> wir...
>
> Was machst du in deiner Freizeit?
> Schreib mir bald!
> Rob

MEINER MEINUNG NACH

16.23

nach meiner Meinung	*in my opinion*	**wunderbar**	*wonderful*
meiner Meinung nach	*in my opinion*	**lästig**	*annoying*
die Hoffnung (-en)	*hope*	**albern**	*silly, stupid*
am meisten	*most of all*	**sich benehmen***	*to behave*
anders	*different; differently*		

16.24

der Superlativ (Adjektive)

Adjektiv + **ste** oder **este** (+ manchmal einen Umlaut)

Beispiele
Tante Mona ist die lästig**ste** Person in meiner ganzen Familie.
Die intelligent**este** Person in dieser Klasse ist Susannah.

NB Benutze die normalen Endungen für Adjektive.

 **16.25 Ach, die Jugend von heute!**

Wie finden diese Leute die Jugend von heute? Eher gut oder schlecht?

1. Frau Müller   2. Tante Mona   3. Onkel Adelbert   4. Herr Myrza   5. Claudia

16.26 Wer ist ...?

1. Wer ist der lästigste Mensch, den du kennst?
2. Wer ist deiner Meinung nach in deiner Schule am besten in Sport?
3. Wer ist deiner Meinung nach der beste britische Musiker?
4. Wer ist die beste britische Musikerin?
5. Wer ist für dich der interessanteste Mensch in der Geschichte der Welt?
6. Welches Auto findest du am schönsten?
7. Wer ist dein liebster Tennisspieler?
8. Was denkst du über deine Schule?
9. Wie findest du Naturwissenschaften?
10. Welches ist dein liebstes Fach in der Schule? Warum?

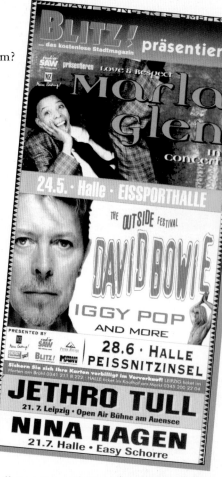

16.27 Meinungen über Bands

Partnerarbeit: Jede Person wählt fünf Bands oder Musikgruppen und muss dann herausfinden, was die andere Person darüber denkt.

Beispiel
A Was denkst du über die Flat Boys?   B Ich finde sie schlecht. Sie können nicht singen.

16.28 Ich liebe sie, weil ...

Vollende folgende Sätze.

1. Ich liebe meine Großmutter, weil sie ...
2. Ich finde Tiere ...
3. Die anderen Leute in meiner Klasse sind ...
4. Die Popszene heute finde ich ...
5. Meine Familie ist ...
6. ... ist mein Freund / meine Freundin, weil er/sie ...
7. Die Jugend von heute ist die Hoffnung der Welt, weil ...
8. Ich mag den Film ..., weil ...
9. Nach meiner Meinung ist meine Schule ...
10. Mein(e) Deutschlehrer(in) ist wunderbar, weil ...

ii. Die Freizeit

17

Wir gehen aus!

Tom und Anna gehen ins Kino und besprechen ihre Freizeitbeschäftigungen.

Ein Rock-Konzert auf der Parkbühne

FREIZEITBESCHÄFTIGUNGEN

17.1

frei	free	**das Freibad**	outdoor pool
die Stadt (¨e)	town	**der Eintritt (-e)**	entry
die Gegend (-en)	area	**das Kino (-s)**	cinema
das Zentrum (Zentren)	centre	**der Film (-e)**	film
das Stadion (Stadien)	stadium	**die Beschäftigung (-en)**	activity
der Sportverein (-e)	sports club	**die Art (-en)**	kind, sort, type
der Jugendklub (-s)	youth club	**die Möglichkeit (-en)**	possibility
die Kegelbahn (-en)	bowling alley	**verbringen***	to spend (time)
der Schläger (-)	racquet	**teilnehmen*** (trenn.)	
schlagen*	to hit	**(an** + Dat.)	to take part (in)
das Schwimmbad (¨er)	swimming pool	**abgemacht**	agreed
das Hallenbad	indoor pool		

17.2

wollen *to want to*

ich will	wir wollen	**Beispiel:** Willst du heute Abend ins Jugendzentrum gehen?
du willst	ihr wollt	
er/sie/es will	sie/Sie wollen	

17.3 **Was machen wir heute?**

 Lückentext.

17.4 **Was machen wir heute?**

Anna Du, heute haben wir frei. Was willst du machen?

Tom Ich habe keine Ahnung. Was kann man hier in der Gegend tun?

Anna Wir können in die Stadt gehen. Oder wir können zum Sportzentrum gehen, da gibt es ein Hallenbad. Oder wir können Squash spielen.

Tom Ich schwimme nicht gern. Vielleicht Squash, aber ich werde den Ball nicht schlagen können.

Anna Warum denn nicht? Du hast mir doch gesagt, du spielst Squash in England.

Tom Das ist wahr, aber ich habe keinen Schläger.

Anna Kein Problem, es gibt dort Schläger. Mitglieder des Vereins dürfen sie benutzen.

Tom Aber ich bin kein Mitglied.

Anna Ich darf einen Gast mitnehmen.

Tom Also Squash ist eine Möglichkeit. Gibt es etwas anderes? Wie verbringst du normalerweise deine Freizeit?

Anna Manchmal gehe ich in den Jugendklub. Der ist neben dem Stadion. Es gibt dort alle Arten von Freizeitbeschäftigungen: Snooker, Poolbillard, Tischtennis und so weiter. Oder man kann sich einfach unterhalten und eine Limo trinken. Es gibt auch eine kleine Kegelbahn.

Tom Muss man Mitglied im Jugendklub sein?

Anna Nein, aber man muss zwei Euro Eintrittsgeld bezahlen.

Tom Was willst du machen?

Anna Ich will einen Stadtbummel machen und dann ins Kino gehen. Wir können im Nudelhaus zu Mittag essen.

Tom Warum hast du dann von Jugendklubs und Sportzentren geredet?

Anna Mein Vater sagt mir immer: „Anna, deine Meinung ist nicht die wichtigste. Es gibt andere Menschen auf der Welt. Wir müssen nicht immer machen, was *du* willst!"

Tom Aber ich will auch ins Kino gehen. Und Nudeln esse ich besonders gern.

Anna Abgemacht! Gehen wir ins Kino.

 17.5 **Hast du das verstanden?**

1. Was kann man im Sportzentrum tun?
2. Was kann man im Jugendklub machen?
3. Was will Anna machen?
4. Was isst Tom besonders gern?
5. Stell dir vor, du bist Annas Gast: Welche Beschäftigung wählst *du* für heute?

 17.6 **Deine Gegend**

Gib schriftliche Antworten auf folgende Fragen. Besprich zuerst mögliche Antworten mit deinem Lehrer / deiner Lehrerin.

1. Gibt es ein Sportzentrum in deiner Stadt? Was kann man dort machen?
2. Gibt es Sportvereine in deiner Gegend? Muss man Mitglied sein, oder dürfen alle dort Sport treiben?
3. Gibt es auch einen Jugendklub? Was kann man dort machen?
4. Gehst du in einen Jugendklub oder in ein Sportzentrum? Was machst du da?
5. Wie viele Kinos gibt es in deiner Gegend? Wie heißen sie und wie viel kostet der Eintritt?

KINOS, KUNST UND KONZERTE

 17.7 **Gehen wir ins Kino!**

Siehe die Aufgabe auf Seite 162.

17.8 **Gehen wir ins Kino!**

Tom Wie viel kostet eine Eintrittskarte für das Kino?

Anna Sie kostet ungefähr acht Euro. Hast du genug Geld?

Tom Ja, kein Problem. Was sehen wir uns an?

Anna Den neuen englischen Film.

Tom Welchen?

Anna Ich habe den Namen vergessen. Wie heißt er?
Ah ja, *Blue Juice*.

Blue Juice

Tom Ist er auf Englisch?

Anna Ja, er hat deutsche Untertitel.

Tom Wunderbar! Ist er gut?

Anna Das weiß ich noch nicht. Ich habe ihn noch nicht gesehen.

Tom Klar, aber wer hat ihn empfohlen?

Anna Ralf hat ihn gesehen. Der Film hat mit Surfen zu tun.

Tom OK. Gehen wir dahin. Wollen wir zuerst essen?

Anna Ja, ja, wir sind schon da. Siehst du das Nudelhaus, dort, gegenüber dem Park?

Tom Prima! Jetzt habe ich Hunger. Gehen wir hin.

17.9

das Theater (-)	*theatre*	**die Kunsthalle (-n)**	*art gallery*
das Konzert (-e)	*concert*	**das Museum (Museen)**	*museum*
der Saal (Säle)	*auditorium*	**die Ausstellung (-en)**	*exhibition*
der Rang (¨e)	*circle*	**der Preis (-e)**	*price*
das Parkett	*stalls*	**die Ermäßigung (-en)**	*reduction*
die Galerie (-n)	*gallery*	**die Aufführung (-en)**	*performance*
die Kunstgalerie	*art gallery*	**vor einem Jahr**	*a year ago*

17.10 Catriona, die Kulturfanatikerin

Anna hat auch eine schottische Freundin, Catriona. Sie hat Anna vor einem Jahr besucht. Catriona mag Kunst! Sieh dir ihre Eintrittskarten unten an und beantworte folgende Fragen.

1. Auf welcher Eintrittskarte steht kein Preis?
2. Wie viel Geld hat Catriona für alle anderen Karten zusammen ausgegeben?
3. Was hat der Eintritt in das stadtgeschichtliche Museum gekostet?
4. Wo hat sie keine Ermäßigung bekommen?
5. War ihr Platz für *Die Lustige Witwe* im Rang?
6. Wann hat die Aufführung der *Lustigen Witwe* begonnen?
7. An welchem Tag hat sie das Konzert im Gewandhaus gehört?
8. Interessiert sie sich für die bildenden Künste? Woher weißt du das?
9. Catriona hat zwei Städte besucht. Welche?
10. Für welche Aufführung oder welches Museum von diesen sechs interessierst du dich am meisten? Warum?

Das Leipziger Gewandhaus

17.11 Catriona in der Hamburger Kunsthalle

Auf dem Weg nach Leipzig hat Catriona Hamburg in Norddeutschland besucht. Zu der Zeit gab es in Hamburg eine Ausstellung von Turners Bildern. Der Maler ist zwischen 1817 und 1844 siebenmal nach Deutschland gereist und hat dort viel gemalt. Seit Catriona *The Fighting Temeraire* in Londons National Gallery gesehen hat, interessiert sie sich für Turner. In der Ausstellung in der Hamburger Kunsthalle waren Bilder aus der Zeit der sieben Deutschlandreisen zu sehen.

Siehe die Broschüre unten an und beantworte die Fragen.

1. Wie viel hat der Eintritt für diese Austellung gekostet?
2. Hat Catriona eine Ermäßigung bekommen?
3. Wie lange war die Ausstellung in Hamburg?
4. Unter welcher Telefonnummer bucht man Führungen für Gruppen?
5. Wie viel hat der Ausstellungskatalog gekostet? Und wie viele Seiten hat er?

TURNER
IN DEUTSCHLAND
26. Januar bis 31. März

Hamburger K

Glockengießerwall, 20
direkt am Hauptbahnhof / next to
Tel. 040-24 86 26 12. Fax

Dauer der Ausstellung
26. Januar bis 31. März

Öffnungszeiten
Dienstag bis Sonntag
10 bis 18 Uhr
Donnerstag bis 21 Uhr
Montag geschlossen

Eintrittspreise
Erwachsene 10 DM
Ermäßigt 7 DM
Gruppen 7 DM

Führungen für Gruppen
Voranmeldung unter der
Telefonnummer 040-29 188 27 52
oder Fax 040-29 188 38 93

Öffentliche Führungen
jeden Sonntag um 12 Uhr und
jeden Donnerstag um 18.30 Uhr

Die Ausstellung wird von einem umfangreichen Katalog begleitet, in dem alle ausgestellten Arbeite farbig abgebildet sind. Er umfaß 276 Seiten und ist die erste Pub kation, die sich ausschließlich den Deutschland-Zeichnungen TURNERS widmet (49 DM).

HAMBURGER
KUNSTHALLE
10,- DM
TURNER
IN DEUTSCHLAND
26.1. bis 31.3.

WILLIAM TURNER, Die Martinskirche Cochem, c 1839
© Tate Gallery, London
Gefördert durch
GlaxoWellcome

17.12 Zweimal Parkett bitte!

Höre dem Dialog auf der Kassette zu und antworte auf folgende Fragen.

1. Wie viel kostet eine Eintrittskarte für einen Erwachsenen im Rang?
2. Bekommen Tom und Anna eine Ermäßigung?
3. Sitzen Tom und Anna im Parkett oder im Rang?
4. Was sollen die zwei Karten für Anna und Tom kosten?
5. Der Mann hat einen Fehler gemacht. Was hat er getan?

17.13 Eintrittskarten

Partnerarbeit: Ihr kauft Karten für das Kino. A stellt die Fragen, B antwortet.

A
Ja, bitte schön?

B

Im Rang oder Parkett?

?

A

Im Rang kostet es € 10,00 und im
Parkett € 7,50.

Sie bekommen eine Ermäßigung unter
18 Jahren, wenn Sie einen Ausweis haben.

Eine Ermäßigung von € 4,00.

Also, zweimal im Rang mit Ermäßigung.
Das macht € 12,00.

Danke, und fünf Euro zurück.

Oh, es tut mir Leid. Ja, Sie bekommen
acht Euro zurück.

B

 ? -18

 ?

 im Rang

?

SPORT AM WOCHENENDE

17.14

bummeln	to stroll (around town, around the shops)	**Rollschuh laufen***	to roller-skate
angucken (trenn.)	to look at	**kegeln**	to bowl (skittles)
das Rad (¨er)	bike	**rennen***	to run; to race
Rad fahren*	to cycle	**werfen***	to throw
klettern	to rock-climb	**fangen***	to catch
segeln	to sail	**der Ball (¨e)**	ball
das Boot (-e)	boat	**sich sonnen**	to sunbathe
windsurfen	to windsurf	**angeln**	to fish
reiten*	to ride	**fischen**	to fish
Ski fahren*/laufen*	to ski	**die Angelrute (-n)**	fishing rod
Schlittschuh laufen*	to ice-skate	**die Ausrüstung**	equipment
Eis laufen*	to ice-skate	**das Endspiel (-e)**	final

17.15

gehen + Sport			
ich gehe	**kegeln**	I go	bowling
	windsurfen		windsurfing

17.16

Verben als Substantive

Jedes Verb kann auch ein Substantiv sein. Das Substantiv wird sächlich.

Beispiel: kegeln – das Kegeln (bowling)

Das Kegeln kostet zu viel. *Bowling costs too much.*
Das Angeln ist verboten. *Fishing is forbidden.*

17.18 **17.17** **Wie verbringt Tom seine Freizeit?**

Siehe die Aufgabe auf Seite 162.

17.18 Wie verbringt Tom seine Freizeit?

Anna   Was machst du normalerweise am Wochenende und in den Ferien?

Tom   Am Wochenende gehe ich manchmal mit meinen Freunden in die Stadt. Wenn wir Geld haben, kaufen wir CDs – das ist aber nicht oft! Ohne Geld wird die Stadt langweilig.

Anna   Ohne Geld gehe ich gar nicht gern bummeln! Treibst du keinen Sport?

Tom   Doch. Ich klettere gern und segele. Wir wohnen nicht weit weg von Nordwales und dort gibt es schöne Orte zum Klettern. Meistens gehen wir nach World's End klettern, oder weiter nach Snowdonia. Wir segeln auf Lake Bala – das ist ein großer See in Nordwales.

Anna   Hast du ein Segelboot?

Tom   Nein, es gibt dort einen Segelverein und man darf ihre Boote benutzen.

Anna   Wie oft gehst du segeln?

Tom   Oh, vielleicht drei, viermal im Jahr.

Anna   Wann hast du mit dem Segeln angefangen?

Tom   Es gibt ein Wassersportzentrum an den Menai Straits, bei Anglesey: Letztes Jahr habe ich dort einen Kurs gemacht. Ich habe Windsurfen und Segeln gelernt.

Anna   Kann man in Nordwales Ski laufen?

Tom   Nur auf Trockenskipisten. Aber ich fahre sehr gern Ski und bin vor zwei Jahren in St. Anton in Österreich Ski fahren gewesen.

Anna   Das habe ich noch nie gemacht.

Tom   Gehst du zum Fußball ins Stadion hier in Leipzig?

Anna   Natürlich. Stefan und ich sind große Fans von FC-Sachsen und haben vor zwei Wochen das Endspiel mit Borussia Dortmund gesehen.

Tom   Hat deine Seite gewonnen?

Anna   Leider nicht. Es ging zwei zu drei aus. Aber das letzte Tor war nicht fair! Der Stürmer hat den Ball gefangen und der Schiedsrichter hat das nicht gesehen.

Tom   Hmm. Und das Spiel „Handball"– was ist das?

Anna   Oh, wir haben in Leipzig eine wunderbare Damenmannschaft! Die kommen morgen im Fernsehen. Du kannst sie angucken.

17.19 Und du?

Partnerarbeit: Stell dir vor, du bist Anna. Stell deinem Partner / deiner Partnerin Fragen über seine/ihre Freizeitbeschäftigungen.

Beispiele
Wie verbringst du am Wochenende deine Freizeit? Gehst du in die Stadt einkaufen? Treibst du Sport? Gehst du segeln oder klettern? Siehst du oft Fußball? Wo? Für welche Mannschaft bist du? Welche Ballspiele magst du? Kannst du gut fangen und werfen? Spielst du Kricket? (usw.)

17.20 Meine Freizeitbeschäftigungen

1. Schreibe eine Liste deiner Freizeitbeschäftigungen am Wochenende und in den Ferien.

Beispiel
Einkaufen in High Wycombe
Radfahren
Segeln auf dem Windermere See
(usw.)

2. Wie oft machst du das? Schreibe einen Satz für jede Beschäftigung.

Beispiel
Ich gehe jeden Samstag in High Wycombe einkaufen.
Ich fahre sehr oft Rad und bin letztes Jahr in Orkney Rad gefahren.
Ich segele jeden Sommer auf dem Windermere See.
(usw.)

17.21 Freizeitbeschäftigungsporträt

18

Henry Walther – Pos

chael Arnold – Saxo

Ecki Gleim – G

omas Moritz – Kont

Interessen

Tom und Anna besprechen ihre Interessen. Danach fragen wir, wofür du dich interessierst und welche Musik du am liebsten hörst.

HOBBYS

18.1

die Schultage	schooldays	**die Sammlung (-en)**	collection
die Wochentage	weekdays	**fotografieren**	to photograph
wirklich	really	**der Fotoapparat (-e)**	camera
Glück haben	to be lucky	**basteln**	to make things
noch	still		with one's hands
erst	not until	**der/die Bastler(in)**	modeller; do-it-
während	while		yourselfer
während (+ Gen.)	during	**stricken**	to knit
sich ausruhen (trenn.)	to relax	**nähen**	to sew
sich entspannen	to relax	**Karten spielen**	to play cards
faulenzen	to laze about	**das Brettspiel**	board game
sich umziehen* (trenn.)	to change (clothes)	**der Roman (-e)**	novel
das Radio	radio	**er/sie/es handelt von**	it's about
die CD (-s)	CD	**wovon handelt**	
sammeln	to collect	**er/sie/es?**	what's it about?

18.2 Was macht Tom am Abend?

18.3   Siehe die Aufgabe auf Seite 162.

18.3 Was macht Tom am Abend?

Anna Was machst du abends zu Hause, Tom?
Tom Hausaufgaben.
Anna Außer Hausaufgaben natürlich!
Tom Gibt es ein Leben außer Hausaufgaben?
Anna Ist dein Leben wirklich so langweilig?
Tom An Schultagen, ja. Was machst du?
Anna An Wochentagen? Nachmittags mache ich meine Hausaufgaben. Den Abend habe ich dann frei, kann ein bisschen faulenzen und mich ausruhen.
Tom Du hast Glück. Bei uns ist die Schule erst um halb vier aus.
Anna Dann hast du noch Zeit, zwei Stunden Hausaufgaben zu machen und dich danach auszuruhen.

Tom	Keine Chance. Einmal pro Woche habe ich Orchester, und sogar öfter, wenn wir uns auf ein Konzert vorbereiten.
Anna	Und wenn du kein Orchester hast?
Tom	Ich komme erst um vier Uhr nach Hause. Dann ziehe ich mich um, esse etwas, gehe auf der Rennbahn mit meinem Hund spazieren ...
Anna	Auf der Rennbahn?
Tom	Es gibt eine Pferderennbahn nicht weit von meinem Haus. Man darf dort spazieren gehen.
Anna	Und die Pferde?
Tom	An Renntagen ist das Spazierengehen natürlich verboten.
Anna	Also, wo waren wir? Nach dem Spaziergang hast du noch viel Zeit, oder?
Tom	Ich muss mich dann ein bisschen ausruhen. Ich sehe mit den Zwillingen fern.
Anna	Und danach?
Tom	Dann essen wir.
Anna	Und nach dem Essen?
Tom	Dann muss ich mich entspannen.
Anna	Wer spült ab?
Tom	Darüber streiten wir uns dann.
Anna	Immer?
Tom	Ja, fast immer.
Anna	Und dann?
Tom	Dann habe ich ein paar Stunden für meine Hausaufgaben. Ich arbeite in meinem Zimmer und spiele CDs oder höre Radio.
Anna	Du hast also keine Hobbys?
Tom	Doch, aber für die habe ich nur am Wochenende Zeit. Ich fotografiere gern und ich sammle Höhlenfotos. Ich schreibe auch einen Roman.
Anna	Du schreibst einen Roman? Wovon handelt er?
Tom	Es spielt alles unter der Erde, im 22. Jahrhundert. Mehr sage ich nicht!
Anna	Mmm ...

18.4 Übersetzung

Finde folgende Übersetzungen im Dialog oben.

1. *apart from homework*
2. *on weekdays*
3. *you're lucky*
4. *not until half past three*
5. *then I change*
6. *and after that?*
7. *then I have to relax*
8. *we fight about it*
9. *a few hours*
10. *what's it about?*

18.5

da + Präpositionen

Da kann mit fast allen Präpositionen zusammenstehen:

danach	*after that*	davon	*from/of that*
damit	*with that*	dazu	*to that*
		(usw.)	

18.6 Besondere Interessen

Haben deine Freunde besondere Hobbys oder Interessen? Finde sie im Wörterbuch.

18.7 Was machst du abends?

1. Wann kommst du an Schultagen nach Hause? (Oder, für Internatsschüler: Wann endet der Unterricht?)
2. Wie viel Zeit brauchst du für Hausaufgaben?
3. Siehst du abends fern? Wie lange?
4. Was machst du abends an Schultagen außer Schularbeiten und Fernsehen?
5. Hast du eine besondere Freizeitbeschäftigung am Wochenende?

DIE MUSIK

18.8

Musik machen

Spielst du ein Instrument?
Ja, ich spiele ...	Gitarre
	Klavier
	Blockflöte
	Flöte
	Geige
	Trompete
	Schlagzeug

Ich spiele am liebsten Bach.

FREITAG, 27. FEBRUAR
22 UHR · ALTE NIKOLAISCHULE · KULTUR-CAFÉ

SWINGING WAY
SPIELT HORACE SILVER

Diese Leipziger Band führt Musiker verschiedener Generation zusammen, die sich der Jazztradition – dem Mainstream im Jazz – verschrieben haben. Diesesmal schlagen die Mitglieder des Quintetts ihren swingenden Weg in eine ganz spezielle Richtung ein: Sie widmen sich den Kompositionen des außergewöhnlichen Jazzmusikers Horace Silver. Swinging Way wird an diesem Abend ausschließlich die genialen und vielschichtigen Kompositionen der besagten Jazzlegende spielen. Die Band, die ohne Piano arbeitet, hat die Kompositionen des Pianisten Horace Silver für ihre Besetzung in interessanter, eigener Art und Weise arrangiert. Hierbei haben die fünf Musiker das Ziel, dem lebendigen Wesen und der Tiefe dieser Musik gerecht zu werden. Der Konzertabend im Kultur-Café sei nicht nur Insidern, sondern allen Liebhabern eines frisch swingenden und zugleich sensiblen Jazz empfohlen.

Henry Walther – Posaune

Michael Arnold – Saxophon

Ecki Gleim – Gitarre

Günter Kiesant – Schlagzeug

Thomas Moritz – Kontrabaß

PROGRAMM · FEBRUAR

Mi. 4.	**PIANO BOOGIE NIGHT SPECIAL**
21:00	**BERLINER BOOGIE WOOGIE DUO**
	Henning Pertiet (p) - Michael Maas (d)
	feat. Tibor Grasser (p), Wien

Do. 5.	**SOULKNIGHTS**
21:00	HANNOVERANER SOUL-SEXTETT

Fr. 6.	JAZZ-FUNK-DISCO
Sa. 7.	Jazzorientierte Tanzmusik · P20
21:00	mit DJ MOOMA GROOVE & Friends

Mo. 9	**Jens Legler**

 18.9 **Musikinstrumente**

1. Verstehst du alle Namen der Musikinstrumente oben? Wenn nicht, sieh im Wörterbuch nach.
2. Welche Instrumente braucht man für ein Schulorchester?
3. Du bildest eine Tanzkapelle. Welche Instrumente brauchst du?

18.10

der Walkman (-s)	*Walkman*	**das Lied (-er)**	*song*
die Popmusik	*pop music*	**die Oper (-n)**	*opera*
klassisch	*classical*	**die Schallplatte (-n)**	*record*
der Sänger (-)	*singer (m.)*	**die Langspielplatte**	*LP*
die Sängerin (-nen)	*singer (f.)*	**gewöhnlich**	*usual*
Lieblings-	*favourite*		

18.11

Musik hören

Hörst du gern Musik?
Ja, ich höre gern ...	Bach
	klassische Musik	... im Radio
	Popmusik	... auf meinem Walkman
	Jazz (usw.)	... auf meiner Stereoanlage

Ich habe eine Sammlung von ...	alten Langspielplatten
	CDs
	Kassetten

Mein(e) Lieblingssänger(in) ist ...
Meine Lieblingsgruppe ist ...
Mein(e) Lieblingskomponist(in) ist ...

18.12

welcher/e/es ...? *which ...?*			
	männlich	**weiblich**	**sächlich**	**Plural**
Nom.	welch**er**	welch**e**	welch**es**	welch**e**
Akk.	welch**en**	welch**e**	welch**es**	welch**e**
Gen.	welch**es**	welch**er**	welch**es**	welch**er**
Dat.	welch**em**	welch**er**	welch**em**	welch**en**

Das heißt, die Endungen für **welcher/e/es** sind genau die gleichen wie die Endungen für **der/die/das.**

Beispiel: Welch**es** Instrument spielst du?

18.13 **Was hören sie gern?**

Welche Musik hören diese Leute gern?

  18.14 **Was hörst du gern?**

1. **Partnerarbeit:** Finde alles über die Musikinteressen deines Partners / deiner Partnerin heraus. Spielt er/sie ein Instrument? Hört er/sie Radio? Was und wann? Hat er/sie eine CD-Sammlung? Hört er/sie gern Oper? Volkslieder? Jazz? Rock? Mag er/sie Orchestermusik? Hat er/sie einen/eine Lieblingssänger/-sängerin? Welche Gruppen/Bands mag er/sie? Hat er/sie schon einmal ein Pop- oder Rockfestival besucht?

2. Schreibe die Musikinteressen deines Partners / deiner Partnerin auf.

Beispiel

Jo hört sehr gern Musik. Sie hat eine kleine CD-Sammlung von klassischer Musik (vor allem Mahler), aber sonst nicht viel. Sie hasst ... (usw.)

 18.15 **Wer braucht wen?**

Musik

Kontrabassist/Baßgitarrist sucht Band oder interessierte Musiker zwecks Bandgründung. Vielseitig interessiert. Tel.: 0341 / 2515173.

Viertel sucht Anschluß zum Ganzen für fem. Musikprojekt. Grahl, Adam-Kuckhoff-Str. 19. 06108 Halle.

Björk, Portishead, Cypress Hill - wer möchte mit mir u.a. Musikern seine mus. Ideen verwirklichen? Grahl, Adam-Kuckhoff-Str. 19. 06108 Halle.

Wer gibt mir Klavierunterricht? Bitte melden unter Tel.: 034297 / 86730.

Verk. Kontrabaß, rep.-bed., mit Bogen, für 1.500.- DM. Tel.: 0341 / 2515173.

Suche gebrauchten Gesangsverstärker und Schlagzeug. Angebote schriftlich an Marko Lattermann, Majakowskistr. 43. 04357 Leipzig.

Verkaufe 2 E-Gitarren f. je 150.-DM. Verstärker 8080, Marshal Stimmgerät, Verst. f. Kopfh. Anruf lohnt sich. Tel.: 0345 / 5604023.

Jazzrock-Band sucht ambitionierten Schlagzeuger. Tel.: 0345 / 41491.

Wer erteilt Gesangsunterricht? Möglichst in Halle o. SK, keine Kenntnisse. Chiffre 72/35.

Student sucht mögl. kostenlos RFT-Verstärker SV 3930 oder HMK 100/200. Angebote: Tel.: 0351 / 4766382.

Wir suchen Drummer, Bassist, Keyboarder zur Bandgründung. Musikrichtung: Rock / Hardrock. Tel.: 0371 / 252163.

Akustik-Bass dringend gesucht, kann auch zerschrammt sein - Hauptsache, d. Sound stimmt noch. Tel.: 0351 / 337017, André verlangen.

Synthipop-/ Danceduo sucht Auftritte in Discos und Clubs. Infos unter: Tel.: 03741 / 526395.

Musik-Compu. Anlage kompl. o. einz., z.B. RA 90 v. Roland f. Alleinunterhalt. NP 5 TM, VP 2,5 TM. Tel.: 03504 / 614284.

Band sucht Keyboarderin möglichst mit Gesang und Nebeninstrument (nicht Bed.). Nähere Informationen unter Tel. / Fax: 0351 / 8011490.

1. Du willst Klavierspielen lernen. Wie ist deine Telefonnummer?
2. Wer will ein Schlagzeug kaufen?
3. Du willst eine elektrische Gitarre kaufen. Welche Telefonnummer wählst du?
4. Du bist ein guter Schlagzeuger und möchtest in einer Rockband spielen. Welche Nummern brauchst du?
5. Dein Freund arbeitet in einem Club und sucht Musiker. Welche Telefonnummer soll er anrufen?

18.16 Hörst du gern Opern?

Tante Mona und Onkel Adelbert wollen die Familie zu einer Aufführung der Operette *Die Fledermaus* mitnehmen. Du bist Tom und hilfst Tante Mona beim Lesen der Broschüre, weil sie ihre Brille nicht finden kann. Beantworte ihre Fragen.

Tom, wer ist nochmal der Komponist der *Fledermaus*?
Ab wann können wir Karten für *Die Fledermaus* kaufen?
Gibt es keine Aufführung vor Ende März?
Ach, wir fahren am sechsten April wieder nach Hause. Meinst du, wir können *Die Fledermaus* nicht sehen?
Welche Oper können wir sehen?

HAMBURG OPER

Vorschau April

Der Osterspielplan

5. April (Karfreitag)	**Tristan und Isolde**
6. April (Sonnabend)	**Salome**
7. April (Ostersonntag)	Ballett **Matthäus-Passion**
8. April (Ostermontag)	**Tristan und Isolde**

Die nächste Premiere

Die Fledermaus von Johann Strauß

Musikalische Leitung	Stefan Soltesz
Inszenierung	Hans Hollmann
Bühnenbild	Hans Hoffer
Kostüme	Dirk von Bodisco
Chor	Jürgen Schulz
Choreographie	Donna Perilli
Eisenstein	Boje Skovhus
Rosalinde	Barbara Daniels
Frank	Reinhard Dorn
Prinz Orlowsky	Jochen Kowalski
Alfred	David Kuebler
Dr. Falke	Klaus Häger
Dr. Blind	Frieder Stricker
Adele	Hellen Kwon
Frosch	Fritz Muliar
Premiere A	28. April
Premiere B	2. Mai
Weitere Aufführungen	5., 7., 9., 12. Mai

Vorverkauf für alle Aufführungen ab 30. März

SPIELPLAN-VORSCHAU

18.17 Die Interessen der Gruppe

Gruppenarbeit: Bildet Gruppen von vier bis sechs Personen. Wofür interessiert sich die Gruppe? Sammelt die Informationen (benutzt die Fragen unten) und dann wählt einen/eine Gruppensprecher/-sprecherin. Der Sprecher oder die Sprecherin wird der Klasse alles über die Interessen und Hobbys der Gruppe erzählen. Er/Sie soll das zuerst mit der Gruppe üben!

Interessen

1. Wer fotografiert gern?
2. Wer bastelt gern?
3. Wer strickt und/oder näht gern?
4. Wer sammelt etwas? (Was sammeln sie?)
5. Wer malt und zeichnet?
6. Wer spielt ein Instrument? (Welches?)
7. Wer hört gern Musik? (Welche am liebsten?)
8. Wer hat eine Musiksammlung? (CDs? Alte Platten? Welche Art Musik?)
9. Wer spielt Karten und/oder Brettspiele? (Mit wem und wie oft?)
10. Hat jemand ein ungewöhnliches Hobby?

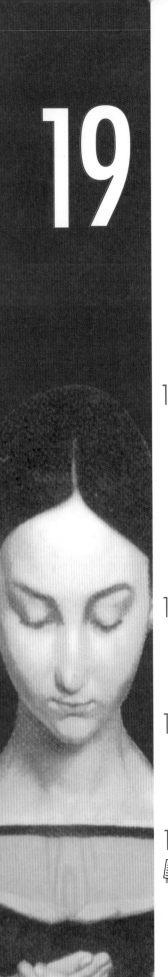

Die Medien

Wir besprechen die Medien und deine Meinungen darüber. Siehst du gern fern? Was hörst du gern im Radio? Gehst du oft ins Kino? Was für Filme magst du? Gehst du auch ins Theater? Und was liest du, wenn du Zeit hast? So viele Fragen ...

FERNSEHEN UND RADIO

19.1

das Fernsehen	television	**der Humor**	humour
die Sendung (-en)	programme	**das Drama (Dramen)**	drama
der Kanal (Kanäle)	channel	**die Nachrichten**	news
das Programm (-e)	channel; schedule, listing	**halten* (von etwas)**	to think, have an opinion (of something)
die Serie (-n)	serial		
die Dokumentar-sendung	documentary	**aktuell**	current
der Trickfilm (-e)	cartoon	**verschieden**	different
die Unterhaltungs-sendung	light entertainment; comedy programme	**Fernsehen gucken**	to watch television (inf., used by children)

19.2

was für ...? *what kind of ...?*

Beispiele
Was für eine Sendung ist das?
Was für Dokumentarsendungen siehst du am liebsten?

19.3

was hältst du von ...? (+ Dativ) *what do you think of ...?*

Beispiele
Was hältst du von der Fernsehserie „Eastenders"?
Was haltet ihr von Trickfilmen?

19.4 Fernsehsendungen

Nenne eine Fernsehsendung für jede Kategorie unten.

1. ein Trickfilm mit Tieren
2. eine Sportsendung
3. eine Wintersportsendung
4. eine naturwissenschaftliche Sendung
5. eine Serie aus Australien
6. eine Unterhaltungssendung aus Amerika
7. Tagesnachrichten
8. eine regelmäßige Dokumentarsendung
9. eine aktuelle Dramaserie
10. die beste Sendung im Fernsehen (deiner Meinung nach!)

19.5 **Was hältst du davon?**

Partnerarbeit: Schreibe eine Liste von zehn Fernseh- oder Radiosendungen. Dein(e) Partner(in) muss sagen, was für Sendungen das sind und was er/sie davon hält. Benutze ein Wörterbuch, wenn nötig.

Beispiel

A Was für eine Sendung ist „*The Nine O'Clock News*" und was hältst du davon?

B Das ist eine Nachrichtensendung. Sie ist manchmal interessant.

(usw.)

19.6 **Deutsches Fernsehen**

Was sehen diese Leute gern im Fernsehen?

19.7 **Im Krankenhaus**

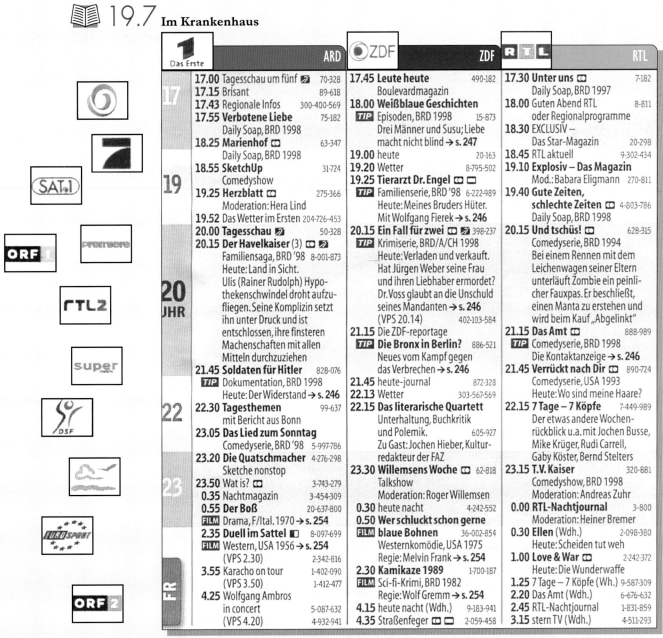

Sieh dir die Fernsehseiten an. Stell dir vor, du bist im Krankenhaus und musst den ganzen Abend fernsehen. Welche Sendungen wählst du von diesen drei Kanälen?

FILME

19.8

der Dokumentarfilm (-e)	*documentary*	**die Vorstellung (-en)**	*performance, showing (film)*
Horror-	*horror*		
Liebes-	*love*	**der Zuschauer (-)**	*spectator; (pl.) audience*
Kriminal-	*detective/ police/crime*	**neu**	*new*
der Krimi (-s)	*detective story*	**phantastisch**	*fantastic*
die Filmkomödie (-n)	*comedy*	**fabelhaft**	*fabulous*
das Theaterstück (-e)	*play*	**spannend**	*exciting*
das Schauspiel (-e)	*play*	**sich langweilen**	*to be bored*
der Schauspieler (-)	*actor*		
die Schauspielerin (-nen)	*actress*		

 19.9 **Lieblingsfilme**

Partnerarbeit: Sprecht über eure Lieblingsfilme und -schauspieler(innen).

Beispiel

A Was für Filme siehst du am liebsten?

B Science-Fiction-Filme oder spannende Dramen, zum Beispiel *Lost at Sea*. Und du?

A Ich sehe lieber Horrorfilme und Krimis mit ... (usw.)

 19.10 **Im Kino Cinemaxx**

Sieh dir die Broschüre für die Woche vom 16. bis 22. Mai im Kino Cinemaxx an. Ist es klar, was für Filme sie zeigen? Nenne die Kategorien (deiner Meinung nach).

✏️ 19.11 Drei Filme

Wähle drei Filme, die du dieses oder letztes Jahr gesehen hast. Beschreibe sie. (Was für ein Film ist das? Wer spielt die Hauptrolle? Wovon handelt der Film? Ist die Geschichte interessant? Ist der Film spannend oder fehlt es an Action? Wie endet er? Empfiehlst du deinen Freunden diesen Film? Warum?)

Beispiel

Film Nummer 1 ist <u>Home Alone for the Twelfth Time</u>. Das ist eine Filmkomödie mit viel Action, und ich empfehle sie, weil sie spannend und lustig ist … (usw.)

BÜCHER, ZEITUNGEN UND ZEITSCHRIFTEN

19.12

die Zeitung (-en)	newspaper	**die Anzeige** (-n)	advertisement
die Zeitschrift (-en)	magazine	**vorziehen*** (trenn.)	to prefer
das Magazin (-e)	magazine	**bevorzugen**	to prefer
die Illustrierte (n)	magazine	**wegen** (+ Gen.)	on account of
der Artikel (-)	article		

19.13

etwas Neues *something new*

Ein Adjektiv kann ein Substantiv werden: Beginn das Wort mit einem großen Buchstaben und ende es mit **es**.

Beispiele
etwas **I**nteressant**es**
nichts **B**esonder**es**

19.14 Was liest du gern?

Partnerarbeit: Lest ihr viel? Was für Bücher? Lest ihr oft Zeitungen und Zeitschriften?

Beispiel
A Liest du viel?
B Nein, nicht viel. Ich habe nicht viel Zeit. Ich lese die Sportseiten in Zeitungen und Artikel über Filme oder Musik.
A Was für Bücher liest du, wenn du Zeit hast?
B Ich lese meistens Krimis.
A Liest du etwas Interessantes im Moment?
(usw.)

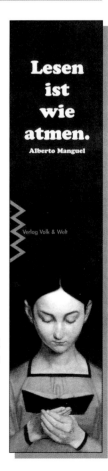

✏️ 19.15 Die Medien

Schreibe ein paar Sätze über die verschiedenen Medien (das Fernsehen, Filme, das Theater, Bücher, Zeitungen und Zeitschriften). Beantworte so viele der folgenden Fragen wie möglich: Welches Medium ziehst du vor? Warum? Wie oft gehst du ins Kino oder ins Theater? Was siehst du am liebsten, und wer sind deine Lieblingsschauspieler(innen)? Was liest du und warum? Was sind die Bestseller im Moment, und hast du sie gelesen? Siehst du zu viel fern? Ist das ein Problem? Ziehst du Radio oder Fernsehen vor? Warum?

19.16 Ein Interview mit Ante Covic

Eine englische Freundin ist Journalistin bei einem Sportmagazin. Sie soll einen Artikel über den deutschen Fußballer Ante Covic vorbereiten und hat ein Interview in einer deutschen Zeitschrift gefunden, aber sie spricht kein Deutsch. Schreibe für sie eine Übersetzung auf.

19.17 Deutsche Zeitungen

Sieh dir die Anzeigen für deutsche Zeitungen und Zeitschriften an und beantworte die Fragen.

1. Welche sind Zeitungen, welche sind Zeitschriften?
2. Wovon handeln die Magazine?
3. Was gibt es Besonderes an diesen Anzeigen für Studenten?
4. Ordne die Zeitungen und Zeitschriften – allein wegen ihrer Titel und ihres Aussehens – in deiner bevorzugten Reihenfolge.
5. Warum findest du die Nummer eins auf deiner Liste so gut?

iii. Festtage, Feiertage und Ferien

20

Festtage und Feiertage

Tante Mona hat Geburtstag. Anna hat genug von Tante Mona!

Zum Geburtstag herzliche Glückwünsche!

Zum Geburtstag viel Glück!

Alles Liebe zum Geburtstag!

Alles Gute zum Geburtstag!

Zum Geburtstag alle guten Wünsche!

DER GEBURTSTAG

20.1

die Überraschung (-en)	surprise	**ausprobieren** (trenn.)	to try out
schenken	to give a present	**verwenden***	to use
das Geschenk (-e)	present	**die Rose (-n)**	rose
auswählen (trenn.)	to select, to choose	**der Dank**	thanks
der Kuss (¨e)	kiss	**danken**	to thank
herzlich	warm; sincere	**nichts zu danken**	not at all,
der Wunsch (¨e)	wish		don't mention it
der Glückwunsch (zu)	congratulations (on)	**sich bedanken**	to say 'thank you'
gratulieren (+ Dat.)	to congratulate	**danke miteinander**	thanks everyone
alles Gute!	all the best!		(S. German)
feiern	to celebrate	**denken* (an** + Akk.)	to think (of)
die Geburtstagsfeier (-n)	birthday party	**raten***	to guess
das Fest (-e)	party; celebration	**Haupt-**	main
der Sekt	sparkling wine; champagne	**die Sache (-n)**	thing
		prost!	cheers!
die Flasche (-n)	bottle	**zum Wohl!**	cheers!
einpacken (trenn.)	to wrap	**leer**	empty
das Parfüm (-e oder **-s)**	perfume		

20.2 **Eine Überraschung für Tante Mona**

 20.2

Frau Müller	Guten Morgen, Mona! So, einen Geburtstagskuss für dich. Herzlichen Glückwunsch zum Geburtstag! Diese Karten sind heute für dich angekommen.
Anna	Gratuliere, Tante Mona. Alles Gute zum Geburtstag!
Tante Mona	Danke miteinander.
Stefan	Wie alt bist du, Tante Mona?
Frau Müller	Ja, ja, das müssen wir feiern. Wir werden heute Abend eine kleine Geburtstagsfeier machen. Jetzt öffnen wir eine Flasche Sekt. Stefan, du bekommst nichts.
Stefan	Mutti, ich habe nur gefragt, wie ...
Frau Müller	Schon gut. Anna, du hast etwas für deine Tante?
Anna	Oh ja. Bitte schön, Tante Mona: ein Geschenk für dich, nur etwas Kleines ...
Tante Mona	Anna, du bist ein liebes Mädchen. Was ist denn das?
Stefan	Das hilft beim ...
Frau Müller	Lass mich dir helfen, Mona. Schade, so schön eingepackt ...
Tante Mona	Ich kann das selber machen. So alt bin ich doch noch nicht! Oh schön, Parfüm. „Junges Blut", hmm. Ich muss das ausprobieren. Normalerweise verwende ich „Alte Rose", aber vielleicht ... Also, herzlichen Dank.
Anna	Nichts zu danken. Denke an Stefan, wenn du das benutzt: Er hat es ausgewählt.
Tante Mona	Hauptsache, ihr habt meinen Geburtstag nicht vergessen. Letztes Jahr ...
Frau Müller	Kommt, trinken wir den Sekt! Prost!

20.3 **Eine Überraschung für Tante Mona**

1. Was hat Frau Müller heute Abend vor?
2. Warum bekommt Stefan keinen Sekt?
3. Was bekommt Tante Mona zum Geburtstag?
4. Wer hat es ihr geschenkt?
5. Wer hat das Geschenk ausgewählt?

 20.4 **Stefan schreibt eine Karte**

Stefan hat zwar das Geschenk ausgewählt, aber er hat die Geburtstagskarte vergessen. Er hat eine leere Karte im Schreibtisch gefunden. Was schreibt er darauf?

GESCHENKE

 20.5 **Partyzeit!**

1. Ohne Wörterbuch, rate die Bedeutungen folgender Wörter. Dann prüfe deine Antworten.
der Ring, der Ohrring, das Armband, die Armbanduhr, die Kette, die Halskette, das Taschentuch, das Halstuch, der Lippenstift, die Puppe, das Spielzeug, die Süßigkeiten, die Bonbons, die Blumen

2. Die folgenden Sätze haben mit Festen zu tun. Was bedeuten sie auf Englisch?
Sie schminkt sich.
Sie zieht sich ein Partykleid ein.
Sie legt ihren Schmuck an.
Sie packt eine Schachtel Pralinen ein.
Sie nimmt die Einladung mit und geht aus dem Haus.

3. Du planst deine Weihnachtsliste. Was bekommen deine Familie und Freunde?

4. Was möchtest du am liebsten zum Geburtstag haben? Finde dein Traumgeschenk im Wörterbuch.

SICH BEDANKEN

20.6

Wie sagt man „danke"?

danke		deinen Brief
danke schön		das wunderschöne Geschenk
danke vielmals	für	das Computerspiel
vielen Dank		die herrliche Überraschung
herzlichen Dank		die Einladung zur Party
ich bedanke mich		Ihre Gastfreundschaft

20.7

gefallen* (+ Dat.) *to please*

Es		mir.
Das Geschenk	gefällt	meiner Schwester.
Die Überraschung		meinem Freund.
		uns.
Die Bilder	gefallen	ihm.

20.8

überraschen	to surprise	**wünschen**	to wish
überrascht (über + Akk.)	surprised (about)	**sich** (Dat.) **etwas**	
erstaunt	astonished	**wünschen**	to want something
erfreut	delighted, pleased	**ich hatte**	I had
das Vergnügen (-)	pleasure	**jedenfalls**	anyhow, in any
gemütlich	friendly; cosy;		case
	comfortable	**das Glück**	luck; happiness
wunderschön	beautiful	**viel Glück!**	lots of luck!
herrlich	marvellous, wonderful	**die Postkarte (-n)**	postcard
behalten*	to keep	**beenden**	to finish (trans.)

20.9 Alles klar?

Leipzig, den 29. März

Liebe Ursula,
ich war erstaunt, die kleinen Ohrringe und eine Geburtstagskarte von dir zu bekommen. Ich hatte gedacht, du hättest mich vergessen. Ich habe mir immer ein Paar Fischohrringe gewünscht. Leider sind meine Ohrläppchen nicht durchgestochen.

Ich glaube, Adelbert und Hans haben meinen Geburtstag ganz vergessen. Sie sind heute vorm Frühstück zum Angeln gegangen und noch nicht zurückgekommen. Wir feiern heute Abend, aber ich will nicht. Es wird bestimmt nicht gemütlich sein.

Die Familie hat mir eine Flasche Parfüm geschenkt. Es riecht billig, gefällt mir überhaupt nicht und heißt - ich kann es nicht glauben - 'Junges Blut'. Kannst du dir das vorstellen?

Ich bedanke mich nochmals für dein nettes Geschenk und freue mich darauf, dich nach den Osterfeiertagen wiederzusehen.

Fröhliche Ostern
wünscht dir
deine
Mona

1. Was hat Tante Mona von ihrer Freundin bekommen?
2. Warum ist Tante Mona böse auf ihren Mann?
3. Freut sie sich auf die kommende Geburtstagsfeier?
4. Hat ihr das Parfüm gefallen?
5. Wann sehen sich Mona und Ursula wieder?

20.10 Der Dankesbrief

Du hast dein Traumgeschenk von einem sehr reichen deutschen Freund bekommen! Jetzt musst du dich bedanken. Schreibe eine Postkarte oder einen Brief.

20.11

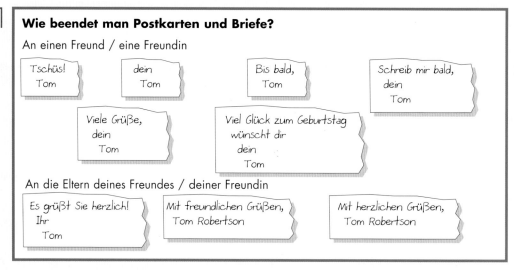

Wie beendet man Postkarten und Briefe?

An einen Freund / eine Freundin

Tschüs!
Tom

dein
Tom

Bis bald,
Tom

Schreib mir bald,
dein
Tom

Viele Grüße,
dein
Tom

Viel Glück zum Geburtstag
wünscht dir
dein
Tom

An die Eltern deines Freundes / deiner Freundin

Es grüßt Sie herzlich!
Ihr
Tom

Mit freundlichen Grüßen,
Tom Robertson

Mit herzlichen Grüßen,
Tom Robertson

WANN SEHEN WIR UNS WIEDER?

Der Leipziger Weihnachtsmarkt

Fasching

20.12

der Feiertag	holiday; bank holiday	**Oster-**	Easter (adj.)
		der Osterhase	Easter bunny
(an/zu) Weihnachten	(at) Christmas	**Pfingsten**	Whitsun
fröhliche Weihnachten!	happy Christmas!	**Pfingst-**	Whit-
Weihnachts-	Christmas (adj.)	**bereit**	ready
der Heiligabend	Christmas Eve	**hoffentlich**	hopefully (I hope)
der Tannenbaum (-bäume)	fir-tree; Christmas tree	**wie lange**	how long
		die Ferien (Pl.)	holidays
Silvester/Sylvester	New Year's Eve	**einladen*** (trenn.)	to invite
Neujahr	New Year's Day	**stattfinden*** (trenn.)	to take place
der Fasching	carnival before Lent	**der Spaß**	fun
der Karneval	carnival	**viel Spaß!**	have fun!
(zu) Ostern	(at) Easter		

20.13 **Wann ist ...?**

Partnerarbeit: Kennt dein(e) Partner(in) die Daten der Feiertage? Stelle Fragen wie folgende:

Wann ist Silvester?
Wann ist Ostersonntag dieses Jahr?
Wann ist Heiligabend?
(usw.)

📖 20.14 Annas Brief

Lies Annas Brief unten. Dann fülle diese Lücken aus:

Annas Freundin heißt (1) ... und sie wohnt in (2) ... . Sie ist Annas (3) ... Freundin.
Anna macht Diät: Sie will (4) ... Kilo abnehmen und sie will einen Monat lang keine (5) ... essen.
Steffis Hochzeit findet am (6) ... statt.
Anna und Tom haben eine Einladung bekommen, nach (7) ... zu fahren.

> Leipzig, den 30. März
>
> Liebe Carolin,
>
> ich stehe kurz vor einem Nervenzusammenbruch, weil meine Tante Mona und mein Onkel Adelbert bis zur Hochzeit meiner Cousine Steffi bei uns wohnen. Die Hochzeit findet am Freitag statt. Gestern Abend haben wir eine schreckliche Geburtstagsfeier für Tante Mona gehabt. Sie hat uns alle geärgert.
>
> Tom, mein englischer Austauschpartner, ist nach hier. Wir fahren nach Berlin - meine Eltern haben dort Freunde, die uns eingeladen haben.
>
> Wann sehen wir uns wieder? Was machst du während der Pfingstferien? Möchtest du zu mir zu Besuch kommen? Es ist immer schön, dich zu sehen. Du bist doch meine beste Freundin! Schade, dass du nach Chemnitz umgezogen bist.
>
> Hoffentlich bringt dir der Osterhase etwas Leckeres aus Schokolade. Iss nicht alles auf einmal! Ich will einen Monat lang gar keine Süßigkeiten essen, weil ich 4 Kilo abnehmen will. Keine Chance!
>
> Schreib mir bald! Gruß und Kuss
>
> deine Anna

✏️ 20.15 Eine Antwort

Du bist Carolin, und du sollst Annas Brief beantworten. Leider fährst du in den Pfingstferien nach Österreich, aber du willst Anna während der Sommerferien sehen. Wann? Wie? Wo? Was schreibst du?

21

Die Ferien kommen

Die Familie bespricht den Urlaub. Anna und Tom haben auch Pläne, aber Stefan ärgert sich.

FERIEN

21.1

der Urlaub (-e)	holiday	**Österreich**	Austria
Urlaub/Ferien machen	to go on holiday	**die Schweiz**	Switzerland
		die Pauschalreise (-n)	package holiday
in (den) Urlaub fahren*	to go on holiday		
		der Reisebus (-se)	coach
auf/im Urlaub sein*	to be on holiday	**wohin**	where to
		woher	where from
letzt(er/e/es)	last	**zurückfahren*** (trenn.)	to go back
das Hotel (-s)	hotel	**zurückkommen*** (trenn.)	to come back
die Jugendherberge (-n)	youth hostel	**nachher**	afterwards
der Campingplatz (¨e)	campsite	**die Autobahn (-en)**	motorway
Europa	Europe	**glücklicherweise**	fortunately
das Land (¨er)	country	**irgendwann**	sometime
Frankreich	France	**statt** (+ Gen./Dat.)	instead of
Spanien	Spain	**vor allem**	above all
Italien	Italy	**die Vergangenheit**	past

21.2

die Zeit im Akkusativ

Benutze den Akkusativ, wenn du eine bestimmte Zeit ohne Präposition beschreibst.

Beispiele

letztes Jahr	last year	diesen Sommer	this summer
nächste Woche	next week	jeden Tag	every day
(usw.)			

NB Aber: seit letzter Woche — *since last week*
an jedem Tag — *every day*
(usw.)

21.3 **Beim Frühstück**

Siehe die Aufgabe auf Seite 162.

21.4 **Beim Frühstück**

Herr Müller	Noch eine Tasse Kaffee, Mona?
Tante Mona	Danke, nein, zu viel Kaffee ist nicht gesund.
Herr Müller	Liesel?
Frau Müller	Gerne. Danke, Liebling.
Herr Müller	So, Mona, wann sehen wir uns wieder?
Tante Mona	Wir sind noch ein paar Tage hier, bis zur Hochzeit. Oder gehst du die ganze Zeit angeln?
Herr Müller	Ich meine, wann kommt ihr wieder zu Besuch?
Tante Mona	Ich weiß nicht. Wir haben vor, dieses Jahr mit einem Reisebus nach Italien zu fahren. Wir wollen eine Pauschalreise buchen. Das ist am einfachsten. Ich will endlich Venedig sehen und die Toskana und ...
Onkel Adelbert	Ich habe gedacht, wir fahren diesen Sommer in die Dolomiten, oder?
Stefan	Die Dolomiten sind doch in Italien.
Anna	Woher weißt du das?
Stefan	Ich bin doch nicht dumm ...
Frau Müller	Na gut, Italien, ich liebe Italien. Ein herrliches Land!
Tante Mona	Habt ihr schon einmal Urlaub in Italien gemacht?
Herr Müller	Ja, ja, wir waren schon zweimal in Italien. Vor drei Jahren zum Skifahren in den Dolomiten und letztes Jahr in einem Hotel in Amalfi.
Stefan	Vati, ich will nächstes Jahr mit der Schule nach Spanien fahren. Geht das?
Herr Müller	Wir werden das später besprechen, Stefan.
Stefan	Bitte, Vati ...
Herr Müller	Ich habe schon gesagt, wir besprechen das später. Iss dein Frühstück.
Stefan	Das ist nicht fair, Kevin darf mitfahren ...
Frau Müller	Stefan, reich mir bitte das Brot. Danke. Adelbert, wohin fährst du gern in Urlaub?
Onkel Adelbert	In Europa? Österreich am liebsten. Und du?
Frau Müller	Das ist schwer zu sagen. Ich mag die Schweiz. Ich möchte auch sehr gerne einmal nach Nordamerika reisen.
Stefan	Können wir Onkel Oskar in Kanada besuchen?
Frau Müller	Irgendwann. Vielleicht kommt er zu Steffis Hochzeit.
Stefan	Spitze! Ich mag Onkel Oskar.

* * *

Herr Müller	Anna, du bist sehr ruhig! Was machst du heute mit Tom?
Anna	Wir machen Pläne für diese Woche.
Herr Müller	Was für Pläne?
Anna	Bis jetzt sind wir nicht ganz sicher. Wir haben vor, nach Dresden oder Meißen zu fahren.
Herr Müller	Ihr habt aber nicht viel Zeit. Die Hochzeit ist am Freitag.
Anna	Wir können am Mittwoch oder Donnerstag mit dem Zug fahren. Wir hatten auch vor, Berlin zu sehen, aber für einen Tag ist das vielleicht zu weit.
Frau Müller	Jutta und Robert wohnen in Berlin. Ihr könnt bei ihnen übernachten – sie haben euch schon eingeladen.
Anna	Oder in der Jugendherberge am Wannsee.
Stefan	*(singt leise)* Tom und Anna, Tom und Anna ...
Anna	Sei still, du Nervensäge!
Frau Müller	Anna! Stefan! Helft mir bitte, den Tisch abzudecken!

21.5 Urlaub

Partnerarbeit: Unterhaltet euch darüber, wohin ihr letztes Jahr in Urlaub gefahren seid und was ihr für dieses oder nächstes Jahr vorhabt. Nutzt das Wörterbuch, wenn nötig.

Beispiel

A Wohin bist du letztes Jahr in Urlaub gefahren?

B Zu Weihnachten sind wir nach Frankreich gefahren.

A Was hast du dort gemacht?

B Wir sind in Courchevel Ski gelaufen.

A Und was hast du für dieses Jahr vor?

B Diesen Sommer fahren wir nach Irland.

21.6

Präsens statt Futur

Man benutzt oft das Präsens, wenn man über die Zukunft spricht. Das passiert besonders, wenn man eine bestimmte Zeit angibt.

Beispiele

Nächsten Sommer **fahren** wir nach Frankreich.

Der Bus **kommt** am Freitag um sechs Uhr an.

21.7 Meine Urlaube

Erzähle, wohin du letztes Jahr in Urlaub gefahren bist. Übrigens, was hast du für dieses Jahr vor?

Beispiel

Letztes Jahr bin ich mit meiner Familie nach Schweden gefahren. Wir haben zwei Wochen in einem kleinen Haus auf einer Insel verbracht. Es war wunderbar. Dieses Jahr fahren wir im Juli nach Aix-les-Bains. Wir werden zehn Tage dort auf einem Campingplatz verbringen und nachher durch die Vogesen reisen. Glücklicherweise kommt meine Schwester nicht mit, weil sie mit ihren Freunden in den Urlaub fährt.

21.8

das Imperfekt

Du kennst schon das Perfekt für die Vergangenheit. Es gibt auch das Imperfekt. Benutze das Imperfekt vor allem, wenn du schreibst.

Perfekt	**Imperfekt**
ich habe geraucht	ich rauchte
ich habe Zigaretten geraucht	ich rauchte Zigaretten
gestern habe ich geraucht	gestern rauchte ich

NB Verwende das Imperfekt von **haben** und **sein**, wenn du sprichst:

Ich **war** krank.

Ich **hatte** eine Grippe.

21.9

Endungen für das Imperfekt

Regelmäßige Verben

ich rauch**te**	wir rauch**ten**
du rauch**test**	ihr rauch**tet**
er/sie/es/man rauch**te**	sie/Sie rauch**ten**

Unregelmäßige Verben

Siehe die Verbliste für den imperfekten Stamm und benutze folgende Endungen.

Beispiel mit „geben" (Stamm = „gab")

ich gab	wir gab**en**
du gab**st**	ihr gab**t**
er/sie/es/man gab	sie/Sie gab**en**

z.B. Meine Mutter **gab** am ersten Januar das Rauchen auf!

✏ 21.10 Imperfekt

Setze diese Beschreibung eines Urlaubs ins Imperfekt um. Ein wenig Hilfe im Voraus: Die Infinitive der Verben sind **fahren**, **sein**, **haben**, **spielen**, **geben**, **ankommen**, **finden**, **machen** und **essen**.

Sommerferien in Frankreich

Letzten Sommer sind wir nach Frankreich gefahren. Wir sind mit dem Zug durch den Tunnel gefahren und die Reise ist sehr schnell gewesen. Ich habe nicht viel Zeit gehabt, mein Buch zu lesen, weil mein Bruder und ich Karten gespielt haben. Es hat viele Autos auf der Autobahn gegeben, aber glücklicherweise sind wir ziemlich schnell in La Rochelle angekommen. Wir haben den Campingplatz gefunden und dann haben wir einen Stadtbummel gemacht. Wir haben in einem Restaurant in der Stadtmitte gegessen.

✏ 21.11 Stell dir vor ...

Wähle einen Urlaubsort von den unten angegebenen. Stell dir vor, du hast diese Reise gemacht und bist gerade zurückgekommen. Schreibe einen Brief an einen Freund und beschreibe deinen Urlaub.

GALTÜR - TIROL

Österreich

Am Toblacher See

Ferienlager + Jugendcamps Sommer
für 7-27 Jahre,
Abfahrt u.a. ab Leipzig,
Katalog + Infos bei Jugendtours, Hebelstr. 32
z. B. 04177 Leipzig

Kanureise = 399,–DM
11 Tage mit 3-Mann-Kanus und
Zelten im Müritz-Nationalpark

Darß/Ostsee = 499,–DM
10 Tage Badeurlaub Darßer Bodden

Balaton/Ung. ab 429,–DM
11 Tage m. Ausflug nach Budapest

Myto/Tschech. ab 359,–DM
11 Tage im Böhmerwald mit Aus-
flügen nach Prag und Pilsen

Schlowe/Meckl. = 449,– DM
9 Tage im Ferienparadies am See

Rimini/Italien = 599,– DM
11 Tage mit Ausflug nach Venedig

Irlandrundreise = 890,– DM
12 Tage durch die grüne Insel

Tel. 0341/ 4 80 91 94

EINEN URLAUB PLANEN

21.12

es ist mir egal	it's all the same to me	**bequem**	comfortable
der Zug (¨e)	train	**die Bettwäsche**	bed linen
die S-Bahn	urban railway	**das Waschbecken (-)**	wash-basin
die Linie (-n)	line	**inklusive**	included
die Fahrt (-en)	journey	**pro Nacht**	per night
dauern	to lastto	**mitnehmen*** (trenn.)	to take with one; to take away
entfernt	away, distant		
der Flughafen (-häfen)	airport	**schicken**	to send
übernachten	to spend the night	**die Telefon-**	
reservieren	to reserve	**nummer (-n)**	telephone number
buchen	to book	**die Broschüre (-n)**	brochure

21.13 **Der Plan**

Jugendherberge und
Jugendgästehäuser in
Berlin

Tom   Fahren wir wirklich nach Berlin? Ich dachte, du wolltest nach Dresden oder Meißen fahren.

Anna   Es ist mir egal. Warum nicht? Ich bin schon oft nach Dresden gefahren und habe noch nicht viel von Berlin gesehen. Ich war letztes Jahr mit der Schule in Berlin, aber wir hatten keine Freizeit.

Tom   Ich möchte sehr gern Berlin sehen.

Anna   Fahren wir mit dem Zug. Die Fahrt dauert nur zwei Stunden.

Tom   Übernachten wir in Berlin? Du hast etwas von einer Jugendherberge gesagt.

Anna   Ja, ich sagte, wir können in der Jugendherberge am Wannsee übernachten. Die kenne ich schon. Und wir können Jutta und Robert besuchen. Potsdam ist auch interessant und es ist mit der S-Bahn nicht sehr weit vom Wannsee entfernt.

Tom   Müssen wir die Jugendherberge buchen?

Anna   Ja. Unglücklicherweise ist sie oft voll, weil sie so modern und bequem ist. Wir haben keine Zeit, einen Brief zu schicken. Rufen wir an.

Tom   Weißt du die Telefonnummer?

Anna   Schau mal auf die Broschüre: Die Nummer steht da …

*Jugendgästehaus
am Wannsee
Badeweg 1
D – 14129 Berlin
Tel. 030 / 803 20 34
Tel. 030 / 803 20 35
Fax 030 / 803 59 08*

■ Nächste Haltestelle/Bus:
„Badeweg"/Bus 118, Ecke Kronprinzessinnenweg, 50 m zum JGH
■ Nächste S-Bahn-Station:
„Nikolassee" (Linien S1, S3, S7), 10 min. Fußweg zum JGH
■ Entfernung Bahnhof Zoo:
JGH 15 km südwestlich vom Bahnhof Zoo
■ Entfernung Flughafen Tegel:
JGH 25 km süd-südwestlich vom Flughafen Tegel
■ Entfernung Flughafen Schönefeld:
JGH 40 km westlich vom Flughafen Schönefeld

264 Betten in Vierbettzimmern, Gruppenleiterzimmer, Dusche, Waschbecken im Zimmer, Toiletten auf den Etagen, zwei Mehrzwecksäle, davon einer mit Bühne, Seminarräume, den Tagungsräumen ist ein Büro angeschlossen, Videoanlage, Overheadprojektor, Flipchart, Rednerpult, Telefonanschluß im Tagungsbereich, Ü/F, HP, VP, Lunchpakete, Tagungsverpflegung, TV-Raum, Disco-Keller, Wintergarten.
Das Haus ist bedingt für Behinderte geeignet.

Jugendgästehaus AM WANNSEE

21.14 **Die Jugendherberge**

Lies die Broschüre über die Jugendherberge am Wannsee und fülle die Lücken in der Beschreibung unten aus.

Jugendgästehaus am Wannsee

Die Adresse der Jugendherberge ist (1) … und die Telefonnummer lautet (2)… . Es gibt (3)… Betten, und es gibt Waschbecken in den (4)… . Die Toiletten sind auf den (5)… . Im Keller gibt es (6) … . Man kommt mit dem Bus Nummer (7) … zur Jugendherberge, oder man kann auch die S-Bahn nehmen (Linien (8) …). Von der S-Bahn-Station Nikolassee ist es nur (9) … Minuten zu Fuß bis zur Jugendherberge. Der Bahnhof Zoo (im Berliner Stadtzentrum) ist (10) … Kilometer entfernt. Vom Flughafen Berlin-Tegel ist die Jugendherberge (11) … Kilometer entfernt und vom Flughafen Berlin-Schönefeld (12) … km.

21.15 **Telefongespräch mit der Jugendherberge**

Siehe die Aufgabe auf Seite 162.

21.16 Telefongespräch mit der Jugendherberge

Mann Jugendherberge am Wannsee, guten Tag!

Anna Guten Tag! Haben Sie Betten frei?

Mann Für wann?

Anna Für Mittwoch.

Mann Für wie viele Personen?

Anna Für zwei Personen.

Mann Zwei Mädchen?

Anna Nein, einen Jungen, ein Mädchen.

Mann Ja. Wir haben zwei Betten.

Anna Was kostet das pro Nacht?

Mann Wie alt sind Sie?

Anna Sechzehn und fünfzehn.

Mann Das kostet zehn Euro pro Person.

Anna Ist das mit Frühstück?

Mann Ja, Frühstück und Bettwäsche sind inklusive. Wir haben auch Lunchpakete zum Mitnehmen.

Anna Können wir jetzt buchen?

Mann Natürlich. Ihre Namen bitte?

Anna Anna Müller und Tom Robertson.

Mann In Ordnung. Also, für eine Nacht. Kommen Sie bitte bis achtzehn Uhr an.

Anna Danke schön. Auf Wiederhören.

Mann Auf Wiederhören.

21.17 Ihr seid dran!

Partnerarbeit

1. Übt das Gespräch oben zu zweit, dann übt es noch einmal ohne das Buch. Macht kurze Notizen im Voraus, wenn nötig.
2. Benutzt diesmal ein bisschen Phantasie: Lest den Dialog oben, aber mit veränderten Informationen. Zum Beispiel: Ihr wollt Betten für mehr Nächte, der Preis ist anders, usw.

21.18 Am Telefon

Schreibe dein neues Telefongespräch auf. Beginn mit „Jugendherberge am Wannsee, guten Tag!" und beende es mit „Auf Wiederhören".

TOURISTENINFORMATIONEN

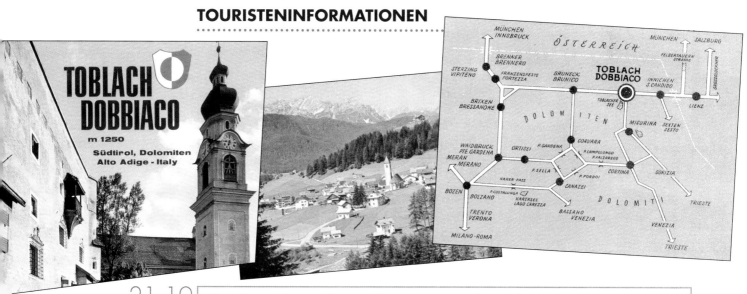

21.19

die Informationen (Pl.)	information	**das Verkehrs-**	tourist information
die Auskunft (-künfte)	information	**büro** (-s)	office
die Unterkunft	accommodation	**die Sehens-**	
der Tourist (-en)	tourist (m.)	**würdigkeit** (-en)	tourist sight
die Touristin (-nen)	tourist (f.)	**die Umgebung**	area
das Touristen-	tourist information	**der Berg** (-e)	mountain
informationsbüro (-s)	office	**wandern**	to hike
		zelten	to camp

21.20 Briefe schreiben

Sehr geehrte Damen und Herren	*Dear Sirs*
Ich bedanke mich im Voraus	*Thank you in advance*
Mit freundlichen Grüßen	*Yours faithfully/sincerely*

21.21

die Unterschrift (-en)	*signature*	**die Zeile (-n)**	*line*
rechts	*on the right*	**in Druckschrift**	*in capitals; printed*
links	*on the left*	**die Rechtschreibung**	*spelling*
die Seite (-n)	*side*		

21.22 Es ist nicht fair!

Stefan Mutti, was machen Anna und Tom? Es ist nicht fair.

Mutti Komm, wir können auch etwas zusammen machen. Wir brauchen Auskünfte über Hotels und Campingplätze für nächsten Sommer in den Dolomiten. Du kannst mir dabei helfen, Briefe zu schreiben.

Stefan Nur wenn ich auf dem Computer schreiben darf.

Mutti Natürlich darfst du. Wo fangen wir an?

Stefan Schreiben wir zuerst ans Verkehrsbüro in Toblach. Ich mag Toblach. Wir können dort zelten und in den Bergen wandern.

Mutti Gibt es einen Campingplatz in Toblach?

Stefan Ich glaube schon. Kann ich anfangen?

Mutti Ja. Schreibe zuerst unsere Adresse oben auf die linke Seite. Dann kommt die andere Adresse, so, darunter. Richtig. Ich gebe dir die Adresse: Verkehrsamt, I-39034 Toblach, Südtirol, Italien. Richtig.

Stefan Was schreibe ich danach?

Mutti Dann kommt das Datum auf der rechten Seite. So, den 1. April. Dann schreibst du links, „Sehr geehrte Damen und Herren" und fängst an. Du kannst den Brief selber schreiben. Sag, wir brauchen Informationen über Unterkünfte ...

Stefan ... Hotels und Campingplätze ...

Mutti Genau, in Toblach und der Gegend. Wir brauchen auch Touristeninformationen, Broschüren über die Sehenswürdigkeiten in der Umgebung und so weiter.

Stefan Wie soll ich den Brief beenden?

Mutti „Ich bedanke mich im Voraus." Und in der nächsten Zeile, „Mit freundlichen Grüßen" und danach deine Unterschrift mit dem Namen darunter in Druckschrift.

Stefan Kannst du meine Rechtschreibung prüfen?

Mutti Das kannst du selber auf dem Computer machen. Jetzt los!

21.23 Stefans Brief

Du bist Stefan und musst den Brief an das Verkehrsbüro in Toblach schreiben. Du brauchst Informationen über Unterkünfte und Broschüren über die Umgebung. Lies den Dialog oben und dann schreibe deinen Brief.

21.24 Dein Brief

Schreibe jetzt einen echten Brief an ein Verkehrsbüro in einem deutschsprachigen Land. (Du hast eine große Wahl: In Deutschland, Österreich, Teilen der Schweiz, Teilen von Norditalien und in Liechtenstein und Luxemburg spricht man Deutsch.) Die Adressen findest du im Internet, oder du kannst einfach „Touristeninformationsbüro" + *die Stadt* + *das Land* schreiben. Also suche dir eine interessante Gegend auf einer Landkarte aus und schicke dem Informationsbüro einen Brief. Du brauchst Broschüren über Sehenswürdigkeiten und Unterkünfte. Vielleicht wirst du etwas Interessantes bekommen!

C. Unsere Gegend

22

Meine Heimatstadt

Anna zeigt Tom ihre Heimatstadt.

Das neue Schwimmbad

PAUNSDORF

22.1

die **Großstadt**	city	das **Einkaufs-**	
die **Hauptstadt**	capital city	**zentrum (-zentren)**	shopping centre
das **Dorf (¨er)**	village	die **Fußgänger-**	
das **Zuhause**	home	**zone (-n)**	pedestrian precinct
die **Heimatstadt**	home town,	das **Geschäft (-e)**	shop
	native town	**nah, nahe**	near
der **Stadtteil (-e)**	district; part of town	**näher**	nearer
das **Viertel (-)**	district; part of town	**nächst(er/e/es)**	nearest
der **Stadtrand**	outskirts of town	der **Fahr-**	
die **Stadtmitte**	town centre	**ausweis (-e)**	travel pass, ticket
das **Stadtzentrum**	town centre	der **Fahrschein (-e)**	ticket (for public
die **Innenstadt**	town centre		transport)
Einkäufe machen	to go shopping	**auf dem Land(e)**	in the country
		sowieso	anyway

22.2   **Komm, ich zeige dir alles!**

Siehe die Aufgabe auf Seite 163.

Das Einkaufszentrum
Die BMW Autohalle

22.3   **Komm, ich zeige dir alles!**

Anna   Tom, lassen wir die anderen in Ruhe. Hol deine Jacke! Ich zeige dir meine Heimatstadt.

Tom   Paunsdorf ist doch keine Stadt, oder?

Anna   Du hast Recht, Paunsdorf ist mehr wie ein Dorf, aber es ist ein Stadtteil von Leipzig, am Stadtrand. Leipzig selbst ist eine Großstadt. Ich werde dir auch die Leipziger Stadtmitte zeigen.

Tom   Ich muss etwas Geld mitnehmen: Ich habe Einkäufe zu machen.

Anna   Das kannst du am Sonntag sowieso nicht machen. Morgen gehen wir einkaufen. Heute sind wir Touristen. Aber du brauchst deinen Fahrausweis: Wir fahren mit der Straßenbahn.

Tom   Also los! Wohin gehen wir zuerst?

Anna   Zuerst zu meiner Schule ...

Tom   Deine Schule kenne ich schon.

Anna   Klar, also gehen wir zuerst in das Paunsdorf-Center. Das ist ein neues Einkaufszentrum, eine Fußgängerzone mit vielen neuen Geschäften. Die sind heute zu, aber kein Problem. Dann zeige ich dir unser neues Schwimmbad. Das ist ganz nah. Du wirst auch sehen können, wo mein Vater arbeitet. Danach nehmen wir die Straßenbahn in die Innenstadt.

22.4 „Im schönsten Erlebnis-Bad Europas ..."

1. Wann kann man an Feiertagen in Paunsdorf schwimmen?
2. Ich bin fünfzehn Jahre alt und möchte am Dienstagvormittag schwimmen. Was kostet das?
3. Ich komme am Sonntagabend um achtzehn Uhr im Schwimmbad an, und ich habe zwanzig Euro bezahlt. Wie lange darf ich schwimmen?
4. Ich habe meine dreijährige Schwester dabei. Wie viel kostet ihr Eintritt?
5. Ich will nicht schwimmen. Was kann ich hier sonst tun?

Urlaub wie noch nie ...

Mo. - Fr.	10 - 23 Uhr
Sa. + So., Feiertage und Ferien	9 - 23 Uhr

Tarife		
incl. Sauna, Sport und Fitness u.v.m.		
	Erw.	Kinder bis 15. Geburtstag
3-Std.-Tarif Mo-Fr. bis 15.00 Uhr	19,-	10,-
ab 15.00 Uhr	23,-	12,-
Sa/So, Feiertage und Ferien	23,-	12,-
Nachlöse je Stunde	2,-	1,-
Tageskarte	29,-	15,-
Familientageskarte (Eltern mit ihren Kindern bis zum 16. Geburtstag)	**65,-**	
Sunday-Tarif	jeden Sonntag ab 18 Uhr **5** Stunden nur **20,-**	
FKK-Abende	am Montag und Donnerstag ab 20.00 Uhr	
Kinder unter 4 Jahren haben freien Eintritt		

 22.5 **Wo wohnst du?**

1. Wohnst du in einer Stadt oder auf dem Land?
2. Wie weit ist dein Zuhause von der nächsten Großstadt entfernt?
3. Wohnst du weit weg von der Hauptstadt?
4. Wo gehst du meistens einkaufen?
5. Wo ist dein nächstes Schwimmbad, und wie kommst du dahin?

LEIPZIG ALS TOURISTENSTADT

22.6

bauen	to build	**die Gasse (-n)**	alley; lane
das Rathaus	town hall	**der Platz (¨e)**	square
die Kirche (-n)	church	**der Markt (¨e)**	market
das Denkmal (¨er)	monument; memorial	**der Marktplatz**	marketplace/ square
sehenswert	worth seeing	**der Spielplatz**	playground
riesengroß	enormous	**der Bahnhof (-höfe)**	station
die Aussicht (-en)	view	**die Universität (-en)**	university
folgen (+ Dat.)	to follow	**der Stadtplan (-pläne)**	street map
entweder ... oder	either ... or	**besichtigen**	to visit, to have a look at
nicht nur ... sondern auch	not only ... but also	**warten auf** (+ Akk.)	to wait for
sogar	even	**erwarten**	to expect
die Straße (-n)	street	**dort/da drüben**	over there
die Hauptstraße	main street; major road	**entlanggehen*** (trenn.)	to go along
		die Querstraße	turning, side road
der Weg (-e)	road; path; way		

 22.8 22.7 **Hat es dir gefallen?**

Siehe die Aufgabe auf Seite 163.

22.8 Hat es dir gefallen?

(Tom und Anna warten auf die Straßenbahn)

Anna Hat dir das Einkaufszentrum gefallen?

Tom Ja, besonders die Spielmöglichkeiten für die Kinder sind eine gute Idee.

Anna Ja, es wird auch einen Spielplatz draußen geben. Er ist noch nicht gebaut.

Tom Der ganze Stadtteil ist neu, nicht wahr?

Anna Ja, die alten Wohnblocks waren hässlich, und unsere alte Schule war schlimm. In Leipzig gibt es jetzt viele neue Gebäude.

Tom Keine historischen Sehenswürdigkeiten?

Anna Doch, im alten Viertel. Wir werden das alte Rathaus sehen und die Thomaskirche, wo Bach im achtzehnten Jahrhundert arbeitete. Er war dort Kantor, das heißt Musikdirektor.

Tom Ich habe vom Völkerschlachtdenkmal gehört. Ist das sehenswert?

Anna Es ist riesengroß, und von oben hat man eine schöne Aussicht über Leipzig.

Tom Schau mal, die Straßenbahn kommt.

Anna Prima, jetzt geht's los.

1. Das Alte Rathaus (1557)

2. Die Alte Handelsbörse (1687)

3. Die Thomaskirche

4. Johann Sebastian Bach

5. Das Goethedenkmal

6. Das Schillerhaus

7. Das Völkerschlachtdenkmal (1913)

8. Der Bayerische Bahnhof (1844)

9. Die Nikolaikirche

10. Der Hauptbahnhof

11. Der Zoologische Garten

12. Die Universität

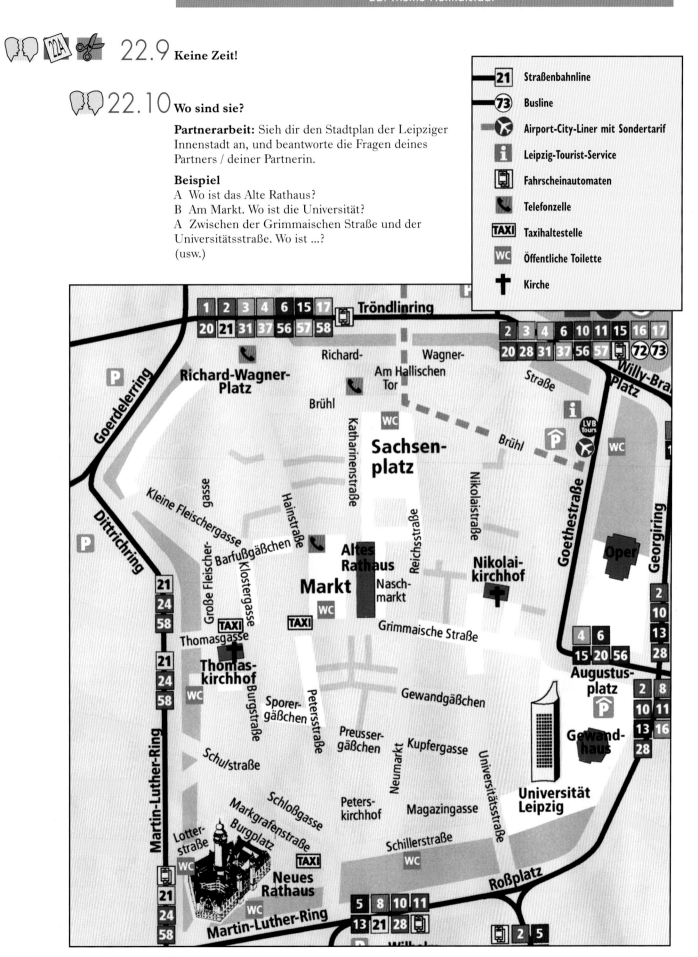

22.9 Keine Zeit!

22.10 Wo sind sie?

Partnerarbeit: Sieh dir den Stadtplan der Leipziger Innenstadt an, und beantworte die Fragen deines Partners / deiner Partnerin.

Beispiel
A Wo ist das Alte Rathaus?
B Am Markt. Wo ist die Universität?
A Zwischen der Grimmaischen Straße und der Universitätsstraße. Wo ist ...?
(usw.)

21	Straßenbahnlinie
73	Busline
✈	Airport-City-Liner mit Sondertarif
ℹ	Leipzig-Tourist-Service
📱	Fahrscheinautomaten
☎	Telefonzelle
TAXI	Taxihaltestelle
WC	Öffentliche Toilette
✝	Kirche

117

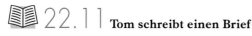 22.11 **Tom schreibt einen Brief**

Tom hat viel besichtigt. Jetzt schreibt er seinen Eltern einen Brief mit Beschreibungen der Sehenswürdigkeiten. Benutze seine Broschüre unten und schreibe ein paar Sätze über das Alte Rathaus, die Thomaskirche, die Nikolaikirche, das Völkerschlachtdenkmal, die zwei Bahnhöfe, das Neue Gewandhaus und das Opernhaus. An seine Eltern schreibt er natürlich auf Englisch!

Leipzig

Das Alte Rathaus, das vom Leipziger Bürgermeister Hieronymus Lotter in einer Rekordzeit von neun Monaten 1556/1557 zwischen zwei Messen erbaut wurde, gehört zu den schönsten deutschen Renaissancebauwerken. Es ist Domizil des Stadtgeschichtlichen Museums.

Das **Völkerschlachtdenkmal** im südlich vom Zentrum gelegenen Stadtteil Probstheida ist eines der bekanntesten historischen Monumente und wurde anläßlich des 100. Jahrestages der Völkerschlacht bei Leipzig am 18. Oktober 1913 eingeweiht. Es erinnert als Mahnmal für den Frieden an die Schlacht der Verbündeten gegen Napoleons Truppen und umfaßt mit seinen Außenanlagen ein Areal von 80 000 m².

Die **Thomaskirche** wurde um 1500 zu einer spätgotischen Hallenkirche umgebaut. Vor dem Südportal befindet sich ein Standbild Johann Sebastian Bachs, der hier als Kantor des berühmten Thomanerchores wirkte und dessen Grab sich im Chorraum befindet.

Das Neue Gewandhaus am Augustusplatz ist die dritte Wirkungsstätte des Gewandhausorchesters. Eröffnet wurde es im Herbst 1981. Es besitzt einen großen Saal mit 1900 Plätzen sowie einen Kammermusiksaal. Die gegenüberliegende Seite des Platzes wird vom **Opernhaus** eingenommen, das 1960 eröffnet wurde und sich an der Stelle des im Krieg zerstörten Neuen Theaters befindet. Als Stätte von Opern- und Ballettinszenierungen bietet der Saal 1426 Zuschauern Platz.

Die **Nikolaikirche,** die in die jüngste Geschichte mit den Friedensgebeten einging, in deren Folge die friedliche Revolution und der Weg zur deutschen Einheit 1989 eingeleitet wurden, ist die älteste Kirche der Stadt.

Leipzig besitzt mit dem **Bayerischen Bahnhof** den ältesten Kopfbahnhof der Welt und mit dem **Hauptbahnhof** einen der größten Kopfbahnhöfe Europas. Der Bayerische Bahnhof wurde im September 1844 in Betrieb genommen und verband damals die Königreiche Sachsen und Bayern. Heutzutage hat er mit seinen sieben Bahnsteigen lediglich regionale Bedeutung. Sein denkmalgeschützter Portikus wurde in alter Schönheit wiederhergestellt. Der 1915 in Betrieb genommene Hauptbahnhof ist nach umfassender abgeschlossener Modernisierung 1998 einer der modernsten deutschen Bahnhöfe mit einem umfangreichen Einkaufs- und Dienstleistungszentrum.

 22.12 **Wenn wir diese Straße hinunter gehen ...**

Sieh dir den Stadtplan in 22.10 an und fülle die Lücken im untenstehenden Dialog aus.

Tom   Wo sind wir denn?
Anna   Hier sind wir, in der Goethestraße.
Tom   Und wie kommen wir zur Nikolaikirche?
Anna   Sie ist da drüben. Wenn wir diese Straße in Richtung Augustusplatz entlanggehen, ist die nächste Querstraße (1) ... . Wir gehen rechts in diese Straße und dann wieder rechts. Diese Straße heißt (2) ... . Die Nikolaikirche ist dann auf der (3) ... Seite.
Tom   Ich will auch die Stasi-Ausstellung besichtigen. Wie kommen wir dahin?
Anna   Ach ja, das ist im Dittrichring. Du kannst das selber auf dem Stadtplan finden.
Tom   Klar. Am besten gehen wir die (4) ... Straße entlang. Diese Straße wird dann die Thomasgasse. Der folgen wir bis zum Ring und dann gehen wir rechts in den Dittrichring.
Anna   Zuerst muss ich eine Toilette finden.
Tom   Kein Problem. Die nächsten Toiletten sind (5) ... .

DEINE HEIMATSTADT

22.13

das Schloss (Schlösser)	castle; palace; stately home	die Bank (-en)	bank
die Burg (-en)	castle	die Polizeiwache (-n)	police station
die Mauer (-n)	wall	das Polizeirevier (-e)	police station
die Brücke (-n)	bridge	der Laden (¨)	shop
die römischen Überreste (Pl.)	Roman remains	das Kaufhaus	department store
der Dom (-e)	cathedral	das Warenhaus	department store
der Turm (¨e)	tower	die Bibliothek (-en)	library
die Kapelle (-n)	chapel	der Park (-s)	park
das Postamt (-ämter)	post office	die Parkanlage (-n)	park
		typisch (für)	typical (of)

22.14 **Wie ist es bei dir?**

Siehe die Aufgabe auf Seite 163.

22.15 **Wie ist es bei dir?**

Anna Also Tom, nun hast du Leipzig gesehen. Ist es wie deine Heimatstadt?

Tom Nein, Chester ist älter. Ich zeige dir ein Foto. Siehst du die Geschäfte in diesem Bild? Das ist typisch für Chester, schwarz und weiß.

Anna Schön. Was sind die wichtigsten Sehenswürdigkeiten?

Tom Die römische Stadtmauer und die anderen römischen Überreste, die alte Brücke, der Dom mit seinem Turm, die Einkaufspassagen ...

Anna Die haben wir auch.

Tom Einkaufspassagen, sicher, aber bei uns sind sie nicht nur Geschäfte, sondern auch historische Sehenswürdigkeiten.

Anna Und wenn man Schlösser und Burgen sehen will?

Tom Es gibt viele, besonders in Nordwales. Das ist nicht weit von uns.

22.16 **Meine Heimat**

Partnerarbeit: Erzähle deinem Partner / deiner Partnerin so viel wie möglich über deine Heimat. Sag nicht nur das Gute, sondern auch das Schlechte! Benutze das Wörterbuch.

Beispiel

A Was sind die Sehenswürdigkeiten in deiner Heimatstadt?

B Es gibt einen Dom, zwei Museen ... (usw.)

A Gibt es etwas Schlechtes?

B Ja, das Industriegelände ist nicht so schön ... (usw.)

22.17 **Ein Brief**

Eine Schule in Österreich sucht Informationen für ein Projekt über Städte in Großbritannien. Du sollst deine Heimatstadt für sie beschreiben. Schreibe den Brief!

22.18 **Entschuldigung, wie komme ich zum ...?**

Hilf diesen deutschen Touristen in deiner Heimatstadt. Du stehst auf der Straße vor deinem Haus.

1. Wie komme ich zur nächsten Polizeiwache?
2. Wo ist der Bahnhof?
3. Wo ist das nächste Postamt?
4. Gibt es hier einen Dom?
5. Wo kann ich hier ein Warenhaus finden?
6. Haben Sie einen Markt?
7. Wo ist die nächste Bank, bitte?
8. Gibt es ein Schloss oder eine Burg hier in der Nähe?
9. Wie komme ich am besten zur Stadtmitte?
10. Was sind die wichtigsten Sehenswürdigkeiten in dieser Gegend?

i. Die Stadt

Wir gehen einkaufen

Tom und Anna gehen im Paunsdorf-Center
einkaufen. Sie sind jedoch zu früh
angekommen und müssen warten, bis die
Geschäfte öffnen.

DIE ÖFFNUNGSZEITEN

23.1

die Öffnungszeiten	opening hours	**geöffnet**	open
die Geschäftszeiten	opening hours	**geschlossen**	closed
offen	open	**der Ruhetag**	day off; closed all day
es hat bis 7 Uhr offen	it's open until 7 o'clock	**jedoch**	however

23.2 **Wann haben sie offen?**

Sieh dir die Öffnungszeiten an und beantworte die Fragen.

1. Bis wann hat dieses Geschäft am Mittwoch offen?
2. Ist es am Samstagnachmittag geöffnet?
3. An welchem Tag ist das Geschäft geschlossen?
4. Wann öffnet das Geschäft an Wochentagen?
5. Schließt es jeden Wochentag um 18 Uhr?

Geschäftszeiten

Mo., Di., Mi., Fr.	8 Uhr bis 18 Uhr
Do.	8 Uhr bis 20 Uhr
Sa.	8 Uhr bis 12 Uhr
So.	Ruhetag

DAS GELD

23.3

der Schein (-e)	note	**trotzdem**	nevertheless
der Geldschein	banknote	**die Mehrwertsteuer**	VAT
die Banknote (-n)	banknote	**MwSt**	VAT
die Münze (-n)	coin	**getrennt**	separately
das Kleingeld	(small) change	**inbegriffen**	included
das Portemonnaie (-s)	purse	**die Kreditkarte (-n)**	credit card
das macht	that comes to	**das Schaufenster (-)**	shop window
insgesamt	altogether	**das Souvenir (-s)**	souvenir
je	each	**das Andenken (-)**	souvenir
kostenlos	free	**die Ansichtskarte (-n)**	picture postcard
billig	cheap	**die Spielwaren**	toys
preiswert	good value	**die Rolltreppe (-n)**	escalator
teuer	expensive		

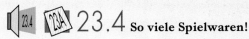

23.4 So viele Spielwaren!

Lückentext und Mathe mit Blatt 23A!

23.5 Schau mal hin!

Siehe die Aufgabe auf Seite 163.

23.6 Schau mal hin!

Anna Das ist ärgerlich! Wir müssen warten, bis die Läden offen sind.
Tom Wann öffnen sie?
Anna Um halb zehn. Machen wir einen Schaufensterbummel!
Tom Ich suche Souvenirs und Geschenke für meine Familie, aber ich habe keine Ahnung, was ...
Anna Guck mal! Billige CDs. Vielleicht haben sie *Die Ärzte*.
Tom *Die Ärzte*?
Anna Meine Lieblingsgruppe. Und schau mal hin! Spielzeug – vielleicht für deine Schwestern ...
Tom Nein, das ist zu teuer. Ich habe nicht viel Geld.
Anna Diese roten T-Shirts sind sehr preiswert – fast kostenlos.
Tom Uninteressant. Guck mal, etwas für dich – ein Computergeschäft.
Anna Ja, prima. Kennst du dieses Programm hier?
Tom Dieses Computerprogramm hat mein Vater sich gewünscht. Es ist billiger hier als in England.
Anna Vielleicht, aber die Mehrwertsteuer ist nicht im Preis inbegriffen, steht da auf dem Schild.
Tom Ah ja, also nicht so billig. Außerdem habe ich nicht so viel Geld.
Anna Schade. Gehen wir die Rolltreppe hinauf. Im ersten Stock gibt es größere Geschäfte.
Tom Aber später kommen wir zurück, um Geschenke zu kaufen.
Anna Und nimm eine dieser Broschüren mit: Sie sind kostenlos. Es gibt billige Bücher darin.
Tom Ja, aber keine englischen ...
Anna Englische Bücher kannst du in England kaufen. Hier sind sie natürlich teurer.

23.7

um ... zu *in order to*

Man braucht ein Komma zwischen dem Hauptsatz und dem **um** ... **zu**-Satz.

Beispiele
Ich brauche mein Geld, **um** diese Geschenke **zu** kaufen.
Um Geld **zu** sparen, darf ich nicht zu viel ausgeben.

23.8 Was kostet das?

Partnerarbeit: Denke an zwei mögliche Geschenke, und sag, wie viel sie kosten. Dein(e) Partner(in) muss sagen, wie viel Geld er/sie braucht, um die zwei Geschenke zu kaufen.

Beispiel
A Die Ohrringe kosten sechs Euro und das Halstuch kostet vier Euro.
B Also brauche ich zehn Euro, um beides zu kaufen. (usw.)

DIE GESCHÄFTE

23.9

die Buchhandlung (-en)	*bookshop*	**das Lebensmittelgeschäft**	*grocer's*
das Spielwarengeschäft	*toy shop*	**der Supermarkt (¨e)**	*supermarket*
das Schreibwarengeschäft	*stationer's*	**die Metzgerei (-en)**	*butcher's*
der Kiosk (-e)	*kiosk*	**die Fleischerei (-en)**	*butcher's*
die Bäckerei (-en)	*bakery*	**der Fleischer (-)**	*butcher*
die Konditorei (-en)	*cake shop*	**bedienen**	*to serve*

  23.10 **Wie heißen sie?**

Sieh dir die Bilder oben an. Welche Läden sind das? Und was kann man da kaufen?

23.11 **Wo mache ich meine Einkäufe?**

Hör gut zu. Welche Geschäfte nennen der Mann und die Frau im Dialog?

IM SONDERANGEBOT

23.12

das Angebot (-e)	offer	**der Schlussverkauf**	end-of-season sale
das Sonderangebot	special offer	**der Sommerschlussverkauf**	summer sale
der Sonderpreis (-e)	sale price	**die Reklame (-n)**	advertisement
der Ausverkauf (¨e)	sale	**einzig**	only (single)

 23.13 **Deine Reklame**

Male eine Reklame für ein Schaufenster. Es kann für einen Winter- oder Sommerschlussverkauf sein, oder für spezielle Sonderangebote.

23.14 **Schick mehr Geld!**

Stell dir vor: Anna ist allein im Urlaub und hat fast kein Geld mehr. Sie schreibt ihren Eltern einen Brief, um mehr Geld zu bekommen. Was sagt sie?

Beispiel

Celle, den 21. August

Liebe Mutti und Vati,

hier in Celle ist es sehr schön. Ich habe so viel gesehen, so viele Souvenirs gekauft. Aber ich will etwas Schönes für dich kaufen, Mutti. Ich habe etwas im Sonderangebot gesehen, es kostet nur ... (usw.)

i. Die Stadt

Was essen wir heute?

Tom ist müde und Anna macht mit Claudia die Einkäufe für das Essen. Aber warum ist Anna so empfindlich?

GEHEN WIR EINKAUFEN!

24.1 **Am Telefon**

Anna	Hallo Claudia! Hier Anna.
Claudia	Ja, hallo! Wie geht's?
Anna	OK, aber ... Was machst du heute?
Claudia	Nichts Besonderes. Heute Abend gehe ich in die Moritzbastei: Es kommt eine irische Band. Am Vormittag habe ich Zeit. Warum?
Anna	Kommst du mit ins PC? Ich muss Einkäufe für meine Mutter machen.
Claudia	Und dein Freund aus England? Was macht er?
Anna	Wir sind gestern einkaufen gegangen und er hat die Nase voll.
Claudia	Vielleicht mag er dich nicht mehr.
Anna	Du musst immer stänkern, weißt du das?
Claudia	Ich?
Anna	Also kommst du oder kommst du nicht?
Claudia	Ruhig Blut! Was ist mit dir los? Ich komme gleich. Machen wir einen schönen Einkaufsbummel.
Anna	Schön wird der nur, wenn du mich in Ruhe lässt.

24.2 **Zum Nachschlagen**

1. Hat Tom einen Schnupfen?
2. Was für eine Band kommt heute in die Moritzbastei?
3. Was heißt „stänkern" auf Englisch?
4. Wie sagt man auf Englisch „ruhig Blut"?
5. Ist Anna am Ende höflich? Warum so empfindlich?

24.3

die Ananas (- oder -se)	*pineapple*
die Aprikose (-n)	*apricot*
die Banane (-n)	*banana*
die Birne (-n)	*pear*
die Himbeere (-n)	*raspberry*
der Pfirsich (-e)	*peach*
die Pflaume (-n)	*plum*
die (Wein)traube (-n)	*grape*
die Zitrone (-n)	*lemon*

24.4

der Blumenkohl	*cauliflower*	**der Kohl**	*cabbage*
die Bohne (-n)	*bean*	**der Kopfsalat (-e)**	*lettuce*
der Champignon (-s)	*mushroom*	**der Pilz (-e)**	*mushroom*
der Erdapfel (¨)	*potato (alternative to **Kartoffel**)*	**der Rosenkohl**	*Brussels sprouts*
		die Tomate (-n)	*tomato*
		die Zwiebel (-n)	*onion*

24.5 Frisches Obst, neue Wörter!

1. Was haben Birnen mit Elektrizität und mit Köpfen zu tun?
2. Was sind „Wangen wie Aprikosen"?
3. Möchtest du Pferdeäpfel essen? Oder vielleicht Kaninchenbohnen? Was ist das denn?
4. Wenn man jemanden wie eine Zitrone auspresst, was macht man?
5. Wie sagt man „du treulose Tomate!" auf Englisch?

24.6

das Gebäck	*biscuits; pastries; tarts*
der Keks (-e)	*biscuit*
das Plätzchen (-)	*biscuit*
das Mehl	*flour*
die Leberwurst	*liver sausage*
das Kalbfleisch	*veal*
das Rindfleisch	*beef*
das Schweinefleisch	*pork*

 ### 24.7 Die Einkaufsliste

Siehe die Aufgabe auf Seite 163.

 ### 24.8 Die Einkaufsliste

Käse im PC-Center

Anna   Was brauchen wir, Mutti? Ich gehe mit Claudia einkaufen.

Frau Müller   Prima! Dein Vater hat eine Liste gemacht, da am Kühlschrank.

Anna   Ich kann den Kühlschrank nicht mitnehmen!

Frau Müller   Dort auf dem Tisch liegen Papier und ein Bleistift. Ich lese die Liste vor. Etwas frisches Obst ... Bananen, Trauben, Äpfel. Vielleicht auch Pfirsiche oder Aprikosen, wenn sie nicht zu teuer sind. Und Orangen brauchen wir.

Anna   Sonst noch etwas?

Frau Müller   Sonst noch vieles. Gemüse brauchen wir auch. Grüne Bohnen, einen Kopfsalat, Pilze.

Anna   Ist das alles?

Frau Müller   Nein. Einen Liter Milch, bitte, und ein Pfund Butter. Etwas Käse – was hat er geschrieben? Ein Kilo? Das ist zu viel. Die Hälfte reicht. Also ein Pfund Käse. Und 200 Gramm Leberwurst.

Anna   Muss ich? Ich hasse die Metzgerei.

Frau Müller   Leider musst du. Und im Stück, nicht in Scheiben. Und während du beim Fleischer bist, kannst du auch etwas Kalbfleisch kaufen.

Anna   Das mache ich nicht. Das ist grausam.

Frau Müller   OK, vergiss es. Was noch? Zwei Dosen Tomaten, wenn das nicht zu grausam für dich ist, oder haben Tomaten auch Gefühle?

Anna   Mutti! Brauchst du meine Hilfe oder nicht?

Frau Müller   So empfindlich! Also, eine Packung Nudeln. Kartoffeln auch ...

Anna   So viel können wir nicht tragen. Kartoffeln sind nicht leicht.

Frau Müller   Wenn das zu viel ist, könnt ihr mich anrufen. Ich kann euch mit dem Auto abholen.

Anna   Toll. Sonst geht es nicht. Gibt es etwa noch mehr?

Frau Müller   Nicht viel. Eine Packung Mehl, ein Glas Konfitüre. Und kauf bitte etwas Gebäck, vielleicht ein Päckchen Kekse für Tante Mona.

Anna   Sie geht mir langsam auf den Keks ...

Frau Müller   Anna!

ICH HÄTTE GERN ...

24.9

ich hätte gern(e)	*I'd like*	**anderthalb**	*one and a half*
etwas	*some; something*	**die Packung (-en)**	*packet*
sonst noch etwas	*something/anything else*	**das Päckchen (-)**	*packet*
		im Stück	*in one piece*
der Liter	*litre*	**die Scheibe (-n)**	*slice*
das Kilo	*kilo*	**die Dose (-n)**	*tin*
das Gramm	*gram*	**das Glas (¨er)**	*jar; glass*
die Hälfte	*half*	**die Tafel (-n)**	*bar (of chocolate)*
das Pfund	*500 grams*	**leicht**	*light; easy*
ein halbes Kilo	*half a kilo*	**abholen** (trenn.)	*to collect, to fetch*

24.10 Wie viel möchten Sie?

Partnerarbeit: Ihr geht einkaufen!

Beispiel

A Was möchten Sie?
A Ja. Wie viel möchten Sie?
A So, bitte schön.

B *(nimmt eine Karte)* Ich hätte gern Weintrauben.
B Ein halbes Pfund, bitte.
B Danke.

24.11

treffen*	*to meet*	**die Sorte (-n)**	*kind, sort*
der Einkaufswagen (-)	*shopping trolley*	**berühren**	*to touch*
der Korb (¨e)	*basket*	**anfassen** (trenn.)	*to touch*
die Tüte (-n)	*paper bag; plastic bag; carrier bag*	**pflücken**	*to pick (from tree, etc.)*
		frisch	*fresh*
die Tasche (-n)	*shopping bag*	**haltbar bis**	*use by*
falls	*in case*	**ausverkauft**	*sold out*
mehrere	*several*	**bezahlen**	*to pay*
dazu	*with that*	**die Kasse (-n)**	*till*
		verkaufen	*to sell*

24.12 Was kaufen sie?

Siehe die Aufgabe auf Seite 163.

24.13 Was kaufen sie?

Anna	Claudia, nimm dir den Einkaufswagen da drüben. Du kannst hier das Obst und Gemüse kaufen, während ich ins Lebensmittelgeschäft gehe.
Claudia	Wo treffen wir uns?
Anna	Im Café um die Ecke.
Claudia	Bis dann! Tschüs!

(Im Lebensmittelgeschäft)

Verkäuferin	Guten Tag. Was soll es sein?
Anna	Guten Tag. Haben Sie Kekse?
Verkäuferin	Ja. Haselnuss, Ingwer ...
Anna	Haselnuss, bitte. Ein Päckchen. Und eine Packung Mehl.
Verkäuferin	Bitte schön. Ist das alles?
Anna	Nein. Ich möchte auch ein Glas Konfitüre.
Verkäuferin	Welche Sorte? Erdbeer, Himbeer ...?
Ann	Aprikosen, bitte.
Verkäuferin	Die Aprikosenkonfitüre ist leider ausverkauft.
Anna	Dann nehme ich Erdbeer.

Verkäuferin	Noch etwas dazu?
Anna	Eine Packung Nudeln und zwei Dosen Tomaten.
Verkäuferin	Bitte schön.
Anna	Ich brauche auch Butter, Milch und Käse.
Verkäuferin	Die finden Sie im Kühlregal dort drüben. Die Körbe stehen neben dem Kühlregal, falls Sie einen brauchen.

(Beim Gemüsehändler)

Verkäufer	Was kann ich für Sie tun?
Claudia	Ach, wo ist meine Liste? Ich kann sie nicht finden. Was stand darauf?
Verkäufer	Kartoffeln vielleicht, oder Zwiebeln? Oder etwas Obst? Heute haben wir frische Erdbeeren und Himbeeren ...
Claudia	Moment, ich muss mal nachdenken. Ah ja, Bananen und Orangen.
Verkäufer	Ein Kilo, zwei?
Claudia	Je ein Kilo, bitte. Und Weintrauben, 500 Gramm oder vielleicht anderthalb Pfund. Die grünen.
Verkäufer	Die weißen, ja.
Claudia	Nein, die grünen.
Verkäufer	Weiße Weintrauben sind doch grün.
Claudia	Manche Leute ... Also, Pfirsiche und Aprikosen waren auch auf der Liste.
Verkäufer	Die können Sie selber aussuchen. Ich gebe Ihnen eine Tüte. Die Pfirsiche kosten je 30 Cent und diese Aprikosen dort machen € 4,30 das Kilo.
Claudia	Ich nehme ein paar Pfirsiche, aber keine Aprikosen – manche sind schlecht.
Verkäufer	Wenn Sie sie so anfassen, werden sie auch schlecht. Sie sind frisch gepflückt, sind mindestens bis nächsten Monat haltbar.
Claudia	Nächsten *Monat?*
Verkäufer	Möchten Sie noch etwas dazu? Meine Kunden warten.
Claudia	Nein danke, das ist alles. Von Ihnen brauche ich nichts mehr.
Verkäufer	Bezahlen Sie bitte an der Kasse.

(Im Café)

Claudia	Anna! Hast du schon alles? Der Mann war so unhöflich ...!
Anna	Und du?
Claudia	Ich bin immer höflich. Komm, trinken wir eine Cola und dann rufen wir deine Mutter an.
Anna	Ich habe schon eine Schokolade getrunken.
Claudia	Dann trink noch eine. Ich muss mich beruhigen.

Ich habe schon eine getrunken!

24.14

> **einer/e/es als Pronomen**
>
> Verwende die Endungen für **dieser**, wenn du **ein** (oder **kein**) ohne ein Substantiv benutzt.
>
> | | **männlich** | **weiblich** | **sächlich** | **Beispiele** |
> |---|---|---|---|---|
> | **Nom.** | ein**er** | ein**e** | ein**(e)s** | Ein**er** der Äpfel ist rot, ein**er** ist grün. |
> | **Akk.** | ein**en** | ein**e** | ein**(e)s** | Möchten Sie zwei Bücher? Nein, nur ein**s**. |

24.15 Mach die Einkäufe!

Partnerarbeit:
A hat die Einkaufsliste.
B arbeitet im Geschäft und hat die Preisliste.
(A darf nicht Bs Liste anschauen und B darf nicht As Liste anschauen!)
Übt eure Dialoge. Danach muss B die Endsumme ausrechnen und A muss sie überprüfen.

Die Preisliste

Milch	€ 1,50 das Liter
Butter	€ 8,00 das Kilo
Erdäpfel	€ 1,00 das Kilo
Ananas	€ 6,00 das Stück
Brötchen	€ -,40 St.
Weintrauben	€ 7,70 das Kilo
Birnen	€ -,50 St.
Käse (Emmentaler)	~~€ 18,00 das Kilo~~ – ausverkauft
Käse (Tilsiter)	€ 15,00 das Kilo
Schokolade	€ 1,50 die Tafel
Zeitungen	nur am Sonntag

24.16 Ich hätte gern ...

Partnerarbeit: A kauft ein und B verkauft.

Beispiel

1. A Ich möchte bitte Butter.   B Wie viel möchten Sie?
   A 250 Gramm bitte. Was kostet das? B Das kostet zwei Euro.
   A Danke schön.

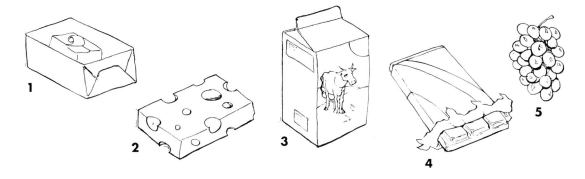

24.17 Was kaufst du?

Schreibe zuerst eine kurze Einkaufsliste mit fünf Sachen darauf. Benutze danach deine Phantasie, um einige Unterhaltungen zwischen dir und einem/einer Verkäufer/Verkäuferin aufzuschreiben. Du gehst in mehrere kleine Geschäfte und manche haben leider nicht alles.

25

Ich habe nichts zum Anziehen!

Anna muss noch einmal einkaufen gehen, aber diesmal will niemand mitkommen.

DIE KLEIDUNG

25.1 **Fußballdress**

Partnerarbeit: Sieh dir die Bilder der Fußballer an. Welche Farben hat ihr Dress?

Beispiel

A Welche Farbe hat der Dress von Andy Thom?   B Der Dress von Andy Thom ist weiß und ...
(usw.)

25.2

der Dress	(sports) kit; strip	**golden**	gold
bunt	coloured; colourful	**goldfarben/-farbig**	gold
rosa†	pink	**gestreift**	striped
lila†	purple	**kariert**	checked
orange†	orange	**glatt**	smooth
orangenfarben/		**rauh**	rough
-farbig	orange	**breit**	wide
türkis†/türkisfarben	turquoise	**eng**	narrow
silbern	silver	**anhaben*** (trenn.)	to have on
silberfarben/-farbig	silver		
		†invariable	

128

25.3 Zum Nachschauen

1. Wie heißt „Manchesterhose" auf Englisch?
2. Wie heißt „Schottenstoff" auf Englisch?
3. Wie sagt man „*shocking pink*" auf Deutsch?
4. Hast du eine getüpfelte Krawatte?
5. Was sind die genauen Farben deiner Schuluniform?

25.4 Trägst du eine Schuluniform?

Partnerarbeit: Beschreibe deinem Partner / deiner Partnerin die Farben deiner Schuluniform und gib deine Meinung dazu. Verletzt du die Regeln? Wie?

Beispiel

A Welche Farbe hat deine Schuluniform?   B Dunkelgrün und türkis.
A Magst du das?   B Nein, ich hasse es.
A Hältst du dich immer an die Regeln?   B Nein, ich habe knallrosa Socken an.

25.5

die Kleidung	clothes, clothing	**der Schal (-s** oder **-e)**	scarf
das Kleid (-er)	dress	**der Strumpf (¨e)**	stocking; sock
das Hemd (-en)	shirt	**die Strumpfhose (-n)**	tights
die Bluse (-n)	blouse	**der Schuh (-e)**	shoe
der Pullover (-)	jumper, sweater	**die Sandale (-n)**	sandal
der Anzug (¨e)	suit	**der Stiefel (-)**	boot
der Schlips (-e)	tie		

25.6 Zum Raten

Rate die Bedeutungen dieser Wörter. Benutze ein Wörterbuch nur wenn absolut nötig.

1. der Jogginganzug
2. der Badeanzug
3. die Badehose
4. der Schlafanzug
5. der Skianzug
6. der Skischuh/Skistiefel
7. der Trainingsanzug
8. das T-Shirt
9. das Sweatshirt
10. die Jeans
11. die Handtasche
12. der Handschuh
13. die Socke
14. der Pulli
15. der Mantel
16. die Lederjacke
17. die Unterhose
18. die Unterwäsche
19. die Wolle
20. die Mode

25.7 Was tragen sie?

1. Was haben diese drei deutschen Olympiasiegerinnen an? Beschreibe ihre Kleidung.
2. Sieh dir die Fotos von Hilde Gerg und Jan Ullrich an. Was tragen sie?

Interview beim letzten Formtest vor der Olympiade: Katja Seizinger (L), Martina Ertl (M), und Hilde Gerg (r.) strahlen mit Marcel Braunthaler von BRAVO Sport um die Wette

HILDE GERG
TOP-3-PLÄTZE 97/98

■ **ABFAHRT**
Zweite in Val d'Isère/Frankreich

■ **RIESENSLALOM**
Zweite in Bormio/Italien

■ **SLALOM**
Sieg in Mammoth Mtn./USA
Sieg in Bormio/Italien
Zweite in Are/Schweden

■ **SUPER-G**
Zweite in Lake Louise/Kanada
Dritte in Val d'Isère/Frankreich

■ **KOMBINATION**
Sieg in Val d'Isère/Frankreich
Sieg in Are/ Schweden

Jan stolz: „Diese Steigung habe ich in 38 Minuten geschafft."

Steckbrief
JAN ULLRICH

■ **Geburtstag:** 2. Dezember 1973
■ **Geburtsort:** Rostock
■ **Sternzeichen:** Schütze
■ **Größe:** 1,83 Meter
■ **Wettkampfgewicht:** 73 Kilogramm
■ **Schulabschluß:** Kinder- und Jugend-sportschule des SC Dynamo Ost-Berlin
■ **Profi seit:** 1995
■ **Größte Erfolge:** Sieger der Tour de France 1997, Zweiter bei der Tour de France 1996, Amateurweltmeister (Straße) 1993
■ **Autogrammadresse:** c/o Team Deut-sche Telekom, Postfach 2000, 53105 Bonn

25.8

Relativpronomen

who, which = der/die/das

NB Vor das Relativpronomen gehört ein Komma und das Verb steht am Ende des Nebensatzes.

Beispiele

Hunde, **die** bellen, beißen nicht.
Er ist ein Junge, **der** nie seine Hausaufgaben macht.

25.9 Wie heißen sie?

Sieh die Bilder in 25.1 und 25.7 an.

1. Wie heißt der Mann, der ein knallrosa Trikot trägt?
2. Wie heißt die Frau, die einen gestreiften Skianzug trägt?
3. Wie heißt der Fan, der den Schal der Bayern-München-Fußballmannschaft trägt?
4. Wie heißen die Männer, die das sinkende BVB-„Schiff" wieder flott machen wollen?
5. Wie heißt der Fußballer, der zehnmal für Deutschland gespielt hat?

ANNAS PROBLEM

25.10

probieren	to try	**der Stil (-e)**	style
anprobieren (trenn.)	to try on	**der Stoff (-e)**	material
modisch	fashionable	**der Kunststoff**	synthetic material
altmodisch	old-fashioned	**der Knopf (¨e)**	button
schick	chic, stylish	**die Größe (-n)**	size
modern	modern	**echt**	real, genuine
der Geschmack (¨e)	taste		

25.11 Das Problem

Siehe die Aufgabe auf Seite 163.

25.12 Das Problem

Anna Claudia, ich habe ein Problem.
Claudia Was denn?
Anna Ich habe überhaupt nichts zum Anziehen.
Claudia Wenn ich richtig sehe, hast du jetzt etwas an.
Anna Ich meine für die Hochzeit.
Claudia Du hast dein türkisfarbenes Kleid mit den Tupfen.
Anna Bitte nicht. Das ist mindestens zwei Jahre alt. Für eine Zehnjährige geht es vielleicht. Du hast keinen Geschmack. Komm, hilf mir, ich habe nur ein paar Tage. Die Hochzeit ist am Freitag.
Claudia Nein, das macht mir keinen Spaß mehr. Die Verkäufer sind unhöflich zu mir, du auch, und ich kaufe immer das Falsche. Vergiss auch nicht, ich gehe heute Abend in die Disko. Ich habe keine Zeit zu warten, während du Kleider anprobierst.
Anna Du treulose Tomate! Dann gehe ich allein.

25.13

zum + Verb als Substantiv

anziehen	*to put on*
das Anziehen	*putting on*
zum Anziehen	***to put on (for putting on)***

Beispiele

Ich habe nichts **zum Anziehen** = Ich habe nichts anzuziehen
Manche haben nicht genug **zum Essen** = Manche haben nicht genug zu essen

Auch möglich: **zum Trinken**, **zum Ausgehen**, **zum Radfahren**, usw.

25.14

aus Leder *(made) of leather*

| aus Leder | aus Baumwolle | aus Wolle | aus Seide | aus Kunststoff |

25.15 Aus was?

Schaue die Wörter, die du oben nicht kennst, im Wörterbuch nach.

Ist das aus Leinen?

Diese Farbe mag ich nicht.

25.16 Was kauft Anna?

Anna sucht ein Kleid für die Hochzeit. Was sagt sie? Was sagt der/die Verkäufer/in?
Ergänze die Dialoge.

1. *Verkäuferin* Guten Tag. Kann ich ...?
   Anna   Nein, danke. Ich ... nur.

2. *Verkäuferin* ... . Was kann ich für Sie tun?
   Anna   Haben Sie dieses ... in einer Nummer größer?
   Verkäuferin Ja, wir haben es in 36.
   Anna   Kann ich das ...?
   Verkäuferin Gerne. Die Ankleidekabinen sind dort drüben.

3. *Anna*   Das passt nicht. Es ist zu klein.
   Verkäuferin Möchten Sie ...?
   Anna   Ja, danke. Ich werde das anprobieren.

4. *Verkäuferin* Oh, das ist sehr ...!
   Anna   Vielleicht ein bisschen alt für mich?
   Verkäuferin Keineswegs! Es sieht sehr ... aus, und der Stoff ist echt ... .
   Anna   Ich weiß nicht, ob ... meine Farbe ist.

5. *Anna*   Guten Tag. Ich suche ... .
   Verkäufer   Welche ... ?
   Anna   ...
   Verkäufer   So etwas?
   Anna   Nein, das wird zu kalt sein. Es ist für ... .
   Verkäufer   Vielleicht etwas aus Wolle?
   Anna   Nein, das ... . Ist diese Hose aus echtem ...?
   Verkäufer   Ja, aber für eine Hochzeit? Besser nicht!

25.17 Deine Wahl

Stell dir vor, du musst all deine Kleidung neu kaufen, und du hast so viel Geld, wie du willst.
Was wirst du kaufen? Vergiss auch nicht, die Farben und Stoffe der Artikel zu beschreiben.

Beispiel
Ich werde eine schwarze Hose aus Leder kaufen. Ich werde auch einen Motorradanzug kaufen.
Er wird auch aus Leder sein und er wird hellgrün, zitronengelb und lila sein ... (usw.)

DER UMTAUSCH

25.18

der Umtausch (¨e)	exchange	**zufrieden**	satisfied, happy
umtauschen (trenn.)	to exchange	**unzufrieden**	dissatisfied, unhappy
die Quittung (-en)	receipt		
es fehlt etwas	something is missing	**gebrauchen**	to use
dreckig	dirty	**bringen* (gebracht)**	to bring (brought)
das Loch (¨er)	hole	**die Rückgabe (-n)**	return

25.19 **Zum Nachschauen**

Du siehst folgende Schilder in einem Geschäft. Was bedeuten sie auf Englisch?

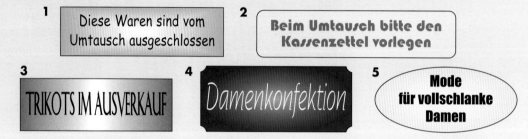

1 Diese Waren sind vom Umtausch ausgeschlossen

2 Beim Umtausch bitte den Kassenzettel vorlegen

3 TRIKOTS IM AUSVERKAUF

4 Damenkonfektion

5 Mode für vollschlanke Damen

25.21 25.20 **Kann ich Ihnen helfen?**

Siehe die Aufgabe auf Seite 163.

25.21 25.21 **Kann ich Ihnen helfen?**

Verkäuferin Kann ich Ihnen helfen?
Anna Ja, danke. Ich möchte dieses Kleid, das ich heute gekauft habe, umtauschen.
Verkäuferin Ja. Zu groß? Zu klein? Sind Sie mit der Farbe unzufrieden?
Anna Die Größe ist richtig und die Farbe mag ich, aber es fehlt ein Knopf hier oben.
Verkäuferin Lassen Sie mich sehen. Das ist uns noch nie passiert. Oh ja, ich sehe. Das können wir für Sie umtauschen. Kein Problem. Haben Sie die Quittung mitgebracht?
Anna Bitte schön.
Verkäuferin Danke.

25.22 **Was ist nicht richtig?**

Partnerarbeit: A ist der/die Käufer(in) und B ist der/die Verkäufer(in). Versucht, Einkäufe umzutauschen. Benutzt als Vorbild den Dialog zwischen Anna und der Verkäuferin.

Artikel   Problem

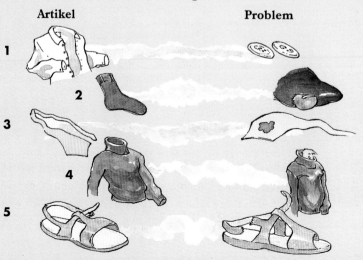

1

2

3

4

5

C. Unsere Gegend

i. Die Stadt

Dienstleistungen

Tom geht auf die Post, um
Briefmarken zu kaufen und ein Paket
an seine Großmutter in
Großbritannien zu schicken. Er will
auch einen Telefonanruf machen.
Während er das tut, lässt er leider
seine Sonnenbrille fallen und
versucht danach, sie reparieren zu
lassen. Zuerst aber braucht er Geld.

Ich brauche Geld.

Die Commerzbank in Leipzig

GELD WECHSELN

26.1

die Dienstleistungen	*services*	**der Reisescheck**	*traveller's cheque*
wechseln	*to change*	**einlösen** (trenn.)	*to cash (in)*
der Geldwechsel (-)	*money exchange;*	**unterschreiben***	*to sign*
	bureau de change	**der (Reise)pass (¨e)**	*passport*
die Wechselstube (-n)	*bureau de change*	**der Zettel (-)**	*note (piece of paper)*
der Scheck (-s)	*cheque*		

26.2 **Ich möchte bitte Geld wechseln**

Siehe die Aufgabe auf Seite 163.

26.3 **Ich möchte bitte Geld wechseln**

Tom	Ich möchte bitte einige Pfund Sterling in Euro wechseln.	*Frau*	Sie haben vergessen, hier zu unterschreiben.
Frau	Ja. Wie viel möchten Sie wechseln?	*Tom*	Oh, Entschuldigung. So.
Tom	Fünfzig Pfund bitte. Ich möchte auch diese Reiseschecks einlösen.	*Frau*	Nehmen Sie bitte diesen Zettel mit zur Kasse. Die Kasse ist dort drüben.
Frau	Haben Sie Ihren Pass? Danke schön. Füllen Sie bitte dieses Formular aus.	*Tom*	Danke schön.
Tom	So, bitte schön.	*Frau*	Bitte. Schönen Tag noch!

26.4 **Ich brauche Geld!**

Partnerarbeit: A hat britisches Geld und Reiseschecks (siehe unten) und braucht Euro.
B arbeitet in der Bank. Den Dialog oben könnt ihr als Beispiel benutzen.

1. £30
2. £40 + 2 Reiseschecks zu £20
3. 5 Reiseschecks zu £10
4. £100
5. £25 + 3 Reiseschecks zu £20 und einen zu £50.

26.5 **Was wechseln sie?**

Du hörst fünf Unterhaltungen in Banken und Wechselstuben. Wie viel Geld wollen diese Leute
wechseln?

BEI DER POST

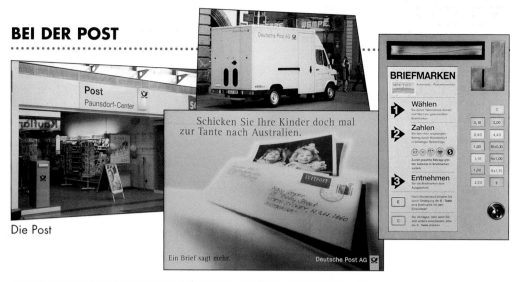

Die Post

26.6

die Post	post office; mail	**telefonieren**	to make a phone call
die Briefmarke (-n)	stamp		
der Briefkasten (¨)	post-box	**die Telefonzelle (-n)**	phone booth
das Paket (-e)	parcel	**die Vorwahlnummer (-n)**	dialling code
die Postleitzahl (-en)	postcode		

26.7

Briefmarken kaufen

Ich möchte Briefmarken für Großbritannien.
Ich möchte fünf Briefmarken zu einem Euro.
Ich möchte fünf Briefmarken zu 50 Cent.
Ich möchte dieses Paket nach England schicken.

 26.8 **Briefmarken, bitte**

Siehe die Aufgabe auf Seite 163.

26.9 **Briefmarken, bitte**

Tom   Ich möchte bitte Briefmarken für diese Postkarten nach Großbritannien.
Mann   Wie viele haben Sie?
Tom   Zehn Postkarten. Eine für Wales, neun für England. Also zehn für Großbritannien.
Mann   So, zehn zu dreißig Cent.
Tom   Danke. Und was kostet es, dieses Paket nach England zu schicken?
Mann   Das kostet fünf Euro fünfundachtzig.
Tom   Danke. Können Sie mir bitte sagen, wo ich nach England telefonieren kann?
Mann   Das können Sie in einer der Telefonzellen draußen machen. Wissen Sie die Vorwahlnummer für England?
Tom   Danke, ja, 0044.
Mann   Richtig. Und danach lassen Sie die erste Null von der Telefonnummer weg.

Deutsche Telekom

26.10 **Was brauchst du?**

Partnerarbeit: A: Kauf deine Briefmarken (siehe unten). B: Du arbeitest bei der Post.

1. 10 x 1 Euro
2. 5 x 1 Euro und 4 x 30 Cent
3. 8 Postkarten nach Wales

4. Ein Brief nach Australien
5. Dieses Paket nach England

WIR ÄNDERN
- JACKE
- HOSE
- ROCK
- KLEID
- MANTEL
- LEDER
- GARDINEN

- Schlüssel und Schlösser
- Schließanlagen
- Beratung und Montage
- Notöffnungen
- Planung und Einbau von Einbruchmeldeanlagen
- Absatzsofortdienst
- Schuh- u. Lederreparaturen
- Messer- u. Scherenschleifen
- Gravuren und Namensschilder

KÖNNEN SIE DAS REPARIEREN?

26.11

reparieren	*to repair*	**ersetzbar**	*replaceable*
die Reparatur (-en)	*repair*	**der Klebstoff (-e)**	*glue*
bis Freitag	*by Friday*	**fallen lassen***	*to drop*
ersetzen	*to replace*		

26.12

etwas tun lassen *to have something done*

Beispiele

Ich möchte das reparieren lassen.　　*I'd like to have this repaired.*
Kann ich hier meine Haare schneiden lassen?　*Can I have my hair cut here?*
Ich lasse am Mittwoch meine Haare schneiden.　*I'm having my hair cut on Wednesday.*
Sie müssen das röntgen lassen.　*You must have that X-rayed.*

 26.13 **Die Sonnenbrille**

Siehe die Aufgabe auf Seite 163.

26.14 **Die Sonnenbrille**

Mann　Guten Tag. Was kann ich für Sie tun?
Tom　Guten Tag. Ich möchte diese Sonnenbrille reparieren lassen. Können Sie das machen?
Mann　Lassen Sie mich bitte sehen. Was ist denn damit passiert?
Tom　Ich habe sie in der Telefonzelle fallen gelassen. Sie ist kaputt.
Mann　Das ist eine einfache Reparatur. Das braucht nur ein wenig Klebstoff.
Tom　Es fehlt auch eine kleine Schraube. Können Sie sie ersetzen?
Mann　Kein Problem. Die ist leicht ersetzbar.
Tom　Was wird die Reparatur kosten?
Mann　Oh, nicht viel. Zwischen zwei und drei Euro. Höchstens drei.
Tom　Und können Sie das bis Donnerstag machen?
Mann　Sogar schneller. Sie können die Brille morgen abholen.

26.15 **Lass das reparieren!**

Partnerarbeit: Du musst folgende Dinge reparieren lassen. Benutze wenn nötig ein Wörterbuch. Dein(e) Partner(in) sagt, ob das einfach oder schwierig zu reparieren ist, bis wann er/sie das machen kann und wie viel es kosten wird.

Beispiel

A Guten Tag. Können Sie bitte meinen
　Tennisschläger reparieren?　　　　　B Ja, aber das ist sehr schwierig.
A Wie viel wird es kosten?　　　　　　 B Mindestens zwanzig Euro. Vielleicht dreißig.
A Bis wann können Sie das machen?　　 B Ich weiß nicht genau. Wir müssen den
　　　　　　　　　　　　　　　　　　　Schläger nach Chicago schicken.
　　　　　　　　　　　　　　　　　　　Vielleicht zwei Monate.

1

2

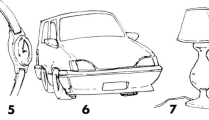

3　　　　4　　　　5　　　　6　　　　7　　　　8　　　　9　　10

ii. Die Umgebung

Wo bist du zu Hause?

Wir brauchen nähere Informationen über deinen Wohnort. Wo wohnst du genau? Ist das eine Stadt oder ein Dorf? Was sind die Vor- und Nachteile einer solchen Umgebung?

DEINE GEGEND

27.1

> ### Wo wohnst du?
>
> Nord-
> Nordwest-   Nordost-
> West-   Ost-
> Südwest-   Südost-
> Süd-
>
> **Beispiele**
> Ich wohne in Nordwales.
> Ich komme aus Südostengland.
>
> **NB** *The Midlands* = Mittelengland (oder „die Midlands"!)

27.2 **Eine Stadt in ...**

Partnerarbeit: Weißt du schon alles über Großbritannien? Und was weiß dein(e) Partner(in)? Benutze wenn nötig eine Landkarte.

Beispiel

A Wo ist Penzance?   B In Südwestengland. Wo ist Cromer?
A In Ostengland. Wo ist ...? (usw.)

27.3

> ### Wohnst du in der Stadt oder auf dem Land?
>
> Ich wohne   in der Stadt.   Ich wohne   in einem Dorf.
>   mitten in der Stadt.   auf dem Land(e).
>   am Stadtrand.   nicht weit von Chester.
>
> Die nächste große Stadt ist Chester.
> Chester ist fünf Kilometer entfernt.

27.4 **Wie ist es dort?**

Partnerarbeit: A wählt eine Karte von Blatt 27A aus und antwortet auf Bs Fragen, als ob er/sie in dem Wohnort auf seiner/ihrer Karte wohnte. B stellt folgende Fragen und füllt das Formular auf Blatt 27A aus.

1. Wohnst du in einer Stadt oder auf dem Land?
2. Wie heißt dein Wohnort und wo ist das genau?
3. Gibt es viel Industrie in deiner Gegend?
4. Wie viele Einwohner gibt es?
5. Hat deine Stadt / dein Dorf viele Touristen?
6. Was können Touristen da sehen?
7. Wie heißt die Partnerstadt?
8. In welchem Land befindet sich die Partnerstadt?
9. Wie heißt deine nächste größere Stadt?
10. Wie weit ist dein Wohnort von London entfernt?

27.5 Und du?

Beantworte die Fragen in Aufgabe 27.4 für dich selbst.

Beispiel
1. Ich wohne in einem kleinen Dorf am Meer.
2. Es heißt Dunwich. Es ist in Ostengland, nicht weit von Southwold.
(usw.)

27.6

der Einwohner (-)	inhabitant	**der Fluss (¨e)**	river
die Partnerstadt	twin town	**der Kanal (Kanäle)**	canal
der Kreis (-e)	(administrative) district	**der Hafen (¨)**	port; harbour
der Wohnort	place of residence	**die Küste**	coast
		an der Küste	on the coast
der Vorort	suburb	**das Meer**	sea
der Rand (¨er)	edge	**am Meer**	by the sea
mitten in	in the middle of	**die See (-n)**	sea
sich befinden*	to be located	**der See (-n)**	lake; loch
der Bauernhof (-höfe)	farm	**die Insel (-n)**	island
die Industrie	industry	**der Kilometer (-)**	kilometre
die Fabrik (-en)	factory	**der Meter (-)**	metre
das Tor (-e)	arch; gateway	**die Meile (-n)**	mile
		vergleichen*	to compare

27.7 Wie sind ihre Städte?

Was haben diese Leute in ihren Wohnorten? Kreuze an. (Kopiere wenn nötig das Formular.)

	Dom/Kirche	Tor	alte Gebäude	Fluss	Hafen	Meer	Touristen
Sabine							
Matthias							
Herr Klingner							
Frau Georgi							

DIE LANDSCHAFT

27.8

die Landschaft (-en)	landscape	**flach**	flat
die Umgebung	surroundings	**das Gras**	grass
das Gebirge (-)	mountains	**die Wiese (-n)**	meadow
der Hügel (-)	hill	**das Schaf (-e)**	sheep
das Tal (¨er)	valley	**die Kuh (¨e)**	cow
der Wald (¨er)	forest, wood	**das Schwein (-e)**	pig
die Pflanze (-n)	plant	**das Insekt (-en)**	insect

137

27.9 **Land und Region**

Sieh die Beschreibung der Leipziger Umgebung aus der Leipziger Touristeninformationsbroschüre an und beantworte folgende Fragen.

1. Wie heißen die Flüsse in dieser Gegend?
2. Gibt es Gebirge hier?
3. Gibt es Wälder?
4. Gibt es viel Industrie um Leipzig herum?
5. Ist die Landschaft um Leipzig überall gleich?

LAND UND REGION

Die harmonische Verbindung von Naturerlebnis, geschichtsträchtigen Stätten und kulturellen Sehenswürdigkeiten kennzeichnet das Leipziger Umland.

Der grüne Ring um die Stadt inmitten der Leipziger Tieflandsbucht weist eine große landschaftliche Vielfalt aus, die durch malerische Flußtäler, Heidelandschaften und Auenwälder geprägt wird. In den sumpfigen Auenlandschaften an den Flüssen Pleiße, Weiße Elster, Parthe und Luppe gibt es artenreiche Waldgebiete. Eigenständigen und jeweils unterschiedlichen Charakter weisen die Flußlandschaften um die Zwickauer und Freiberger Mulde, die Zschopau, Saale, Elbe und Wyhra aus. Die Tieflandsebene wird durch sanfte Hügellandschaften begrenzt, die Ausläufer der Mittelgebirge, vor allem des Erzgebirges und des Thüringer Waldes sind.

Im folgenden Abschnitt geben wir einige Anregungen für Tagesausflüge zu Zielen in der Leipziger Umgebung. Für detailliertere Informationen wenden Sie sich bitte an den Leipzig Tourist Service e.V., Richard-Wagner-Straße 1, D-04109 Leipzig oder den Regionalen Fremdenverkehrsverband Sächsisches Burgen- und Heideland e.V., Niedermarkt 1, D-04736 Waldheim/Sa..

 27.10 **So eine schöne Landschaft!**

Schreib eine Postkarte: Du bist auf Urlaub und beschreibst die schöne Landschaft. Wähle eins der drei Bilder aus und sag, wo du bist und wie es aussieht. Alle sind nicht weit von Weimar (im Land Thüringen, Deutschland).

Ilmtal bei Kranichfeld

Stausee Hohenfelden

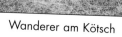

Wanderer am Kötsch

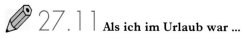 27.11 **Als ich im Urlaub war ...**

Schreibe einem deutschen Freund einen Brief über einen Urlaub auf einem Bauernhof oder auf dem Lande. Wo war das, wie war die Landschaft, was hast du gesehen und was ist passiert?

DIE UMWELTVERSCHMUTZUNG

27.12

die Umwelt	environment	**das Mittel (-)**	means, agent
verschmutzen	to pollute	**das Düngemittel (-)**	fertilizer
die Verschmutzung	pollution	**der Stein (-e)**	stone
fließen*	to flow		

27.13

das Passiv

Benutze **werden** + **Partizip Perfekt** für das Passiv. Das Verb steht im Passiv in den folgenden Beispielen.

Beispiele

Flüsse **werden** durch Düngemittel **verschmutzt**.   Das Rathaus **wurde** 1784 **gebaut**.
Ein neues Schulgebäude **wird gebaut**.   Ich **wurde** gestern von meinem Bruder **geschlagen**.

NB *by* = **von** (für eine Person) oder **durch**

27.14 Umweltverschmutzung

Welche sind Verschmutzer, welche werden verschmutzt? Mache zwei Listen und benutze wenn nötig dein Wörterbuch. Dann schreibe mindestens fünf Sätze auf (z.B. „Der Fluss wird durch Düngemittel verschmutzt").

IM VERGLEICH ZU ...

27.15

im Vergleich zu	*in comparison with*	**der Nachteil (-e)**	*disadvantage*
der Vorteil (-e)	*advantage*	**die Vor- und Nachteile**	*the pros and cons*

27.16 Spinnendiagramm

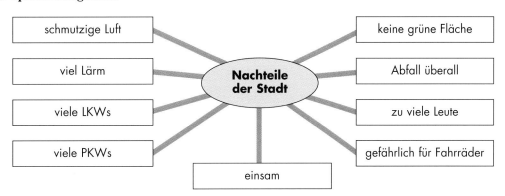

1. Sieh dir das Spinnendiagramm oben an und schaue wenn nötig die Wörter im Wörterbuch nach. Gelten diese Nachteile auch für deine Umgebung?

2. Bilde ein Spinnendiagramm der Nachteile des Lebens auf dem Land.

3. Mache das Gleiche mit den Vorteilen (a) des städtischen und (b) des ländlichen Lebens.

27.17 Lieber in der Stadt?

Partnerarbeit: Zieht dein(e) Partner(in) das Leben in der Stadt oder auf dem Land vor? Und warum?

Beispiel

A Wohnst du lieber in der Stadt oder auf dem Land?   B Lieber auf dem Land.

A Warum?   B Weil es so ruhig ist und die Luft so sauber ist.

A Und warum noch?   (usw.)

27.18 Schönbach ist besser!

Siehe die Aufgabe auf Seite 163.

Schönbach im Frühjahr

27.19 Schönbach ist besser!

Tante Mona	Wo wohnst du in England, Tom?
Tom	Ich wohne in Chester, in Nordwestengland.
Tante Mona	England mag ich nicht. Es gibt zu viele Leute. In Schönbach, wo ich wohne, sind wenige Leute. Das Leben ist besser, wenn es wenige Leute gibt, nicht wahr?
Tom	Manchmal, aber Chester ist eine schöne alte Stadt.
Tante Mona	Schönbach ist bestimmt schöner. Es hat mittelalterliche Gebäude.
Tom	Die haben wir auch in Chester.
Tante Mona	Sie sind nicht so schön wie bei uns!
Tom	Mmm ...
Tante Mona	Und in Schönbach ist die Luft sauberer, nicht so schmutzig. Alles wird in England verschmutzt!
Tom	Es gibt auch Orte in Deutschland, wo ...
Tante Mona	Ja, aber nicht in Schönbach. Auch der Fluss in Schönbach ist nicht so schmutzig wie die Themse.
Tom	Ja, aber der Rhein ...
Tante Mona	Ach, der Rhein, der ist etwas anderes ... Du solltest unsere wunderschönen Schlösser sehen. Die sind die besten auf der Welt.
Tom	Nicht besser als ...
Tante Mona	Doch, besser als alles! Und die herrlichen Wälder, die Bäume ...
Tom	Bäume gibt es in England auch.
Tante Mona	Aber nicht wie die Wälder um Schönbach. Wirklich, du solltest sie sehen, junger Mann. Du kannst bei mir in Schönbach Urlaub machen. Möchtest du das?
Tom	Mmm, das ist sehr nett von Ihnen, aber ich ...
Tante Mona	Nichts auf der Welt ist so schön wie Schönbach!

27.20 Die große Debatte

Schreib einen Dialog zwischen einem Kind und seinen Eltern. Das Kind mag die Gegend nicht, in der sie wohnen, und seine Mutter oder sein Vater versucht, ihm die Vorteile der Gegend zu zeigen.

Wie ist das Wetter?

Anna und Tom fahren morgen nach Berlin, aber die Wettervorhersage ist nicht so gut. Müssen sie ihre Pläne ändern?

DAS WETTER

28.1 **Wie ist das Wetter?**

Ordne den Wörtern die Bilder zu.

es regnet

es schneit

es friert

es donnert

es blitzt

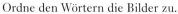

es ist kalt

es ist kühl

es ist warm

es ist heiß

es ist trocken

es ist heiter

es ist sonnig

es ist wolkenlos

es ist wolkig

es ist bedeckt

es ist wechselhaft

es ist regnerisch

es ist windig

es ist stürmisch

es ist schwül

es ist nass

es ist neblig

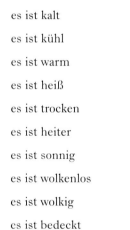

die Sonne scheint

die Temperaturen sind hoch

die Temperaturen sind niedrig

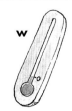

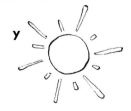

28.2

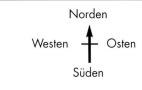

Norden

Westen ← ↑ → Osten

Süden

Beispiel
Wie ist das Wetter im Norden?
Im Norden schneit es.

 28.3 **Wie ist das Wetter im Norden?**

Partnerarbeit: Ihr braucht das Spielbrett auf Blatt 28A, einen Würfel und zwei Spielmarken.
A würfelt, landet auf einem Kästchen, das das Wetter zeigt, und wartet auf Bs Frage.
B würfelt, landet auf einem Kästchen, das die Himmelsrichtung zeigt, und stellt die Frage wie
folgt: „Wie ist das Wetter im ... (z.B. Südosten)?" Wenn A ohne Fehler bis zum Ende des
Spielbretts kommt, bekommt er/sie einen Punkt. Wenn er/sie einen Fehler macht, muss er/
sie mit B tauschen. Die Person, die am Ende des Spiels die meisten Punkte hat, hat gewonnen.

Beispiel
B Wie ist das Wetter im Süden?   A Im Süden regnet es.

 28.4 **Das Klima**

Wie ist das Klima in folgenden Ländern?

1. Kanada   2. Südafrika   3. Großbritannien   4. Österreich   5. Norddeutschland

28.5

wie ist das Wetter?	what's the weather like?	bewölkt	cloudy
		trüb(e)	dull
das Klima (-s oder -te)	climate	der Donner	thunder
die Vorhersage (-n)	forecast	das Gewitter (-)	thunderstorm
der Bericht (-e)	report	der Sturm (¨e)	storm
die Aussicht (-en)	outlook	der Schnee	snow
der Himmel	sky	der Frost	frost
der Sonnenschein	sunshine	das Glatteis	ice
der Regen	rain	Vorsicht Glatteis!	Danger, black ice!
der Regenschirm (-e)	umbrella	die Temperatur (-en)	temperature
der Schauer (-)	shower	die Höchsttemperatur	highest temperature
der Niederschlag (¨e)	precipitation; shower	die Tiefsttemperatur	lowest temperature
		das Thermometer (-)	thermometer
örtlich	local	der Grad (Celsius)	degree (Centigrade)
mäßig	moderate	4 Grad Kälte/kalt	4° below zero
der Wind (-e)	wind	4 Grad Wärme/warm	4° above zero
der Nebel (-)	mist; fog; smog	die Hitze	heat
die Wolke (-n)	cloud	ändern	to alter

WETTERBERICHTE

 28.6 **Reisewetter**

Sieh dir die Wetterkarte für Europa an, sowie die Wettervorhersage bis übermorgen. Benutze
wenn nötig dein Wörterbuch, um folgende Fragen zu beantworten.

1. Schreibe die Städte auf, die du auf der Karte findest. Zu welchem Land gehören sie?
   Schreibe das Deutsche und das Englische auf.

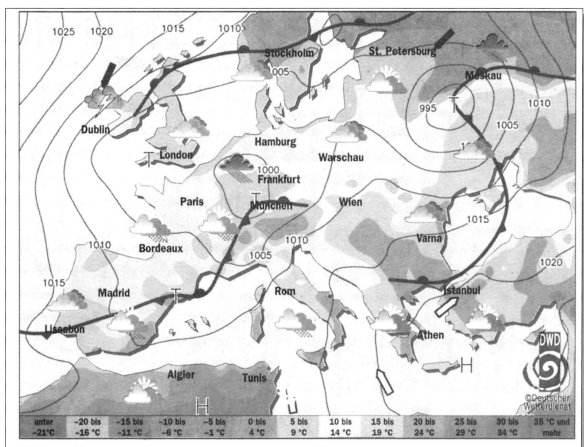

unter −21 °C	−20 bis −16 °C	−15 bis −11 °C	−10 bis −6 °C	−5 bis −1 °C	0 bis 4 °C	5 bis 9 °C	10 bis 14 °C	15 bis 19 °C	20 bis 24 °C	25 bis 29 °C	30 bis 34 °C	35 °C und mehr

Reisewetter
bis übermorgen

Nord- und Ostseeküste: Wechselnd bewölkt mit Schauern, vereinzelt Gewitter, 10 bis 14 Grad.
Polen, Tschechien, Slowakei: Anfangs regnerisch, später Übergang zu Schauerwetter, 10 bis 14 Grad.
Österreich, Schweiz: Meist stark bewölkt und zeitweise Regen oder Schauer, nur im Osten etwas freundlicher bei 17 Grad, sonst Höchsttemperatur 9 bis 14 Grad.
Italien, Malta: Wechselnd bewölkt mit Schauern, am Donnerstag ergiebiger Regen, Höchsttemperatur 18 bis 22 Grad, im Süden 25 bis 28 Grad.

Spanien, Portugal: Meist wechselnd bewölkt mit einzelnen Schauern oder Gewittern, 18 bis 23 Grad.
Griechenland, Türkei, Zypern: Heiter und trocken, Höchstwerte 20 bis 26 Grad, im Süden bis 30 Grad.
Benelux, Nordfrankreich: Wechselnd bewölkt mit Schauern, Höchsttemperatur 11 bis 14 Grad.
Südfrankreich: Zunächst regnerisch, dann Übergang zu Schauerwetter, Höchstwerte 14 bis 18 Grad.
Madeira, Kanarische Inseln: Auf Madeira zeitweise wolkig, sonst sonnig, Höchsttemperatur 20 bis 25 Grad.
Tunesien, Marokko: Stark bewölkt, an den Küsten Schauer und Gewitter, 27 bis 30 Grad.

2. Sieh dir die Aussichten für die einzelnen Gegenden an. Manche Wörter verstehst du schon, aber es gibt bestimmt mehrere, die dir unbekannt sind. Suche sie im Wörterbuch und schreibe deine Liste der neuen Wörter auf.

3. Schreibe für jede Gegend einen kompletten Satz über das kommende Wetter. Zum Beispiel: „In Tunesien und Marokko wird es Schauer und Gewitter an den Küsten geben."

 28.7 **Wettervorhersagen**

Schreibe die zehn Gegenden in der Reisewettervorhersage auf. Dann hör zu und sieh gleichzeitig den Text der Vorhersagen an. Schreibe die Nummer der Vorhersage neben die richtige Gegend.

Beispiel
Nord- und Ostseeküste: 2

Wetter gestern mittag		
Berlin	wolkig	13
Frankfurt/M.	wolkig	12
Greifswald	wolkig	11
Hamburg	wolkig	12
Hannover	wolkig	12
Köln	wolkig	11
München	bedeckt	9
Nürnberg	bedeckt	10
Rostock	bedeckt	8
Stuttgart	heiter	12
Chemnitz	heiter	11
Dresden	wolkig	12
Erfurt	wolkig	10
Görlitz	heiter	11
Halle	heiter	11
Leipzig	heiter	13
Naumburg	wolkig	12

28.8 Wie war es gestern?

Partnerarbeit: Sieh den Bericht über das Wetter gestern Mittag in Deutschland an. Stelle Fragen über bestimmte Städte.

Beispiel
A Wie war das Wetter gestern in Stuttgart?
B Gestern waren es 12 Grad in Stuttgart und es war heiter. Wie war das Wetter gestern in Köln?
(usw.)

28.9 Wie wird es morgen sein?

Partnerarbeit: Sieh die Wetterkarte für morgen an und stelle Fragen darüber.

Beispiel
A Wie wird das Wetter morgen in Stuttgart sein?
B Es wird wechselnd bewölkt mit Schauern sein. Es wird 14 Grad warm werden.
(usw.)

28.10

dass *that*

Das Wort **dass** beginnt einen Nebensatz. Wie immer in Nebensätzen, steht das Verb am Ende des Nebensatzes. Vergiss auch das Komma nicht!

Beispiele
Ich glaube, **dass** es zu viel Verschmutzung in London **gibt**.
Ich weiß, **dass** es morgen regnen **wird**.

28.11 Es sagt, dass ...

1. Was sagt der Wetterbericht für gestern Mittag? Wähle fünf Städte von der Liste oben aus. Beschreibe den Bericht für jede Stadt (beginn alle fünf Sätze mit „Er sagt, dass ...").

   #### Beispiel
   Er sagt, dass es in Erfurt wolkig und 12 Grad war.

2. Mache das gleiche für das Reisewetter bis übermorgen (siehe Seite 143). Schreibe fünf Sätze über Länder deiner Wahl.

   #### Beispiel
   Es sagt, dass es in Italien und Malta wechselnd bewölkt mit Schauern sein wird.

 ## 28.12 Du bist dran!

Du bist mit deiner Familie im Urlaub in der Leipziger Gegend. Niemand spricht Deutsch – außer dir! Alle wollen wissen, wie das Wetter heute sein wird und was die Aussichten bis Samstag sind. Sieh die Karte und den Text an und bereite eine englische Zusammenfassung für deine Familie vor.

Meist stark bewölkt, zeitweise Regen, noch verhältnismäßig mild

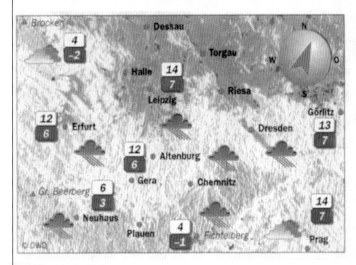

Vorhersage für heute

Heute fallen aus überwiegend starker Bewölkung zeitweise Regen oder Regenschauer. Die Temperatur steigt auf 12 bis 14 Grad. Dabei weht ein schwacher bis mäßiger Wind aus Südwest. In der Nacht ist der Himmel noch weitgehend bewölkt, zeitweise muß man noch mit Regen rechnen. Erst im Laufe der Nacht lockert die Wolkendecke auf. Die Tiefstwerte liegen bei 8 bis 5 Grad. Es weht ein schwacher bis mäßiger Wind aus Südwest.

Aussichten bis Sonnabend

Weiterhin bringt frische Meeresluft aus Südwesten leicht unbeständiges, aber verhältnismäßig mildes Wetter in den Osten Deutschlands. So ist der Himmel meist wolkig. Besonders morgen und Sonnabend gibt es zeitweise Regen. Die Höchsttemperatur liegt mit 14 bis 16 Grad weiterhin über den langjährigen Normalwerten. Nachts sinkt die Temperatur auf 7 bis 5 Grad. Es weht ein schwacher Wind aus Südwest.

Mittwoch	Donnerstag	Freitag	Sonnabend
14 — 6	15 — 6	16 — 6	14 — 5

28.13 als, wann, wenn

als	when (in the past)
wenn	when (=if, whenever)
wann	when (to introduce questions in direct or indirect speech)

Beispiele

Ich hatte lockiges Haar, **als** ich jung war.
Ich habe immer Angst, **wenn** ich zum Zahnarzt gehe.
Wann darf ich nach Hause gehen?
Sag mir, **wann** ich nach Hause gehen darf.

28.14 Als, wann, wenn?

Fülle die Lücken mit **als**, **wenn** oder **wann** aus. Beantworte danach die Fragen.

1. Nimmst du einen Regenschirm mit, … es regnet?
2. … bist du mit dem britischen Wetter unzufrieden?
3. Wie war das Wetter, … du im Urlaub warst?
4. Hast du Angst, … es donnert?
5. Hat es geregnet, … du letztes Wochenende ausgegangen bist?

28.15 Wie war das Wetter im Urlaub?

Du hast gerade Urlaub gemacht. Schreibe eine Postkarte oder einen Brief an jemanden, der (oder die) nicht mitgekommen ist, und erzähle, wie das Wetter war und was du gemacht hast.

WAS WÜRDEST DU TUN?

28.16

ich würde ...		
ich würde	*I would*	**Beispiele**
du würdest	*you would*	Ich **würde** lieber auf dem Land wohnen,
er/sie/es/man würde	*he/she/it/one would*	weil es zu viele Leute in der Stadt gibt.
wir würden	*we would*	**Würdest** du nach Tunesien in den Urlaub
ihr würdet	*you would*	fahren, auch wenn es 32 Grad heiß ist?
sie/Sie würden	*they/you would*	

 28.17 **Regenschirm oder nicht?**

Du hörst fünf Wettervorhersagen und sollst jedesmal sagen, ob du einen Regenschirm mitnehmen würdest oder nicht.

28.18 **Ich würde ...**

Partnerarbeit: Sieh den Text und die Karte zum Reisewetter an und stelle/beantworte Fragen wie folgende.

A Du magst die Hitze. Wo würdest du Urlaub machen?
B Ich würde nach Marokko reisen. Du hasst den Regen. Wohin würdest du in den Urlaub fahren? (usw.)

28.19 **Ich würde ..., weil ...**

Würdest du zu allen zehn Reisezielen in den Urlaub fahren? Warum (nicht)?

Beispiel
1. Ich würde in den Urlaub zur Nord- und Ostseeküste fahren, weil ich Regen mag.

DIE BESTEN PLÄNE ...

28.20

die Jahreszeit (-en)	*season*	**der Ansager (-)**	*announcer (m.)*
das Frühjahr	*spring*	**die Ansagerin (-nen)**	*announcer (f.)*
feucht	*damp*	**bald**	*soon*
die Garantie (-n)	*guarantee*	**eben**	*just*
doppelt	*doubly*	**der Krach**	*crash, bang*
außerordentlich	*extraordinary*	**wachsen***	*to grow*

 28.21 **Und wenn es regnet?**

Siehe die Aufgabe auf Seite 163.

28.22 Und wenn es regnet?

Frau Müller	Anna und Tom, ihr fahrt morgen mit dem Zug nach Berlin, nicht wahr?
Anna	Ja.
Frau Müller	Wann fährt der Zug ab?
Anna	Um sieben Uhr zehn.
Frau Müller	So früh? Fahrt ihr mit der Straßenbahn zum Bahnhof?
Anna	Ja.
Frau Müller	Und wenn es regnet?
Anna	Dann werden wir nass.
Herr Müller	Ich fahre morgen in die Stadt. Wollt ihr mitfahren?
Anna	Danke, nein, wir schaffen es selbst.
Frau Müller	Mein Gott, was war das? Hat es eben geblitzt?
Anna	Ich habe nichts gesehen.
Frau Müller	Du hast doch den Krach gehört!
Anna	Ich habe nichts gehört.
Frau Müller	Schau den Himmel an: Die Wolken ziehen sich zusammen und es wird dunkel. Das hat der Ansager im Radio eben gesagt. Er hat gesagt, dass es heute und morgen stark regnen wird. Es wird bald anfangen. Guck mal! Die schwarzen Wolken da drüben sind so niedrig. Es kommt bestimmt ein Gewitter!
Anna	Mutti, hab keine Sorge, Gewitter zu dieser Jahreszeit sind schnell vorbei. Es ist warm, es ist Frühjahr, es wird vielleicht ein bisschen feucht sein, wie immer in diesem scheußlichen Klima, aber ...
Frau Müller	Der Ansager hat gesagt, dass es garantiert regnen wird. Die Reise wird für euch doppelt so schlimm sein, wenn ihr auch noch platschnass seid.
Tom	*(es kracht)* Was war das?
Anna	Ich glaube, ich ändere meine Meinung! Ich möchte doch mit dem Auto zum Bahnhof fahren.
Herr Müller	Machen wir das. Um halb sieben fahren wir ab.

29

Autos und Züge

Endlich ist der Tag gekommen, an dem Tom und Anna den Ausflug nach Berlin machen wollten. Aber das Frustniveau steigt ...

DAS AUTOFAHREN

29.1

der Ausflug (-flüge)	trip	tanken	to refuel
der Autofahrer (-)	(car) driver	das Selbsttanken	self-service (refuelling)
der Wagen (-)	car		
der Kofferraum	boot	voll tanken	to fill up
der Reifen (-)	tyre	die Tankstelle (-n)	petrol station
der Reifendruck	tyre pressure	der Tankwart (-e)	petrol pump attendant
das Öl	oil		
das Benzin	petrol	sich anschnallen	to fasten one's
bleifrei	lead-free	(trenn.)	seat-belt
verbleit/unverbleit	leaded/unleaded	sich beeilen	to hurry
Super	super, premium	verpassen	to miss (train, bus)
Normalbenzin	regular	schaffen	to do (manage)
Diesel, das Dieselöl	diesel	die Bushaltestelle (-n)	bus-stop

29.2

während + Genitiv

Beispiele
Während **der** Reise lasen Tom und Anna Zeitschriften.
Während **des** Tag**es** passierte viel.
Ich habe während **dieses** Jahr**es** viel Deutsch gelernt.

29.3 **Sind sie fertig?**

 Siehe die Aufgabe auf Seite 163.

29.4 Sind sie fertig?

Herr Müller	Anna! Bist du fertig? Es ist schon halb sieben.
Anna	Ich komme gleich. Wo ist Tom?
Herr Müller	Er tut seinen Rucksack in den Kofferraum. Mach schnell: Ich muss noch tanken.
Anna	Dafür haben wir viel Zeit.
Herr Müller	Ja, wenn du dich beeilen würdest.
Anna	Hier bin ich. Nur keine Panik! Ich werde mich während der Fahrt schminken.
Herr Müller	Also los!

29.5 Was ist los?

Siehe die Aufgabe auf Seite 163.

29.6 Was ist los?

Anna	Siehst du, Vati, dort drüben? Eine Tankstelle!
Herr Müller	Prima. So. Aber nicht zum Selbsttanken – macht nichts. Ich kann das Öl prüfen, während der Tankwart das Benzin einfüllt.
Tankwart	Guten Tag. Was soll es sein?
Herr Müller	Voll tanken, bitte. Anna, mach bitte die Haube auf. Ach nein, das reicht. Ich brauche kein Öl mehr. Also, was macht das?
Tankwart	Der Zettel, bitte. Sie bezahlen an der Kasse.
Herr Müller	Anna, du kannst das bezahlen, während ich die Reifen prüfe.
Anna	Vati! Es ist schon Viertel vor. Du hast keine Zeit, den Reifendruck zu prüfen!
Herr Müller	Nur keine Panik, hast du gesagt. Also geh! Nimm den Zettel und dieses Geld ...
Anna	Schon gut. Aber wenn wir den Zug verpassen ...
Herr Müller	Kein Problem. Los! Mach schnell!

* * *

Anna	*(atemlos)* Geschafft.
Herr Müller	Danke, Anna. Alle einsteigen! Seid ihr angeschnallt?
Anna	Fahr schnell, Vati. Die Zeit vergeht.
Tom	Mm, fährt dieser Wagen mit Diesel oder Benzin?
Herr Müller	Benzin. Bleifrei. Warum?
Tom	Der Mann hat Ihnen Dieselöl gegeben.
Herr Müller	Diesel? Oh nein! Ich hätte nicht gedacht, dass er so ein Trottel ist!
Anna	Was machen wir jetzt?
Herr Müller	Mit Diesel fahre ich den Wagen nicht. Ihr müsst den Bus nehmen.
Anna	Bei diesem Regen?
Tom	Komm, sonst verpassen wir den Zug. Wo ist die nächste Haltestelle?
Anna	Ach Gott!

29.7

Auf der Tankstelle	
Voll tanken, bitte.	Prüfen Sie bitte das Öl. das Wasser. den Reifendruck.

ZÜGE

29.8

die Bahn (-en)	track; railway	**abfahren*** (trenn.)	to depart
die Eisenbahn	railway	**die Abfahrt** (-en)	departure
DB (= Deutsche Bahn)	(German rail company)	**die Ankunft** (-künfte)	arrival
der Hauptbahnhof	main railway station	**der Fahrplan** (-pläne)	timetable
		die Fahrkarte (-n)	ticket
der EC (EuroCity)	trans-Europe express	**das Gleis** (-e)	platform; line
		halten*	to stop
der ICE		**steigen***	to climb
(InterCityExpress)	intercity express	**einsteigen*** (trenn.)	to get on
der IR (InterRegio)	regional express	**aussteigen*** (trenn.)	to get off
der IC-Zug	intercity train	**umsteigen*** (trenn.)	to change
der Eilzug	fast stopping train	**die Verbindung** (-en)	connection
über (+ Akk.)	via	**die Verspätung** (-en)	delay

29.9 **Zeichenerklärung**

Sieh dir die DB-Broschüre an. Sortiere die Zeichen und ihre Erklärungen. Welche passen zusammen?

Zeichenerklärung

ICE =		Montag Fahrtrichtungswechsel *InterRegio*
EC =	Mo =	*Schnellzug* *RegionalExpress*
IC =	Di =	Schifffahrtslinie
IR =	Mi =	Samstag *S-Bahn* *InterCity*
D =	Do =	Mittwoch
RE =	Fr =	Sonntag Dienstag Buslinie *StadtExpress*
RB =	Sa =	*RegionalBahn*
SE =	So =	Donnerstag *InterCityExpress* (besonderer Fahrpreis)
⑤ =	↔ =	Freitag *EuroCity*
🚌 =		

29.10 **DB**

1. Bis wie viel Uhr muss man aus Leipzig abfahren, wenn man für 59,00 DM nach Köln reisen will?
2. Kann man mit dem ICE für 59,00 DM von Leipzig nach Köln fahren?
3. Kann man zum gleichen Preis auch am Wochenende fahren?
4. Wie viel spart man vom Normalpreis, wenn man samstags um 15.38 Uhr von Leipzig nach München fährt?
5. Woher bekommt man weitere Informationen über preiswerte DB-Tarife?

Viele Maschinen bringen Sie von Leipzig nach Köln.

Aber nur eine für 59,00!

In EC/IC, IR täglich von 19 bis 2 Uhr. (Freitag und Sonntag Aufpreis 15 DM)

Noch günstiger durch Deutschland düsen: mit dem erweiterten Guten-Abend-Ticket, samstags jetzt schon von 14 bis 2 Uhr, wohin Sie wollen - und wenn Sie es schaffen auch wieder zurück!

Sie sparen zum Normalpreis

z.B.	Leipzig Hbf	ab	15:52 Uhr	**103,00**
	Köln Hbf	an	21:49 Uhr	
	Leipzig Hbf	ab	14:22 Uhr	**72,20**
	Hamburg Hbf	an	18:47 Uhr	
	Leipzig Hbf	ab	15:38 Uhr	**78,00**
	München Hbf	an	21:15 Uhr	

Aber auch mit den anderen Angeboten wie Sparpreis, Mitfahrerpreis oder BahnCard sind Sie mit uns immer preiswert unterwegs. Fragen Sie einfach nach dem für Sie günstigsten Tarif. Bei Fahrkartenausgaben und allen Reisebüros mit DB-Lizenz bzw. über T-Online *DB#, Internet www.bahn.de oder CompuServe go bahn.

29.11 **Bahnfahren und sparen**

1. Wie lange dauert die Reise mit dem IC-Zug zwischen Leipzig und Berlin?
2. Kann man mit dem Zug direkt von Leipzig nach Frankfurt am Main fahren?
3. Was kostet die Fahrt mit einer Bahncard zwischen Leipzig und Nürnberg?
4. Zwei Erwachsene reisen zusammen mit dem Zug von Leipzig nach Hannover, aber sie haben keine Bahncard. Wie viel weniger würde jede Person mit einer Bahncard bezahlen?
5. Mit welchem Zug fährt man am schnellsten von Leipzig nach Hamburg?

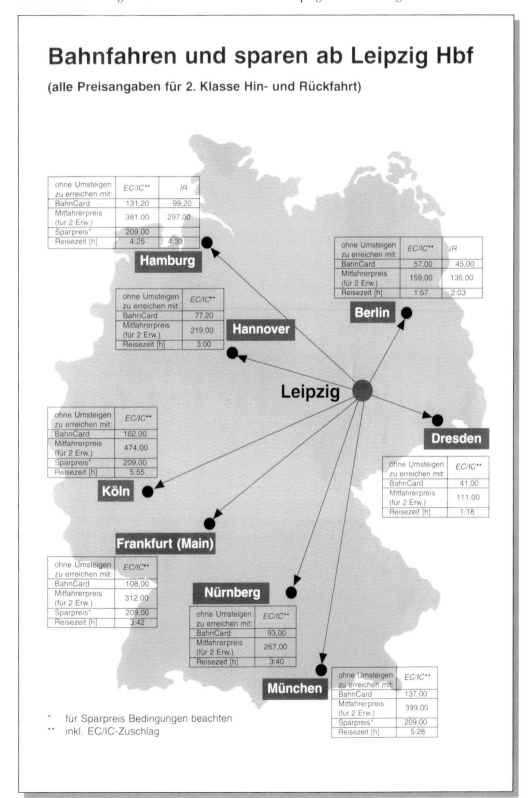

Bahnfahren und sparen ab Leipzig Hbf

(alle Preisangaben für 2. Klasse Hin- und Rückfahrt)

Hamburg

ohne Umsteigen zu erreichen mit:	EC/IC**	IR
BahnCard	131,20	99,20
Mitfahrerpreis (für 2 Erw.)	381,00	297,00
Sparpreis*	209,00	
Reisezeit [h]	4:25	4:33

Berlin

ohne Umsteigen zu erreichen mit:	EC/IC**	IR
BahnCard	57,00	45,00
Mitfahrerpreis (für 2 Erw.)	159,00	135,00
Reisezeit [h]	1:57	2:03

Hannover

ohne Umsteigen zu erreichen mit:	EC/IC**
BahnCard	77,20
Mitfahrerpreis (für 2 Erw.)	219,00
Reisezeit [h]	3:00

Leipzig

Dresden

ohne Umsteigen zu erreichen mit:	EC/IC**
BahnCard	41,00
Mitfahrerpreis (für 2 Erw.)	111,00
Reisezeit [h]	1:18

Köln

ohne Umsteigen zu erreichen mit:	EC/IC**
BahnCard	162,00
Mitfahrerpreis (für 2 Erw.)	474,00
Sparpreis*	209,00
Reisezeit [h]	5:55

Frankfurt (Main)

ohne Umsteigen zu erreichen mit:	EC/IC**
BahnCard	108,00
Mitfahrerpreis (für 2 Erw.)	312,00
Sparpreis*	209,00
Reisezeit [h]	3:42

Nürnberg

ohne Umsteigen zu erreichen mit:	EC/IC**
BahnCard	93,00
Mitfahrerpreis (für 2 Erw.)	267,00
Reisezeit [h]	3:40

München

ohne Umsteigen zu erreichen mit:	EC/IC**
BahnCard	137,00
Mitfahrerpreis (für 2 Erw.)	399,00
Sparpreis*	209,00
Reisezeit [h]	5:28

*   für Sparpreis Bedingungen beachten
**   inkl. EC/IC-Zuschlag

29.12 **Fernverkehrsverbindungen**

1. Kann man mit dem Zug direkt von Salzburg in Österreich nach München in Deutschland fahren?
2. Ich möchte mit dem Zug von Mainz nach Magdeburg fahren. Über welche großen Städte fahre ich?
3. Wie fahre ich am besten mit dem Zug von Basel in der Schweiz nach Kassel?
4. Gibt es eine direkte Zugverbindung zwischen Kassel und Halle?
5. Ich bin in Dänemark und will nach Polen reisen. In welchen deutschen Städten muss ich umsteigen?

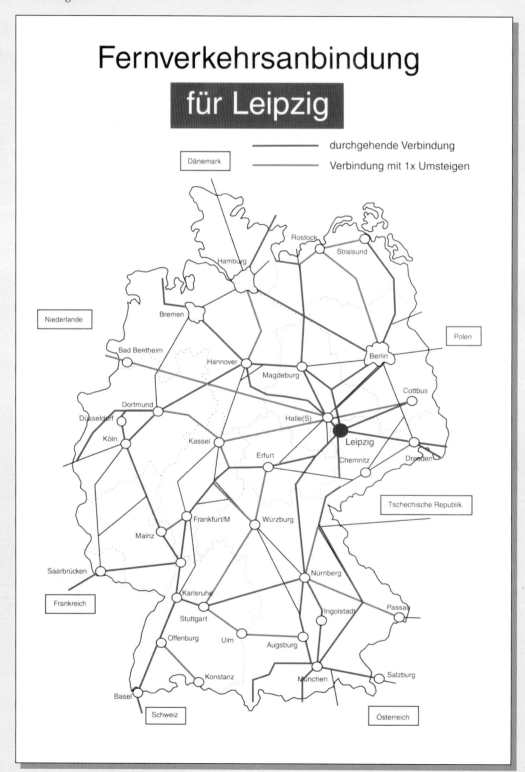

29.13 Auskünfte über Züge

Wann
Um wie viel Uhr   fährt der Zug nach Berlin ab?
Von welchem Gleis

Wann kommt der Zug in Berlin an?
Hat der Zug Verspätung?

29.15 29.14 **Wann fährt der nächste Zug?**

Siehe die Aufgabe auf Seite 163.

29.15 29.15 **Wann fährt der nächste Zug?**

Anna Wir haben doch den Zug verpasst. Es ist schon acht Uhr.
Tom Wann fährt der nächste Zug ab?
Anna Da müssen wir auf den Fahrplan gucken. Wo ist die Tafel? Ah, dort drüben! Siehst du, „Abfahrt"?
Tom Schauen wir mal. Mm. Es gibt einen Zug um 10 Uhr 22. Er kommt ungefähr zwei Stunden später in Berlin an. Ohne Umsteigen. Das ist doch in Ordnung, oder?
Anna Wenn's sein muss. Kommt er am Berliner Ostbahnhof an?
Tom Der Fahrplan sagt „Wannsee", „Zoologischer Garten" und „Spandau".
Anna In Wannsee können wir aussteigen. Die Jugendherberge ist doch am Wannsee.
Tom Also kein Problem. Machen wir das. Von welchem Gleis fährt der Zug?
Anna Gleis sieben. Wie lange haben wir, bis der Zug abfährt?
Tom Noch zwei Stunden. Und die Fahrkarten haben wir schon.
Anna Komm, trinken wir eine Tasse Schokolade.
Tom Also los!

Hauptbahnhof Leipzig

Wie komme ich am besten dorthin?

Die zwei Reisenden kommen mit dem Zug in Berlin an.
Aber unerwartete Probleme stehen ihnen bevor ...

DIE ANKUNFT

30.1

Wie fragt man nach dem Weg?

Wie komme ich am besten   nach Berlin?
                               zur Jugendherberge?
                               zum Badeweg?

30.2

diese Straße hinunter	*down this street*	**die Station (-en)**	*station (for S- and U-Bahn)*
abbiegen* (trenn.)	*to turn*		
die Allee (-n)	*avenue*	**die U-Bahn**	*underground (railway)*
die Richtung (-en)	*direction*		
überqueren	*to cross*	**an** (+ Dat.) **... vorbei**	*past*
die (Verkehrs)ampel	*traffic lights*	**geradeaus**	*straight on*
die (Straßen)kreuzung	*crossroads*	**erreichen**	*to reach*
sich verirren	*to get lost*		

30.3   **Entschuldigen Sie bitte!**

Sieh dir den Stadplan an. Tom und
Anna verirren sich und befinden sich
in der Spanischen Allee. Eine Dame
hilft ihnen, die Jugendherberge zu
finden, aber sind ihre Auskünfte
richtig?

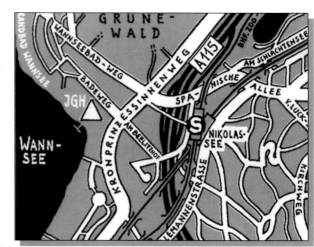

30.4 **Entschuldigen Sie bitte!**

Anna Ach, Wannsee, hier steigen wir aus.

Tom Kannst du mir bitte mit meinem Rucksack helfen? Danke. Puh, schwer!

Anna Komm, steig aus! Die Türen schließen gleich.

Tom Geschafft. Jetzt gehen wir zu Fuß.

*　　*　　*

Tom Anna, wo liegt die Jugendherberge?

Anna Am Wannsee. Aber der Wannsee ist riesengroß. Hast du die Broschüre?

Tom Ja. Schauen wir mal ... Es gibt keinen Bahnhof hier auf dem Stadtplan, nur eine S-Bahn-Station.

Anna Dort sind wir, glaube ich. Oder?

Tom Ich habe keine Ahnung. Wir müssen mal fragen.

*　　*　　*

Tom Entschuldigen Sie bitte, wie kommen wir am besten zur Jugendherberge?

Dame Zur Jugendherberge? Ganz einfach. Sie ist in dieser Richtung. Gehen Sie diese Straße hinunter, biegen Sie links ab, dann kommen Sie zu einer Kreuzung. Das ist der Kronprinzessinnenweg. Sie überqueren diese Straße an der ersten Verkehrsampel und gehen dann links. Sie sehen einen Zeitungsstand und danach nehmen Sie die erste Straße rechts. Dann ist die Jugendherberge auf der rechten Seite.

Tom Danke schön. Ist das weit von hier?

Dame Ach nein, fünf Minuten zu Fuß. Sie sind jung und fit!

Anna Gehen wir am Wannsee vorbei?

Dame Nee, nee, die Jugendherberge ist direkt am Wannsee.

Anna Also ich wiederhole. Hier geradeaus und dann links in den Kronprinzessinnenweg. Über die Straße und wieder links ...

Dame Nein, rechts.

Anna Rechts ...

Dame In den Badeweg ...

Anna Und dann erreichen wir die Jugendherberge, die auf der rechten Seite liegt.

Dame Richtig.

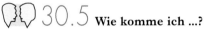 30.5 **Wie komme ich ...?**

Partnerarbeit: Seht euch diesen Stadtplan an, und stellt euch gegenseitig Fragen. Beginnt mit den Beispielen und dann denkt euch weitere Fragen aus. (DJH = **D**eutsche **J**ugend**h**erberge)

Beispiele

1. A, du bist an der U-Bahn-Station und willst zur Jugendherberge gehen. Was sagst du? (B antwortet.)

2. B, du stehst neben der Jugendherberge und willst zum Sportplatz gehen. Was sagst du? (A antwortet.)

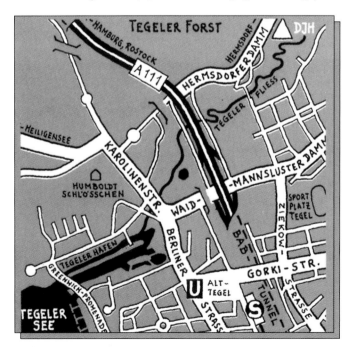

WANN SEHEN WIR UNS?

30.6

> **vor + Zeit (im Dativ)** ... *ago*
>
> **Beispiele**
> Onkel Oskar ist **vor zwei Jahren** nach Amerika gefahren.
> **Vor drei Tagen** hat es geschneit.

30.7

vorbeikommen* (trenn.)	*to drop by*	**fließend**	*fluent*
vermissen	*to miss*	**gespannt**	*excited*
vermisst werden	*to be missing*	**wahrscheinlich**	*probably*
jemand	*someone*	**einverstanden**	*agreed*
mitbringen* (trenn.)	*to bring*	**sich erinnern an etwas** (+ Akk.)	*to remember something*
begleiten	*to accompany*	**sich verabschieden**	*to leave, to say goodbye*
zu Mittag essen*	*to have a midday meal*	**alle**	*all gone*
zu Abend essen*	*to have an evening meal*	**deutlich**	*clear; clearly*
		in der Nähe von	*in the vicinity of, near*
der Ausländer (-)	*foreigner*	**zuletzt**	*last(ly)*

 30.8 **Wir kommen vorbei**

Siehe die Aufgabe auf Seite 163.

 30.9 **Wir kommen vorbei**

Anna Hallo? Jutta? Hier Anna Müller.
Jutta Anna! Wie geht's? Wir haben dich bei der Weihnachtsparty vermisst!
Anna Ach, das war doch schon vor vier Monaten! Es tut mir Leid. Ich war krank.
Jutta Wo bist du jetzt?
Anna Ich bin in Berlin, am Wannsee.
Jutta Seit wann?
Anna Wir sind seit einer Stunde hier.
Jutta Wir?
Anna Ich habe jemanden mitgebracht. Tom begleitet mich. Er ist Ausländer, kommt aus England, aber spricht fast fließend Deutsch. Wir übernachten in der Jugendherberge, aber können wir vielleicht zu euch zum Essen kommen?
Jutta Ja klar! Essen wir zu Mittag zusammen?
Anna Nein, zu Abend, wenn das geht.
Jutta Prima. Ich freue mich darauf. Ich bin ganz gespannt. Wir können uns auf Englisch mit deinem Freund unterhalten. Das wird ein schöner Abend!
Anna Er soll kein Englisch reden: Er ist Austauschschüler und ist hierhergekommen, um Deutsch zu sprechen.

Jutta Heute kann er die Regeln verletzen: Das kann als Bezahlung für das Essen gesehen werden!

Anna Wann sehen wir uns?

Jutta Sagen wir um sieben Uhr? Dann ist auch Robert wieder zu Hause.

Anna Einverstanden. Und wie kommen wir am besten zu euch?

Jutta Am besten mit der S-Bahn von Nikolassee. Steigt am Potsdamer Platz aus. Dann geht zu Fuß in die Tiergartenstraße.

Anna Daran erinnere ich mich. Ich bin seit langem nicht dort gewesen, aber die Tiergartenstraße habe ich nicht vergessen. Hast du noch deine schöne Katze?

Jutta Leider nicht. Sie wird seit einem Monat vermisst. Vor vier Wochen ist sie hinausgegangen und nie zurückgekommen. Wahrscheinlich tot.

Anna Sag das nicht. Vielleicht ist sie noch in der Nähe.

Jutta Ich glaube nicht. Aber du kommst, und das ist schön. Ich freue mich darauf.

Anna Ich muss mich jetzt verabschieden, das Geld ist alle.

Jutta Also tschüs! Bis bald!

Anna Bis heute Abend! Tschüs!

30.10 Seit wann?

Wenn die Antwort oben gegeben wird, dann schreibe die Wahrheit. Wenn du die Antwort im Text nicht findest, dann denk dir eine aus.

1. Seit wann kennt Anna Jutta und Robert?
2. Seit wann ist die Katze nicht mehr da?
3. Vor wie vielen Stunden sind Tom und Anna in Berlin angekommen?
4. Vor wie vielen Jahren ist Anna zuletzt in der Tiergartenstraße gewesen?
5. Vor wie vielen Monaten war die Weihnachtsparty bei Robert und Jutta?

30.11 Willkommen!

Siehe die Aufgabe auf Seite 163.

30.12 Willkommen!

Jutta Hallo! Willkommen in Berlin!

Anna Darf ich euch Tom vorstellen? Tom, das ist Jutta und das ist Robert.

Robert Guten Abend. Kommt herein. So, das ist ja wirklich schön. Du kommst aus England, ja?

Jutta Anna, was hast du denn da?

Anna Das sind Blumen für dich. Wir haben auch noch etwas anderes. Wir haben sie draußen vor der Tür gefunden, aber sie wollte nicht mit nach oben kommen. Kommt mal mit nach unten, aber schnell, beeilt euch!

Jutta Kann das sein? Wirklich?

Anna Sie ist doch getigert?

Jutta Ja, deutlich getigert und mit weißen Pfoten.

Anna Also ...

Jutta Meine Mimi, mein Kätzchen! Komm doch her! Wo warst du? Anna, du bist wunderbar. Ich bin so froh! Miez, Miez!

30.13 Es ist so viel passiert!

Du bist Anna und schreibst an deine Eltern eine Postkarte aus Berlin. Was ist dort passiert? Wenn du viel zu sagen hast, darfst du natürlich einen Brief statt einer Postkarte schicken!

Nachwort

Es ist der Tag der Hochzeit. Anna und Tom hatten eine schöne Zeit in Berlin und sind gestern nach Leipzig zurückgekommen. Steffi und ihr neuer Ehemann feiern jetzt mit Familie und Freunden. Der arme Tom muss Hunderte von Fragen beantworten.

BEIM HOCHZEITSESSEN

Onkel Adelbert	Tom, mein Freund! Wie geht's dir?
Tom	Sehr gut, danke. Wie geht es Ihnen?
Onkel Adelbert	Meine liebe Frau glaubt, dass ich schon zu viel getrunken habe. Aber kein Problem. Mir geht's wunderbar. Die Steffi sieht schön aus, nicht wahr? Ich erinnere mich, als sie zwei Jahre alt war. Das scheint erst gestern gewesen zu sein. Komm, was trinkst du? Du hast kein Glas. Hol dir ein Glas Sekt und etwas zu essen. Alles steht dort drüben auf dem Tisch.
Anna	Tom, darf ich dir meinen Onkel Oskar vorstellen? Er ist gerade aus Amerika angekommen. Onkel Oskar, das ist Tom Robertson, mein Austauschpartner aus England.
Tom	Guten Tag. Es freut mich, Sie kennen zu lernen.
Onkel Oskar	Freut mich auch. Willkommen in Deutschland! Sie sprechen aber sehr gut Deutsch. Seit wann lernen Sie es?
Tom	Ich verstehe besser als ich spreche. Meine Großmutter war Deutsche. Als ich klein war, hat sie Deutsch mit mir zu Hause gesprochen, aber sie ist vor zehn Jahren gestorben.
Onkel Oskar	Das tut mir Leid. Kennst du schon Angelika? Sie ist Annas Cousine, also meine Nichte. Sie ist Studentin in Hamburg. Angelika, das ist Tom.
Angelika	Freut mich, Tom. Woher kommst du?
Tom	Ich komme aus England.
Angelika	Also ein Engländer! Englisch war mein Lieblingsfach. Ich liebe besonders Jane Austen. Magst du Jane Austen?
Tom	Nicht besonders. Ich lese lieber Krimis.
Angelika	Wo wohnst du in England?
Tom	Im Nordwesten, nicht weit von Liverpool. Die Stadt heißt Chester.
Angelika	Wie weit ist das von London?
Tom	Das ist 179 Meilen von London entfernt.
Angelika	Bist du dort geboren?
Tom	Nein, ich bin in einem kleinen Dorf in Ostengland geboren, das Brockdish heißt.
Angelika	Wohnst du lieber in der Stadt oder auf dem Lande?
Tom	Lieber auf dem Land, aber Chester mag ich auch.
Angelika	Chester kenne ich nicht. Was gibt es dort zu sehen?
Tom	Für Touristen gibt es viel zu tun. Man kann die römischen Überreste besichtigen und es gibt auch einen Dom aus dem zwölften Jahrhundert. Im Stadtzentrum gibt es viele Gebäude aus dem sechzehnten Jahrhundert. Die Stadt ist historisch sehr interessant.
Angelika	Ja, aber was gibt es dort für junge Leute?
Tom	Es gibt Clubs und Diskos und auch viele Sportmöglichkeiten.
Angelika	Für welche Fußballmannschaft bist du?
Tom	Ich bin Liverpool-Anhänger, aber die meisten meiner Freunde sind für Manchester United.

* * *

Alex	Hallo! Ich bin Alex. Ich habe „Manchester United" gehört und muss mit dir reden! Wie heißt du?
Tom	Ich heiße Tom Robertson.
Angelika	Das ist mein Bruder. Ein großer Fußballfan, wie ich! Hast du Geschwister?
Tom	Ja, ich habe einen Bruder und drei Schwestern.
Angelika	Und wie heißen sie?
Tom	Mein Bruder heißt Duncan und meine Schwestern heißen Lorna, April und May.
Angelika	Schöne Namen. Wie schreibt man „May"?
Tom	Wie den Monat, M-A-Y.
Angelika	Süß! Und wie alt sind sie?
Tom	Duncan ist 18, Lorna ist 14, und April und May sind sechs Jahre alt, fast sieben. Sie haben im April und Mai Geburtstag.

Angelika	Sie sind aber Zwillinge?
Tom	Ja. Sie sind in der Nacht vom 30. April zum 1. Mai geboren.
Angelika	Komisch! Und wie sehen deine Geschwister aus?
Tom	Die Zwillinge haben rote Haare und blaue Augen und sind natürlich noch klein. Duncan ist groß und hat dunkelblonde Haare und blaue Augen, und Lorna hat dunkles Haar.
Angelika	Hast du ein eigenes Zimmer, bei so einer großen Familie im Haus?
Tom	Nein, ich teile mir ein Zimmer mit meinem Bruder.
Angelika	Ist das ein großes Zimmer? Und wie sieht euer Haus aus?
Tom	Willst du alles über mein Leben wissen? Das ist doch langweilig!
Angelika	Dann sage ich nichts mehr.
Alex	Ich mache diesen Sommer Urlaub in England. Also eigentlich keinen richtigen Urlaub. Das ist ein Schulaustausch, wie deiner. Wir fahren nach Winchester.
Tom	Was für eine Schule ist das?
Alex	Ich bin nicht sicher. Eine Gesamtschule, glaube ich. Sie hat ungefähr tausend Schüler.
Tom	Nur Jungen?
Alex	Nee, nee, Mädchen auch. Ich werde bei meinem Brieffreund David wohnen.
Tom	Ist er nett?
Alex	Ja, sehr nett, aber er hat ein nutzloses Hobby: Er sammelt Schlüsselringe!
Angelika	Meistens sind Hobbys nutzlos. Was machst du in deiner Freizeit, Tom?
Tom	Ich fotografiere gern, ich spiele Klarinette, ich interessiere mich auch für Höhlenforschung.
Alex	Wo machst du das?
Tom	Manchmal in Yorkshire, manchmal in Nordwales. Letztes Jahr habe ich auch einige Höhlen an der Küste in Westirland besucht.
Alex	Welche Sportarten außer Höhlenforschung treibst du gern?
Tom	Im Winter gehe ich gern Ski laufen und im Sommer segele ich und ich mag Klettern, aber während der Woche mache ich nicht viel, weil ich immer bis zum späten Nachmittag in der Schule bin.

* * *

Anna	Bekommst du immer gute Noten in der Schule?
Tom	In den Sprachen und in Mathe geht es, aber nicht immer in den Naturwissenschaften. Die finde ich schwieriger und man muss immer so viel lernen.
Alex	Ich habe gehört, dass man in britischen Schulen eine Schuluniform trägt. Ist das wahr?
Tom	Die meisten Schulen haben eine Uniform.

	Unsere ist blau, schwarz und grau, also eine schwarze Jacke, eine gestreifte Krawatte, blau und schwarz, eine graue Hose und ein weißes Hemd.
Alex	Die Mädchen tragen eine Krawatte?
Tom	In meiner Schule gibt es keine Mädchen.
Alex	Ich habe auch gehört, dass die Schule erst um neun Uhr beginnt. Stimmt das?
Tom	Bei uns um zwanzig vor neun.
Alex	Wann habt ihr Pausen?
Tom	Die erste Pause ist um Viertel vor elf. Sie ist fünfzehn Minuten lang. Die Mittagspause ist um halb eins. Sie dauert eine Stunde. Am Nachmittag haben wir keine Pause.
Alex	Und wann endet der Schultag?
Tom	Um Viertel vor vier.
Alex	Was machst du danach?
Tom	Dann gehe ich nach Hause und mache meine Hausaufgaben. Ich sollte auch beim Abspülen und so weiter helfen, aber ich mache das selten. Ich gehe mit dem Hund spazieren und lese manchmal mit den Zwillingen.

* * *

Alex	Wann esst ihr abends?
Tom	Wir essen normalerweise um halb acht, aber es kann auch früher oder später sein.
Angelika	Bist du Vegetarier wie Anna?
Tom	Nein, ich esse gern Fleisch.
Angelika	Ich habe eine Allergie gegen Erdbeeren.
Anna	Du hast gerade Erdbeeren gegessen, oder sollte ich getrunken sagen? Schau mal dein Getränk an.
Angelika	Was denn? Ich sehe nichts.
Anna	Woher kommt die rosa Farbe?
Angelika	Ach nein, das ist unmöglich! Das schmeckt lecker.
Anna	Lecker, aber tödlich!
Angelika	Sterben werde ich auch nicht davon. Brechen vielleicht. Entschuldigung, ich muss aufs Klo, mir wird übel …
Tom	Anna, du hast Recht gehabt. Angelika ist wirklich sehr schön.
Anna	Tom, komm mit mir in den Garten.
Tom	Aber es regnet ….
Anna	Ich will mit dir sprechen.
Tom	Worüber?
Anna	Es ist privat.
Tom	Ich höre zu.
Anna	Nicht hier.
Tom	Heute Abend können wir reden.
Anna	Ich will dir jetzt etwas sagen.
Tom	Ich will noch etwas zu trinken holen.
Anna	Dann treffen wir uns draußen auf der Terrasse. In fünf Minuten.

* * *

(auf der Terrasse)

Tom	Ich habe auch ein Glas Sekt für dich geholt. Und ein Käsetörtchen. Bitte schön.
Anna	Danke. Prost!

Tom	Prost! Danke für deine Gastfreundschaft. Ich habe einen sehr guten Aufenthalt gehabt.
Anna	Bitte. Du bist ein guter Gast gewesen. Aber morgen fliegst du zurück nach England. Wann sehen wir uns wieder? Ich weiß, dass ich erst nächstes Jahr nach Chester reisen soll, und so lange will ich nicht warten.
Tom	Wir können uns Briefe schreiben.
Anna	Möchtest du nochmal zu Besuch kommen?
Tom	Ich möchte schon, aber ich weiß nicht, ob ich kann. Ich habe meine Prüfungen und so viel Arbeit. Aber du kommst doch sowieso nächsten Sommer nach Chester.
Anna	Ja, ich freue mich darauf. Was machst du nach den Prüfungen?
Tom	Nach den GCSE-Prüfungen diesen Sommer?
Anna	Nein, ich meine in zwei Jahren, nach der Schule.
Tom	Ich will ein Jahr zwischen Schule und Universität aussetzen. Ich möchte ein paar Monate in Deutschland arbeiten, um Arbeitserfahrungen in Europa zu machen. Am liebsten würde ich das in Stuttgart tun, bei Daimler-Chrysler. Oder bei Siemens in Karlsruhe. Aber ich weiß noch nicht, ob das möglich sein wird. Wenn ich darf, werde ich dich auch besuchen. Oder du kannst zu mir nach Baden-Württemberg zu Besuch kommen.
Anna	Einverstanden. Bleiben wir in Verbindung. Also bis nächstes Jahr! Prost!

Tom	Ist das alles?
Anna	Was meinst du?
Tom	Ich dachte, dass du mir etwas sagen wolltest.
Anna	Ja, aber ...
Tom	Bist du schüchtern?
Anna	Es ist nicht so einfach.
Tom	In Berlin war das einfach, oder?
Anna	In Berlin war es so schön.
Tom	Und jetzt?
Anna	Jetzt will ich dich küssen.
Tom	Hier bin ich.
Anna	Ich will sagen, dass ich dich mag.
Tom	Ich mag dich auch. Gehen wir in den Garten.
Anna	Und der Regen?
Tom	Das ist mir egal. Komm, gib mir deine Hand ...

* * *

Aufgabe 1: Schreibe eine alternative Szene auf der Terrasse. Vielleicht sind Tom und Anna nicht mehr so freundlich zu einander. Oder sind sie vielleicht sogar noch freundlicher?

Aufgabe 2: Sieh dir das Arbeitsblatt **„Die ganze Wahrheit"** an. Stell dir vor, dass du anstatt Tom bei der Hochzeitsparty bist und alle die Fragen dir gestellt werden. Wie antwortest du?

Prost!

Aufgaben zu den Hörübungen

 5.2 **Wo wohnen Tom und Anna?**

Welche Antwort ist richtig?
1. Tom wohnt in einem Bungalow.
2. Er wohnt in einem Hochhaus.
3. Er wohnt in einem Reihenhaus.
4. Er wohnt in einem Einzelhaus.
5. Er wohnt in einer Wohnung.

Und Anna? Wo wohnt sie?

 5.6 **Toms Haus**

Wo sind welche Zimmer in Toms Haus?
Erdgeschoss:
Stock 1:
Stock 2:

 5.23 **Das Wohnzimmer**

1. Wie viele Sessel gibt es in Annas Wohnzimmer?
2. Was steht in der Ecke?
3. Was gibt es für CDs und Kassetten?
4. Hat die Familie einen Computer?
5. Wo ist der Fernsehapparat?
6. Welche zwei Maschinen gibt es in der Küche?
7. Wie viele Stühle gibt es in der Küche?
8. Wo in der Küche ist die Uhr?
9. Gibt es hier Gas?
10. Was hört Anna am Ende?

 6.19 **Wie ist dein Alltag, Anna?**

1. Was macht Anna morgens?
2. Was macht sie nach dem Abendessen?
3. Wann beginnt und endet der Schultag?

 7.11 **Komm mal mit!**

1. Wie viele Schüler hat Annas Schule?
2. Ist Toms Schule größer oder kleiner als Annas?
3. Wie viele Lehrer hat Annas Schule ungefähr?

 7.19 **Annas Stundenplan**

Was hat Anna am Dienstag?

 8.6 **Wie findest du Mathe?**

Welche Fächer findet Tom schwierig?

 8.11 **Was macht Anna gern?**

Was macht Anna gern? Was macht sie nicht gern?
Schreibe zwei Listen.
Beispiel

gern	nicht gern
Mathe	Basketball

 9.10 **Familie Müller beim Frühstück**

1. Was isst Anna zum Frühstück?
2. Mag Tom Eier?
3. Trinkt Tom Tee mit oder ohne Milch?

 10.3 **Wo essen wir heute?**

Wo essen Stefan und Anna am liebsten? Wo essen sie heute Abend?

 10.7 **Vor dem Restaurant**

Die Familie steht vor dem Restaurant. Sie lesen die Speisekarte. Was gibt es zu essen?

 10.11 **Die Familie bestellt**

Was bestellen sie? Schreibe fünf Titel: <u>Herr M.</u>, <u>Frau M.</u>, <u>Anna</u>, <u>Tom</u>, <u>Stefan</u>. Dann höre gut zu und schreibe die Listen.

 10.19 **Die Rechnung**

1. Was ist das Problem?
2. Was kostet dieses Essen?

 11.6 **Stefan spielt Fußball**

Stefan ist im Tor, aber er hat ein Problem. Wo tut es weh?

 11.18 **Stefan bei der Ärztin**

1. Wie heißt die Ärztin?
2. Ist etwas gebrochen?
3. Was verschreibt die Ärztin Stefan?
4. Wie oft muss Stefan das Medikament einreiben?
5. Darf Stefan diese Woche Fußball spielen?

12.3 Tom geht zum Zahnarzt

Richtig oder falsch?
1. Tom hat seit zwei Jahren Diabetes.
2. Tom leidet manchmal unter Asthma.
3. Tom ist allergisch gegen Penizillin.
4. Tom hat Probleme beim Essen.
5. Tom hat Angst vor dem Zahnarzt.

12.8 Vor der Drogerie

Was braucht Frau Müller aus der Drogerie?

13.6 Wenn nicht jetzt, wann?

Wann wird Herr Stock Katis Hausaufgaben bekommen?

13.17 Wir haben ein Problem ....

1. Was kann Onkel Adelbert später machen?
2. Was muss er jetzt tun?
3. Was kann Tante Mona nicht finden?
4. Warum kann Tante Mona Liesels Handtücher nicht benutzen?
5. Was soll Onkel Adelbert tun?

13.21 Onkel Adelbert und das Fotoalbum

Wie heißen die Verwandten?
1. Onkel Adelberts Schwester heißt ...
2. Onkel Adelberts Nichte heißt ...
3. Toms Bruder heißt ...
4. Toms drei Schwestern heißen ...
5. Annas Vater heißt ...
6. Annas Stiefmutter heißt ...
7. Stefans Mutter heißt ...
8. Annas Halbbruder heißt ...
9. Liesels Ehemann heißt ...
10. Hans ist Stefans ...

15.1 Wer kommt?

Wer kommt zu Steffis Hochzeit? Schreibe zuerst eine Liste der Familie, dann höre zu und kreuze an. Hier sind die Möglichkeiten:

Onkel Oskar	Cousine Dora
Tante Mimi	Tante Barbara
Annas Großeltern	die Eltern von Annas Mutter
aus München	Annas Stieffamilie
Cousine Angelika	viele Freunde
Cousin Karl-Heinz	

15.3 Die Familie

Wie ist Annas Familie? Höre noch einmal dem Text auf der Kassette zu, und schreibe **a** oder **b**.
1. **Onkel Oskar** (a) super (b) süß
2. **Tante Mimi** (a) schüchtern (b) sympathisch
3. **Angelika** (a) schön (b) schüchtern
4. **Karl-Heinz** (a) nett (b) frech
5. **Dora** (a) hübsch (b) lieb

15.15 Boris und seine Tiere

Anna und Tom besuchen einen Freund. Er hat eine ganze Menge Haustiere! Welche Tiere sind das?

16.6 Wie sind deine Freunde?

Wie sind Annas Freunde? Wähle (a), (b) oder (c).
1. **Udo** (a) klug (b) neugierig (c) schlecht gelaunt
2. **Karen** (a) traurig (b) deprimiert (c) lebhaft
3. **Claudia** (a) frech (b) sportlich (c) grob
4. **Ralf** (a) laut (b) ruhig (c) lustig
5. **Herr Myrza** (a) humorvoll (b) neugierig (c) ungeduldig

17.7 Gehen wir ins Kino!

1. Was kostet es, den Film zu sehen?
2. In welcher Sprache ist der Film?
3. Hat Anna den Film schon gesehen?
4. Wem hat Ralf den Film empfohlen?
5. Was wollen Tom und Anna vor dem Film tun?

17.17 Wie verbringt Tom seine Freizeit?

1. Was macht Tom in der Stadt, wenn er Geld hat?
2. Wie ist die Stadt für Tom, wenn er kein Geld hat?
3. Welche Sportarten treibt Tom in Nordwales?
4. Kann man in Nordwales Ski fahren?
5. Was haben Stefan und Anna vor zwei Wochen gemacht?

18.2 Was macht Tom am Abend?

Fülle die Lücken aus:
1. An Wochentagen macht Tom abends seine ...
2. Manchmal bleibt er bis nach halb vier in der Schule, weil er ... hat.
3. Bevor er mit seinem Hund spazieren geht, ... er sich um und ... etwas.
4. Nach dem Spaziergang mit dem Hund sieht er ...
5. Tom hört ... oder ..., während er seine Hausaufgaben macht.

21.3 Beim Frühstück

1. Was haben Mona und Adelbert für diesen Sommer vor?
2. Wie oft ist die Familie Müller in den Urlaub nach Italien gefahren?
3. Was will Stefan mit der Schule machen?
4. Wo wohnt Onkel Oskar?
5. Was haben Anna und Tom für diese Woche vor?

21.15 Telefongespräch mit der Jugendherberge

1. Was kostet die Jugendherberge pro Nacht pro Person?
2. Ist das Frühstück inklusive?
3. Bis wie viel Uhr müssen Tom und Anna ankommen?

22.2 Komm, ich zeige dir alles!

Richtig oder falsch?
1. Paunsdorf ist ein Stadtteil von Leipzig.
2. Es ist am Stadtrand.
3. Leipzig ist eine kleine Stadt.
4. Anna will mit dem Bus in die Stadtmitte fahren.
5. Das Einkaufszentrum in Paunsdorf ist sehr alt.

22.7 Hat es dir gefallen?

1. Was war eine gute Idee?
2. Gibt es einen Spielplatz draußen?
3. Waren die alten Wohnblocks sehr schön?
4. Ist Leipzig eine ganz neue Stadt?
5. Welcher Komponist hat in der Thomaskirche gearbeitet?

22.14 Wie ist es bei dir?

Über welche Sehenswürdigkeiten sprechen Tom und Anna in diesem Dialog?

23.5 Schau mal hin!

Ist das preiswert? Mach drei Listen mit den Titeln billig, teuer, kostenlos.

24.7 Die Einkaufsliste

Schreib Annas Einkaufsliste auf.

24.12 Was kaufen sie?

Du brauchst deine Einkaufsliste von Aufgabe 24.7. Kreuze auf der Einkaufsliste an, was Anna und Claudia kaufen. Und kaufen sie sonst noch etwas?

25.11 Das Problem

1. Was ist Annas Problem?
2. Bis wann muss sie etwas Neues kaufen?
3. Wer kommt mit?

25.20 Kann ich Ihnen helfen?

Richtig oder falsch?
1. Anna will einen Rock umtauschen.
2. Sie hat den Artikel gestern gekauft.
3. Die Größe ist nicht richtig.
4. Sie hasst den Stil.
5. Rückgaben sind in diesem Geschäft unmöglich.

26.2 Ich möchte bitte Geld wechseln

1. Wie viel Geld will Tom wechseln?
2. Was will er auch einlösen?
3. Was will die Frau sehen?
4. Was hat er vergessen zu tun?
5. Was muss Tom mit dem Zettel tun?

26.8 Briefmarken, bitte

1. Wie viele Postkarten schickt Tom nach Großbritannien?
2. Wie viel kosten alle Briefmarken für seine Postkarten zusammen?
3. Was kostet es, das Paket zu schicken?
4. Was will Tom über das Telefonieren wissen?
5. Wo sind die Telefonzellen?

26.13 Die Sonnenbrille

1. Welches Problem hat Tom mit seiner Sonnenbrille?
2. Wie viel wird die Reparatur kosten?
3. Kann der Mann die Reparatur bis Donnerstag machen?

27.18 Schönbach ist besser!

Natürlich ist alles besser zu Hause bei Tante Mona. Aber warum? Hör dem Dialog zwischen ihr und Tom auf der Kassette zu und finde mindestens drei Gründe.

28.21 Und wenn es regnet?

Morgen fahren Anna und Tom mit dem Zug nach Berlin. Wie werden sie zum Bahnhof fahren?

29.3 Sind sie fertig?

1. Was macht Tom?
2. Was muss Herr Müller tun?
3. Ist Anna gestresst?

29.5 Was ist los?

1. Was will Annas Vater während des Tankens tun?
2. Was will Annas Vater danach tun?
3. Was ist am Ende das große Problem?

29.14 Wann fährt der nächste Zug?

1. Wann fährt der nächste Zug nach Berlin ab?
2. Müssen Tom und Anna umsteigen?
3. Von welchem Gleis fährt der Zug ab?

30.8 Wir kommen vorbei

1. War Anna auf der Weihnachtsparty?
2. Um wie viel Uhr sollen Anna und Tom bei Jutta sein?
3. An welcher S-Bahn-Station sollen sie aussteigen?
4. Wie heißt Juttas Straße?
5. Hat Jutta eine Katze?

30.11 Willkommen!

Was ist bei Jutta und Robert passiert?

Grammatik

Gender

In German every noun has a gender. There are three genders: masculine, feminine and neuter. The gender of a noun affects the endings of articles and adjectives used before it: they must be made to 'agree' with it. The tables on the following pages show how to do this.

In a dictionary or glossary the gender will normally be shown as follows:

> Lehrer m.
>
> *or* der Lehrer

Cases

The case shows a word's grammatical function in a sentence, e.g. to indicate who is doing something or what is having something done to it. The endings of articles, adjectives and pronouns, and sometimes of nouns, change to show which case they are in. This can be very helpful when you are trying to understand a German sentence. The tables on the following pages show the endings for the different cases.

There are four cases in German: nominative, accusative, genitive and dative. Their main uses are described below.

Nominative

This is used for the grammatical subject of a sentence, usually – but not always – the person or thing that is doing something. A noun or pronoun coming after the verb **sein** is always in the nominative.

> **Die Katze** frisst den Fisch.
> **Mein Bruder** heißt Andreas.
> **Deutscher Käse** schmeckt mir.
> Das ist **der Schuldirektor**.
> Wo sind **wir**?

Accusative

This has three main uses. Firstly, it is used for the direct object of a verb, usually the person or thing that is having something done to it. Secondly, it is used after certain prepositions, as listed on page 168. Thirdly, it is used in time expressions with no preposition.

> Ich brauche **einen Taschenrechner**.
> Hat dein Freund **blonde Haare**?
> Wir haben **euch** gesehen.
> Sie geht in **das Haus**.
> Ich kann ohne **meinen Walkman** nicht arbeiten.
> **Jeden Monat** fahre ich nach London.

Genitive

This is used to denote possession, often as an alternative to **von** + dative.

> der Name **meines Brieffreundes**
> diese Seite **der Familie**

Dative

This has two main uses. Firstly, it is used for the indirect object of a verb. Often, but not always, this means conveying the idea of 'to' something or someone, as in the English sentence, 'I gave the present to my mother'. In some instances, however, a German verb takes the dative for no apparent reason, e.g. **helfen**, **gefallen**, **gratulieren**. Secondly, the dative is used after certain prepositions, as listed on page 168.

> Ich gebe **dem Lehrer** die Bücher.
> Ich zeige **dir** die Sehenswürdigkeiten.
> Kannst du **meiner Familie** helfen?
> Ich nehme Brathähnchen mit **grünen Bohnen**.
> Wir wohnen in **der Stadt**.

Articles and Possessive Adjectives

The endings of articles and possessive adjectives depend on the gender and case of the word that follows. There are basically two types of ending, one for **ein**, **kein**, **mein**, **dein**, **sein**, **ihr**, **unser**, **euer**, **ihr** and **Ihr**, and the other for **der**, **dieser**, **welcher**, **jeder** and **jener**. Below are two examples of each type.

ein-type endings:

	masculine	feminine	neuter	plural
nominative	ein	eine	ein	-
accusative	einen	eine	ein	-
genitive	eines	einer	eines	-
dative	einem	einer	einem	-
nominative	ihr	ihre	ihr	ihre
accusative	ihren	ihre	ihr	ihre
genitive	ihres	ihrer	ihres	ihrer
dative	ihrem	ihrer	ihrem	ihren

der-type endings:

	masculine	feminine	neuter	plural
nominative	der	die	das	die
accusative	den	die	das	die
genitive	des	der	des	der
dative	dem	der	dem	den
nominative	dieser	diese	dieses	diese
accusative	diesen	diese	dieses	diese
genitive	dieses	dieser	dieses	dieser
dative	diesem	dieser	diesem	diesen

Nouns

All German nouns are spelt with a capital letter. The gender of each noun needs to be learnt individually. Nouns consisting of two or more elements, such as **Kassettenrekorder**, have the gender of the last element, in this case masculine because **Rekorder** is masculine.

Many verbs can be made into neuter nouns simply by putting a capital letter on the infinitive form. Such verbal nouns often correspond to the '-ing' form in English.

Das Kegeln kostet zu viel.
Ich habe nichts **zum Anziehen**.
Kannst du mir **beim Spülen** helfen?

Most masculine and neuter nouns add **-s** or **-es** in the genitive singular. The choice of **-s** or **-es** depends on the ending of the noun: **-s** is added to nouns ending in a vowel or the consonants **-l**, **-n** and **-r**, for example, while **-es** is added to nouns ending in **-s**, **-sch** and **-z**. For many nouns, however, both **-s** and **-es** are possible.

The plural form of each German noun needs to be learnt individually. Some useful guidelines, however, are given in the table below. An extra **-n** or **-en** is added in the dative plural, unless the nominative plural ends in **-s** or already ends in **-n**. Examples of both genitive singular and dative plural noun endings are given in the tables on page 166.

-n	almost all nouns ending in **-e**, e.g. **Schule**, **Auge**, plus most feminine nouns ending in **-el** and **-er**, e.g. **Schwester**
-en	most feminine nouns ending in a consonant, e.g **Zahl**, **Übung**
-nen	all feminine nouns ending in **-in**, e.g **Lehrerin**
-e	many masculine and neuter nouns, e.g. **Heft**, **Getränk**
-er	a few masculine and neuter nouns, e.g. **Bild**, **Licht**
¨	a few masculine nouns, e.g. **Garten**, **Bruder**
¨e	many masculine nouns, e.g. **Stuhl**, **Zahn**, plus some feminine nouns ending in a consonant, e.g. **Wurst**
¨er	many masculine and neuter nouns, e.g. **Mann**, **Buch**
-s	nouns ending in **-i** or **-o**, e.g. **Kuli**, plus many nouns of foreign origin, such as **Bungalow**
-	(no change) most masculine and neuter nouns ending in **-el**, **-en** and **-er**, e.g. **Spiegel**, **Fenster**, **Brötchen**

Where the plural involves adding an Umlaut (¨), the Umlaut is usually placed on the last **a**, **o** or **u** in the word, or on the **a** of the last **au** (e.g. **Haus → Häuser, Aufsatz → Aufsätze**).

Occasionally, masculine and neuter nouns have a dative singular form which ends in **-e**. This tends to occur in common or fixed phrases such as **zu Hause, auf dem Lande**.

There are two special types of noun which need to be learnt separately, adjectival and 'weak' nouns. Adjectival nouns are basically adjectives used as nouns. They retain their normal adjective ending as listed in the tables below, e.g.

ein Deutsch**er** *(masculine nominative,* ***ein****-type)*
der Deutsch**e** *(masculine nominative,* ***der****-type)*
mit einem Deutsch**en** *(masculine dative,* ***ein****-type)*
Verwandt**e** *(plural nominative/accusative, no article)*
der Verwandt**en** *(plural genitive,* ***der****-type)*

'Weak' nouns are nouns which end in **-n** or **-en** in all cases except the nominative singular. They can be identified in the dictionary by their genitive singular form in **-n** or **-en**, rather than the usual **-s** or **-es**. They are almost always masculine, e.g.

	singular	*plural*
nominative	der Mensch	die Menschen
accusative	den Menschen	die Menschen
genitive	des Menschen	der Menschen
dative	dem Menschen	der Menschen

Adjectives

Adjectives which refer back to a noun or pronoun already mentioned do not take an ending, e.g.

Ihre Haare sind **lockig**.   Sie ist **intelligent**.

Adjectives placed in front of a noun take an ending depending on case and gender. There are three types of adjectival ending, as follows:

After **der, dieser, welcher, jeder** and **jener**:

	masculine	*feminine*	*neuter*	*plural*
nom.	der neu**e** Pulli	die neu**e** Jacke	das neu**e** Kleid	die neu**en** Kleider
acc.	den neu**en** Pulli	die neu**e** Jacke	das neu**e** Kleid	die neu**en** Kleider
gen.	des neu**en** Pullis	der neu**en** Jacke	des neu**en** Kleids	der neu**en** Kleider
dat.	dem neu**en** Pulli	der neu**en** Jacke	dem neu**en** Kleid	den neu**en** Kleidern

After **ein, kein, mein, dein, sein, ihr, unser, euer, ihr, Ihr**:

	masculine	*feminine*	*neuter*	*plural*
nom.	mein neu**er** Pulli	meine neu**e** Jacke	mein neu**es** Kleid	meine neu**en** Kleider
acc.	meinen neu**en** Pulli	meine neu**e** Jacke	mein neu**es** Kleid	meine neu**en** Kleider
gen.	meines neu**en** Pullis	meiner neu**en** Jacke	meines neu**en** Kleids	meiner neu**en** Kleider
dat.	meinem neu**en** Pulli	meiner neu**en** Jacke	meinem neu**en** Kleid	meinen neu**en** Kleidern

When there is no article in front of the adjective:

	masculine	*feminine*	*neuter*	*plural*
nom.	deutsch**er** Käse	kalt**e** Milch	frisch**es** Brot	neu**e** Kleider
acc.	deutsch**en** Käse	kalt**e** Milch	frisch**es** Brot	neu**e** Kleider
gen.	deutsch**en** Käses	kalt**er** Milch	frisch**en** Brotes	neu**er** Kleider
dat.	deutsch**em** Käse	kalt**er** Milch	frisch**em** Brot	neu**en** Kleidern

NB The 'no article' ending is used after **viele** and after numerals when they do not follow an article, e.g.

viele gut**e** Freunde   zwei neu**e** Geschäfte

Numerals

The ordinal forms of German numerals are as follows, with irregular forms highlighted:

1st	**erst-**	6th	sechst-	11th	elft-	100th	hundertst-
2nd	zweit-	7th	**siebt-**	12th	zwölft-	1000th	tausendst-
3rd	**dritt-**	8th	**acht-**	13th	dreizehnt-		
4th	viert-	9th	neunt-	20th	zwanzigst-		
5th	fünft-	10th	zehnt-	30th	dreißigst-		

These forms take normal adjectival endings, e.g.

Das war mein erst**er** Besuch in Deutschland.
Wir fahren am zweiundzwanzigst**en** Mai nach Leipzig.

Adverbs

Most German adjectives can be used as adverbs without any change, e.g.

Ich lebe **gesund**.
Du fährst zu **schnell**.

Comparison of Adjectives and Adverbs

For the comparative form, most adjectives and adverbs add -**er** and add an Umlaut to the vowel if possible. For the superlative, adjectives add -**st** and Umlaut. The superlative form of adverbs is **am -sten**, also with Umlaut.

adjective/adverb	comparative	superlative adjective	superlative adverb
warm	wärmer	wärmst-	am wärmsten
intelligent	intelligenter	intelligentest-	am intelligentesten
schön	schöner	schönst-	am schönsten

The following are common irregular forms (**gern** is an adverb only):

adjective/adverb	comparative	superlative adjective	superlative adverb
hoch	höher	höchst-	am höchsten
nah	näher	nächst-	am nächsten
gut	besser	best-	am besten
gern	lieber	–	am liebsten

Comparative and superlative adjectives take an adjective ending when they come before a noun, e.g.

Das ist meine best**e** Freundin.
Ich freue mich auf wärmer**es** Wetter.

Pronouns

Pronouns vary according to case as follows:

	nominative	accusative	dative	possessive adjective
I	ich	mich	mir	mein
you (s. inf.)	du	dich	dir	dein
he/it	er	ihn	ihm	sein
she/it	sie	sie	ihr	ihr
it	es	es	ihm	sein
we	wir	uns	uns	unser
you (pl. inf.)	ihr	euch	euch	euer
they	sie	sie	ihnen	ihr
you (formal)	Sie	Sie	Ihnen	Ihr
one	man	einen	einem	sein
who?	wer?	wen?	wem?	wessen?

The indefinite article can be used as a pronoun, e.g.

Hast du eine Taschenlampe? – Ja, hier ist **eine**.

Special forms for these pronouns are used in the masculine and neuter nominative:

Er ist ein**er** meiner besten Freunde.
Möchten Sie zwei Bücher? – Nein, nur ein**(e)s**.

Relative pronouns (i.e. the equivalent of 'who/which/that') in the nominative case have the same form as the definite article, e.g.

Hunde, **die** bellen, beißen nicht.
Er ist ein Junge, **der** nie arbeitet.

Prepositions

The majority of German prepositions fall into three groups, depending on which case or cases they take.

Prepositions which *always* take the *accusative*:

bis	*until*	gegen	*against*
durch	*through*	ohne	*without*
für	*for*	um	*around*

Er kann ohne seinen Walkman nicht arbeiten.
Sie gehen durch die Tür.
Hier ist ein Geschenk für Sie.

But: The phrase **was für** is followed by whichever case fits with the verb in the sentence, e.g.

Was für einen Pullover soll ich kaufen? *(accusative)*
Was für ein Pullover ist das? *(nominative)*

Prepositions which *always* take the *dative*:

aus	*from, out of, made of*	nach	*after*
bei	*near, at ...'s house*	seit	*since*
gegenüber	*opposite*	von	*of, from*
mit	*with*	zu	*to*

Mein Schlafzimmer ist gegenüber dem Badezimmer.
Wir wohnen seit letzter Woche in Berlin.
Ich komme heute Abend zu dir.

Prepositions which *sometimes* take the *accusative* and *sometimes* take the *dative*:

an	*to (+acc.), at (+dat.)*	neben	*next to*
auf	*on to (+acc.), on (+dat.)*	über	*about, over (+acc.), above (+dat.)*
entlang	*along*	unter	*under*
hinter	*behind*	vor	*before, ago (+dat.); in front of*
in	*into (+acc.), in (+dat.)*	zwischen	*between*

These prepositions take the accusative when there is movement from or to a location, e.g.

Ich gehe in **die** Stadt.
Sie fahren an **das** Meer.

They take the dative when there is no change of location, e.g.

Ich wohne in **der** Stadt.
Sie haben ein Haus an **dem** Meer.

When they are used in verb constructions with a non-literal meaning, such as **sich freuen auf**, the case has to be learnt separately for each construction.

Ich habe Angst vor deinem Hund. *(dative)*
Ich brauche Auskünfte über österreichische Jugendherbergen. *(accusative)*

NB The word **als**, meaning 'as' or 'than', is not a preposition and is often followed by a word in the nominative case, e.g.

Sie singt besser als **ich**.

Combinations of preposition + definite article may be abbreviated as follows:

an das	→ ans	in dem	→ im
an dem	→ am	von dem	→ vom
bei dem	→ beim	zu dem	→ zum
in das	→ ins	zu der	→ zur

To translate the idea of 'on it', 'under it', 'between them', etc., most prepositions may be prefixed with **da-** (when the preposition begins with a consonant) or **dar-** (when the preposition begins with a vowel), e.g.

Danach sind wir spazieren gegangen.
Wir streiten uns immer **darüber**.
Es hat nichts **damit** zu tun.

Verbs: Present Tense

The present tense in German is the equivalent of both 'I go' and 'I am going' in English. In addition, the present tense is used in German to express the idea that something has been happening (and still is happening) for a certain length of time, e.g.

Ich lerne Deutsch seit einem Jahr.   *I have been learning German for a year.*

Regular verbs take the following endings:

(*infinitive:* brauchen)

ich	brauch**e**	wir	brauch**en**
du	brauch**st**	ihr	brauch**t**
er/sie/es	brauch**t**	sie/Sie	brauch**en**

Verbs ending in -**ten** and -**den** have an extra **e** in the **du**, **er/sie/es** and **ihr** forms:

(*infinitive:* arbeiten)

ich	arbeit**e**	wir	arbeit**en**
du	arbeit**est**	ihr	arbeit**et**
er/sie/es	arbeit**et**	sie/Sie	arbeit**en**

Many irregular verbs have a different vowel in the **du** and **er/sie/es** forms, e.g.

(*infinitive:* fahren)

ich	fahre	wir	fahren
du	f**ä**hrst	ihr	fahrt
er/sie/es	f**ä**hrt	sie/Sie	fahren

Further examples of this type of irregularity are given in the list of verbs on pages 174-5. The terms 'strong' (**stark**) and 'weak' (**schwach**) are also used to denote irregular and regular verbs respectively.

The following common verbs have other irregularities in the present tense:

	sein	**haben**	**werden**	**dürfen**	**können**
ich	bin	habe	werde	darf	kann
du	bist	hast	wirst	darfst	kannst
er/sie/es	ist	hat	wird	darf	kann
wir	sind	haben	werden	dürfen	können
ihr	seid	habt	werdet	dürft	könnt
sie/Sie	sind	haben	werden	dürfen	können

	müssen	**sollen**	**wollen**	**mögen**	**wissen**
ich	muss	soll	will	mag	weiß
du	musst	sollst	willst	magst	weißt
er/sie/es	muss	soll	will	mag	weiß
wir	müssen	sollen	wollen	mögen	wissen
ihr	müsst	sollt	wollt	mögt	wisst
sie/Sie	müssen	sollen	wollen	mögen	wissen

The modal verbs **dürfen**, **können**, **müssen**, **sollen**, and **wollen** can all be used with an infinitive at the end of the clause or sentence, e.g.

Willst du **mitkommen**?
Ich darf heute Abend nicht ins Kino **gehen**.
Ich kann ihn gut **verstehen**, wenn er nicht zu schnell spricht.

Verbs: Conditional

The following verb forms, which are actually the imperfect subjunctive of **werden**, **mögen** and **haben**, are frequently used in everyday German to convey the conditional:

Ich **würde** ausgehen.   *I would go out.*
Ich **möchte** etwas essen.   *I'd like to eat something.*
Ich **hätte** gern die Suppe.   *I'd like to have the soup.*

ich	würde	möchte	hätte (gern)
du	würdest	möchtest	hättest (gern)
er/sie/es	würde	möchte	hätte (gern)
wir	würden	möchten	hätten (gern)
ihr	würdet	möchtet	hättet (gern)
sie/Sie	würden	möchten	hätten (gern)

169

Verbs: Future Tense

For the future tense, German uses the present tense of **werden** plus an infinitive at the end of the clause or sentence, e.g.

Wir werden viel Spaß **haben**.

Often, however, the present tense is used with a future meaning, especially when there is an adverb of time in the sentence, e.g.

Wir fahren nächste Woche in den Urlaub.

Verbs: Perfect Tense

The perfect tense is the most frequently used past tense of most verbs in German. It covers the meanings 'I did', 'I have done' and sometimes 'I was doing' and 'I used to do'.

The perfect tense consists of the present tense of either **haben** or **sein**, usually referred to as the 'auxiliary' verb, plus a past participle. The past participle normally goes to the end of the clause or sentence.

Verbs denoting movement or 'change of state', e.g. from being asleep to being awake, are usually conjugated with **sein** while other verbs are conjugated with **haben**. However there are some exceptions, such as **bleiben**, which goes with **sein** despite meaning 'to stay'.

In principle, the past participle of a regular verb is formed by removing the **-en** from the infinitive and adding **ge-** and **-t**, or **-et** if the verb stem ends in **-d** or **-t** already, e.g.

infinitive   *past participle*
brauch**en** **ge**brauch**t**
arbeit**en** **ge**arbeit**et**

However, there are some important exceptions to this rule:

Verbs which end in **-ieren** or which begin with an inseparable prefix such as **ver-** or **be-** do not add **ge-**, e.g.

infinitive   *past participle*
passieren passiert
verkaufen verkauft
bezahlen bezahlt

Verbs which begin with a separable prefix such as **ab-** or **auf-** add **-ge-** in the middle of the past participle, e.g.

infinitive   *past participle*
abspülen ab**ge**spült
aufräumen auf**ge**räumt

The past participles of irregular verbs need to be learnt separately. Please refer to the list on pages 174-5.

Verbs: Imperfect Tense

The imperfect tense is a single-word past tense. The difference in usage between the imperfect and perfect is generally more a matter of style than meaning. In particular, the imperfect is more common in writing than in speech and it is the usual tense of story-telling. However, there are a few verbs which are more commonly used in the imperfect than in the perfect, even in conversation. These include **sein**, **haben**, **werden** and the modal verbs.

The formation of the imperfect of these verbs is as follows:

	sein	haben	werden	dürfen	können	müssen	sollen	wollen
ich	war	hatte	wurde	durfte	konnte	musste	sollte	wollte
du	warst	hattest	wurdest	durftest	konntest	musstest	solltest	wolltest
er/sie/es	war	hatte	wurde	durfte	konnte	musste	sollte	wollte
wir	waren	hatten	wurden	durften	konnten	mussten	sollten	wollten
ihr	wart	hattet	wurdet	durftet	konntet	musstet	solltet	wolltet
sie/Sie	waren	hatten	wurden	durften	konnten	mussten	sollten	wollten

Modal verbs in the imperfect tense are followed by an infinitive at the end of the clause or sentence, e.g.

Ich wollte meine Freundin **anrufen**.
Musstet ihr in die Stadt **gehen**, um etwas zu essen?

For other verbs, there are basically two sets of endings, depending on whether the verb is regular or irregular.

The imperfect tense of a regular verb is formed by taking the **-en** off the infinitive and putting on endings as follows:

spielen

ich	spiel**te**
du	spiel**test**
er/sie/es	spiel**te**
wir	spiel**ten**
ihr	spiel**tet**
sie/Sie	spiel**ten**

The imperfect tense of an irregular verb is formed by combining the imperfect stem, which needs to be learnt separately for each verb, with endings as in the following examples:

	kommen	**gehen**	**geben**	**heißen**
ich	kam	ging	gab	hieß
du	kam**st**	ging**st**	gab**st**	hieß**est**
er/sie/es	kam	ging	gab	hieß
wir	kam**en**	ging**en**	gab**en**	hieß**en**
ihr	kam**t**	ging**t**	gab**t**	hieß**t**
sie/Sie	kam**en**	ging**en**	gab**en**	hieß**en**

Verbs: Imperative

Each verb in German has three different imperative or 'command' forms.

Familiar singular, i.e. when addressing one friend, relative or animal as **du**: Take the **-(e)n** off the infinitive and add either **-e** or no ending at all. Verbs ending in **-ten**, **-den** or a consonant cluster such as **-dnen** always have the **-e** ending. Most irregular or 'strong' verbs never have the **-e** ending. The prefix of a separable verb goes to the end of the clause.

infinitive	***du**-form command*
sein	sei
spielen	spiel(e)
abwaschen	wasch(e) ... ab
laufen	lauf(e)
arbeiten	arbeite
ordnen	ordne

Some irregular verbs retain the vowel change that they have in the **du** and **er/sie/es** forms of the present tense, as follows:

infinitive	***du**-form present tense*	***du**-form command*
brechen	du brichst	brich
essen	du isst	iss
geben	du gibst	gib
helfen	du hilfst	hilf
lesen	du liest	lies
nehmen	du nimmst	nimm
sehen	du siehst	sieh(e)
sprechen	du sprichst	sprich
treffen	du triffst	triff
vergessen	du vergisst	vergiss
werfen	du wirfst	wirf

Familiar plural, i.e. when addressing two or more friends, relatives or animals as **ihr**: Take the **-(e)n** off the infinitive and add **-t**, just as in the normal **ihr**-form of the present tense. The prefix of a separable verb goes to the end of the clause. The only irregularity is the verb **sein**.

infinitive	***ihr**-form command*
kommen	kommt
spielen	spielt
abwaschen	wascht ... ab
sein	seid

Formal or polite form, i.e. when addressing one or more strangers as **Sie**: Use the infinitive plus the word **Sie**. The prefix of a separable verb goes to the end of the clause. The only slight irregularity is, once again, the verb **sein**.

infinitive	***Sie**-form command*
kommen	kommen Sie
spielen	spielen Sie
abwaschen	waschen Sie … ab
sein	seien Sie

Separable Verbs

Separable verbs are verbs whose infinitive begins with a prefix such as **an-**, **auf-**, **fern-** or **vor-**. They are separable in the sense that, in the present tense, imperfect tense and command forms, the prefix normally goes to the end of the sentence.

Sie steht immer um 6 Uhr auf. (aufstehen)
Wir kamen in Berlin an. (ankommen)
Fangen Sie bitte sofort an! (anfangen)

In the perfect tense, the **ge-** is inserted in the middle of the past participle, which is then written as one word, e.g.

fernsehen   sie hat ferngesehen

In clauses of the '**zu** + infinitive' type, the **zu** is inserted in the middle of the infinitive, which is written as one word, e.g.

Ich habe vor, fernzusehen.

Reflexive Verbs

Reflexive verbs are verbs that are prefixed by the pronoun **sich** in the infinitive form. They often convey the meaning of doing something to oneself, as in **sich waschen**, 'to wash (oneself)', and **sich umziehen**, 'to get (oneself) changed'. The **sich** changes to agree with the subject of the sentence, as in the table below. With most verbs the accusative form of **sich** is used; however, the dative form is used with a few verbs where the meaning of **sich** is indirect, such as **sich vorstellen** in the sense of 'to imagine' (literally, 'to imagine to oneself').

	acc.	*dat.*		*acc.*	*dat.*
(ich)	mich	mir	(wir)	uns	uns
(du)	dich	dir	(ihr)	euch	euch
(er)	sich	sich	(sie)	sich	sich
(sie)	sich	sich	(Sie)	sich	sich
(es)	sich	sich			

Wir müssen **uns** zuerst umziehen.
Interessieren Sie **sich** für Kunstgeschichte?
Ich stelle **mich** vor. *(accusative: 'I introduce myself')*
Ich stelle **mir** vor. *(dative: 'I imagine')*
Hast du **dir** den Fuß verstaucht? *(dative)*

Verbs: Passive

The passive voice is used to stress what is being done, rather than who or what is doing it.

To form the present passive, the present tense of **werden** is combined with the past participle of the relevant verb, e.g.

Ein neues Schulgebäude **wird gebaut**. (' … is being built')
Jacken **werden getragen**. (' … are worn')

To form the imperfect passive, the imperfect tense of **werden** is combined with the past participle of the relevant verb, e.g.

Die Luft **wurde verschmutzt**. ('… was polluted')
Wir **wurden** am Bahnhof **abgeholt**. (' … were collected …')

Special Verb Constructions

gefallen + *dative*. Literally, **gefallen** means 'to please', but it is commonly used as the equivalent of 'to like' in English. The result is that the subject and object of the sentence may appear to be the wrong way round, e.g.

Die Aussicht gefällt mir.	*I like the view.*
Gefallen dir diese Souvenirs?	*Do you like these souvenirs?*
Diese Bilder gefallen uns nicht.	*We don't like these pictures.*

schmecken + *dative*. This follows a similar pattern to **gefallen** but is used when referring to food and drink, e.g.

Der Wein schmeckt ihr.	*She likes (the taste of) the wine.*

Spaß machen + *dative*. Literally, **Spaß machen** means 'to be fun/enjoyable (for someone)'. As with **gefallen**, however, care is needed because English tends to make the person who is doing the enjoying the subject of the sentence, rather than – as in German – the activity being enjoyed, e.g.

Es hat uns keinen Spaß gemacht.	*We didn't enjoy it.*
Deine Partys machen mir immer Spaß.	*I always enjoy your parties.*

etwas tun lassen. To say that someone is having something done, rather than doing it her/himself, German uses **lassen** + infinitive, e.g.

Ich muss meine Uhr reparieren lassen.	*I must have my watch repaired.*
Ich lasse mir die Haare schneiden.	*I'm having my hair cut.*

Word Order

In most German sentences, the verb is the second idea, e.g.

1	2	3
Meine Tante	kommt	morgen zu Besuch.
Morgen	kommt	meine Tante zu Besuch.
Wann	kommt	deine Tante zu Besuch?
Wenn sie Geburtstag hat,	kommt	meine Tante zu Besuch.

It follows that all adverbs, or adverbial phrases, at the start of a sentence are followed by inversion, e.g.

Ich helfe meinem Vater.	*but ...*	Jeden Tag helfe ich meinem Vater.
Claudia ist unhöflich.	*but ...*	Meiner Meinung nach ist Claudia unhöflich.
Wir sind ein bisschen albern.	*but ...*	In der Schule sind wir ein bisschen albern.

There is no inversion after the conjunctions **aber**, **denn** ('because'), **oder** and **und**, e.g.

Aber ich habe es dir doch gesagt!
Ich esse keine Chips, denn ich will fit bleiben.
Entweder kommst du zu meiner Wohnung, oder du kannst mich anrufen.
Und mein Taschenrechner ist jetzt kaputt.

Infinitives are normally placed at the end of the sentence. If the infinitive links back to a modal verb or a form of **werden**, it is used without **zu**. If the infinitive links back to another verb, such as **vorhaben** or **hoffen**, then **zu** must be placed in front of the infinitive or, if the infinitive is separable, inserted into the middle of the infinitive. The **zu** rule also applies to the construction **um ... zu** ('in order to').

Wir möchten gleich auspacken.
Du musst versuchen, weniger Alkohol zu trinken.
Ich hoffe, nächstes Jahr abzunehmen.
Sie geht in die Drogerie, um Zahnpasta zu kaufen.
Ich bleibe zu Hause, um mich auszuruhen.

Subordinating conjunctions, such as **dass**, **weil** and **wenn**, send the main verb to the end of the clause and are preceded by a comma, e.g.

Ich meine, Obst ist gesund.	*but ...*	Ich meine, dass Obst gesund ist.
Sie kann nicht beißen.	*but ...*	Weil sie nicht beißen kann.
Gabi ruft mich an.	*but ...*	Wenn Gabi mich anruft.

When a subordinate clause begins a sentence, it is followed by a comma and inversion, e.g.

Wenn ich es eilig habe, nehme ich die Straßenbahn.

Irregular Verbs

infinitive	er/sie/es form present tense	er/sie/es form perfect tense	er/sie/es form imperfect tense
abbiegen	biegt ... ab	ist abgebogen	bog ... ab
abnehmen	nimmt ... ab	hat abgenommen	nahm ... ab
abwaschen	wäscht ... ab	hat abgewaschen	wusch ... ab
anfangen	fängt ... an	hat angefangen	fing ... an
ankommen	kommt ... an	ist angekommen	kam ... an
anrufen	ruft ... an	hat angerufen	rief ... an
anziehen	zieht ... an	hat angezogen	zog ... an
aufheben	hebt ... auf	hat aufgehoben	hieb ... auf
aufschreiben	schreibt ... auf	hat aufgeschrieben	schrieb ... auf
aufstehen	steht ... auf	ist aufgestanden	stand ... auf
ausgeben	gibt ... aus	hat ausgegeben	gab ... aus
ausgehen	geht ... aus	ist ausgegangen	ging ... aus
auskommen	kommt ... aus	ist ausgekommen	kam ... aus
aussehen	sieht ... aus	hat ausgesehen	sah ... aus
aussteigen	steigt ... aus	ist ausgestiegen	stieg ... aus
ausziehen	zieht ... aus	hat ausgezogen	zog ... aus
backen	bäckt	hat gebacken	buk (or backte)
beginnen	beginnt	hat begonnen	begann
behalten	behält	hat behalten	behielt
beißen	beißt	hat gebissen	biss
bekommen	bekommt	hat bekommen	bekam
beschreiben	beschreibt	hat beschrieben	beschrieb
bleiben	bleibt	ist geblieben	blieb
braten	brät	hat gebraten	briet
brechen	bricht	hat gebrochen	brach
bringen	bringt	hat gebracht	brachte
denken	denkt	hat gedacht	dachte
dürfen	darf	hat gedurft	durfte
einladen	lädt ... ein	hat eingeladen	lud ... ein
einreiben	reibt ... ein	hat eingerieben	rieb ... ein
einschlafen	schläft ... ein	ist eingeschlafen	schlief ... ein
einsteigen	steigt ... ein	ist eingestiegen	stieg ... ein
empfehlen	empfiehlt	hat empfohlen	empfahl
erkennen	erkennt	hat erkannt	erkannte
essen	isst	hat gegessen	aß
fahren	fährt	ist gefahren	fuhr
fallen	fällt	ist gefallen	fiel
fangen	fängt	hat gefangen	fing
fernsehen	sieht ... fern	hat ferngesehen	sah ... fern
finden	findet	hat gefunden	fand
fliegen	fliegt	ist geflogen	flog
fließen	fließt	ist geflossen	floss
fressen	frisst	hat gefressen	fraß
frieren	friert	hat gefroren	fror
geben	gibt	hat gegeben	gab
gefallen	gefällt	hat gefallen	gefiel
gehen	geht	ist gegangen	ging
gewinnen	gewinnt	hat gewonnen	gewann
haben	hat	hat gehabt	hatte
halten	hält	hat gehalten	hielt
heißen	heißt	hat geheißen	hieß
helfen	hilft	hat geholfen	half
hereinkommen	kommt ... herein	ist hereingekommen	kam ... herein
kennen	kennt	hat gekannt	kannte
kommen	kommt	ist gekommen	kam
können	kann	hat gekonnt	konnte
lassen	lässt	hat gelassen	ließ
laufen	läuft	ist gelaufen	lief
leiden	leidet	hat gelitten	litt
leihen	leiht	hat geliehen	lieh

infinitive	**er/sie/es** form present tense	**er/sie/es** form perfect tense	**er/sie/es** form imperfect tense
lesen	liest	hat gelesen	las
liegen	liegt	hat gelegen	lag
mitbringen	bringt … mit	hat mitgebracht	brachte … mit
mitkommen	kommt … mit	ist mitgekommen	kam … mit
mögen	mag	hat gemocht	mochte
müssen	muss	hat gemusst	musste
nehmen	nimmt	hat genommen	nahm
nennen	nennt	hat genannt	nannte
raten	rät	hat geraten	riet
reiten	reitet	ist geritten	ritt
rennen	rennt	ist gerannt	rannte
riechen	riecht	hat gerochen	roch
rufen	ruft	hat gerufen	rief
scheinen	scheint	hat geschienen	schien
schlafen	schläft	hat geschlafen	schlief
schlagen	schlägt	hat geschlagen	schlug
schließen	schließt	hat geschlossen	schloss
schneiden	schneidet	hat geschnitten	schnitt
schreiben	schreibt	hat geschrieben	schrieb
schwimmen	schwimmt	ist geschwommen	schwamm
sehen	sieht	hat gesehen	sah
sein	ist	ist gewesen	war
singen	singt	hat gesungen	sang
sitzen	sitzt	hat gesessen	saß
sollen	soll	hat gesollt	sollte
sprechen	spricht	hat gesprochen	sprach
springen	springt	ist gesprungen	sprang
stattfinden	findet … statt	hat stattgefunden	fand … statt
stehen	steht	hat gestanden	stand
steigen	steigt	ist gestiegen	stieg
sterben	stirbt	ist gestorben	starb
streiten	streitet	hat gestritten	stritt
tragen	trägt	hat getragen	trug
treffen	trifft	hat getroffen	traf
treiben	treibt	hat getrieben	trieb
trinken	trinkt	hat getrunken	trank
tun	tut	hat getan	tat
umsteigen	steigt … um	ist umgestiegen	stieg … um
sich umziehen	zieht sich um	hat sich umgezogen	zog sich um
sich unterhalten	unterhält sich	hat sich unterhalten	unterhielt sich
unterschreiben	unterschreibt	hat unterschrieben	unterschrieb
unterstreichen	unterstreicht	hat unterstrichen	unterstrich
verbringen	verbringt	hat verbracht	verbrachte
vergessen	vergisst	hat vergessen	vergaß
verlassen	verlässt	hat verlassen	verließ
verlieren	verliert	hat verloren	verlor
verschreiben	verschreibt	hat verschrieben	verschrieb
verstehen	versteht	hat verstanden	verstand
vorbeikommen	kommt … vorbei	ist vorbeigekommen	kam … vorbei
vorziehen	zieht … vor	hat vorgezogen	zog … vor
wachsen	wächst	ist gewachsen	wuchs
waschen	wäscht	hat gewaschen	wusch
werden	wird	ist geworden	wurde
werfen	wirft	hat geworfen	warf
wissen	weiß	hat gewusst	wusste
wollen	will	hat gewollt	wollte
zunehmen	nimmt … zu	hat zugenommen	nahm … zu
zurückfahren	fährt … zurück	ist zurückgefahren	fuhr … zurück
zurückgeben	gibt … zurück	hat zurückgegeben	gab … zurück
zurückkommen	kommt … zurück	ist zurückgekommen	kam … zurück

Glossar zur Grammatik

das Adjektiv (-e)	adjective	**das Perfekt**	perfect tense
das Adverb (-ien)	adverb	**der Plural (-e)**	plural
der Akkusativ (-e)	accusative	**das Possessivpronomen (-)**	possessive pronoun
der Buchstabe (-n)	letter (of alphabet)	**die Präposition (-en)**	preposition
der Dativ (-e)	dative	**das Präsens**	present tense
die Endung (-en)	ending	**das Pronomen (-)**	pronoun
das Futur	future	**reflexiv**	reflexive
der Genitiv (-e)	genitive	**regelmäßig**	regular
der Hauptsatz (¨)	main clause	**das Relativpronomen (-)**	relative pronoun
der Imperativ	imperative	**sächlich**	neuter
das Imperfekt	imperfect or 'simple	**schwach**	weak, regular (verb)
	past' tense	**der Satz (¨e)**	sentence
der Infinitiv	infinitive	**das Satzglied (-er)**	clause, part of sentence
das Interrogativpronomen (-)	interrogative pronoun	**der Singular (-e)**	singular
das Komma (-s)	comma	**der Stamm**	stem (of verb)
der Komparativ	comparative	**stark**	strong, irregular (verb)
der Konditional	conditional (sentence)	**das Substantiv (-e)**	noun
die Konjunktion (-en)	conjunction	**der Superlativ**	superlative
männlich	masculine	**trennbar**	separable
der Nebensatz (¨e)	subordinate clause	**unregelmäßig**	irregular
das Nomen (Nomina)	noun	**das Verb (-en)**	verb
der Nominativ (-e)	nominative	**die Vorsilbe (-n)**	prefix
das Partizip (-ien)	participle	**weiblich**	feminine
das Partizip Perfect	past participle	**die Wortstellung**	word order
das Passiv	passive voice		

Glossar (Deutsch–Englisch)

A

ab (*adv.*) off, away
ab (+ *dat.*) from
abbiegen* (*sep.*) (*perf.* **sein**) to turn
der Abend (-e) evening
am Abend in the evening
zu Abend essen* to have an evening meal
das Abendessen evening meal
abends in the evening(s)
aber but
abfahren* (*sep.*) (*perf.* **sein**) to depart
die Abfahrt (-en) departure
abgemacht agreed
abholen (*sep.*) to collect, to fetch
das Abitur (*equivalent of A Levels*)
abmachen (*sep.*) to agree
abnehmen* (*sep.*) to lose weight
abräumen (*sep.*) to clear up/away
abschreiben* (*sep.*) to copy out
abspülen (*sep.*) to wash up
abtrocknen (*sep.*) to dry up
abwaschen* (*sep.*) to wash up
die Adresse (-n) address
die Ahnung (-en) idea
aktuell current
albern silly, stupid
alle all; all gone
die Allee (-n) avenue
allein alone
vor allem above all
die Allergie (-n) allergy
allergisch (gegen) allergic (to)
alles everything
alles Gute! all the best!
der Alltag daily life, daily routine
das Alphabet alphabet
alphabetisch alphabetical(ly)

als as; than; when (*once in the past*)
also well, right then
alt old
das Alter (-) age
altmodisch old-fashioned
am (= an dem)
am meisten most of all
die Ampel (*sing.*) traffic lights
sich amüsieren to have fun
an (+ *acc./dat.*) on; at
an (+ *dat.*) **... vorbei** past
die Ananas (- or -se) pineapple
das Andenken (-) souvenir
ander(er/e/es) other
ändern to alter
anders different; differently
anderthalb one and a half
der Anfang ("e) beginning
am Anfang at the beginning
anfangen* (*sep.*) to begin
anfassen (*sep.*) to touch
das Angebot (-e) offer
angeln to fish
die Angelrute (-n) fishing rod
die Angst ("e) fear
Angst haben* (vor + *dat.*) to be frightened (of)
angucken (*sep.*) to look at
anhaben* (*sep.*) to have on
ankommen* (*sep.*) (*perf.* **sein**) to arrive
ankreuzen (*sep.*) to cross or tick
die Ankunft ("e) arrival
anprobieren (*sep.*) to try on
anrufen* (*sep.*) to telephone
der Ansager (-) announcer
ans (= an das)
anschauen (*sep.*) to look at
sich anschnallen (*sep.*) to fasten one's seat-belt
ansehen* (*sep.*) to look at
die Ansichtskarte (-n) picture postcard
der Anspitzer (-) pencil sharpener

die Antwort (-en) answer
antworten to answer (someone)
die Anzeige (-n) advertisement
sich anziehen* (*sep.*) to get dressed
der Anzug ("e) suit
der Apfel (¨) apple
der Apfelsaft apple juice
die Apfelsine (-n) orange
die Apotheke (-n) dispensing chemist's
die Aprikose (-n) apricot
die Arbeit work
arbeiten to work
sich ärgern to be/get annoyed
der Arm (-e) arm
die Art (-en) kind, sort, type
der Artikel (-) article
der Arzt ("e) doctor (*m.*)
die Ärztin (-nen) doctor (*f.*)
der Assistent (*wk*) assistant (*m.*)
die Assistentin (-nen) assistant (*f.*)
das Asthma asthma
atemlos breathless
atmen to breathe
auch also
auf (+ *acc./dat.*) on (*on top of*)
auf Wiedersehen! goodbye!
die Aufführung (-en) performance
die Aufgabe (-n) exercise, task
aufheben* (*sep.*) to lift up
aufhören (*sep.*) to stop
aufmachen (*sep.*) to open
aufnehmen* (*sep.*) to record
aufpassen (*sep.*) to watch out, be careful
aufräumen (*sep.*) to tidy up
der Aufsatz ("e) essay
aufschreiben* (*sep.*) to write down
aufstehen* (*sep.*) (*perf.* **sein**) to stand up; to get up
aufwachen (*sep.*) (*perf.* **sein**) to wake up
das Auge (-n) eye

der Augenblick (-e) moment
die Aula (pl. **Aulen)** assembly hall
aus (+ dat.) out of; from
ausfüllen (sep.) to fill in
der Ausflug (¨e) trip
ausgeben* (sep.) to spend
ausgehen* (sep.) (perf. **sein**) to go out
ausgezeichnet excellent
auskommen* (sep.) (perf. **sein**) **mit** to get on with (a person)
die Auskunft (¨e) information
der Ausländer (-) foreigner
auspacken (sep.) to unpack
ausprobieren (sep.) to try out
die Ausrede (-n) excuse
sich ausruhen (sep.) to relax
die Ausrüstung (-en) equipment
das Aussehen appearance
aussehen* (sep.) to look (appearance)
die Aussicht (-en) outlook; view
aussteigen* (sep.) (perf. **sein**) to get off
die Ausstellung (-en) exhibition
der Austauschpartner (-) exchange partner
der Ausverkauf (¨e) sale
ausverkauft sold out
die Auswahl (no pl.) selection, choice
der Ausweis (-e) identity card
auswählen (sep.) to select, to choose
sich ausziehen* (sep.) to get undressed
das Auto (-s) car
mit dem Auto by car
die Autobahn (-en) motorway
der Autofahrer (-) car-driver (m.)
außer except
außerdem apart from that
außerordentlich extraordinar(il)y, exceptional(ly)

B

das Baby (-s) baby
backen* to bake
die Bäckerei (-en) bakery
das Bad (¨er) bath
das Badezimmer (-) bathroom
die Bahn (-en) track; railway
der Bahnhof (¨e) station
bald soon
der Ball (¨e) ball
die Banane (-n) banana
die Band (-s) band
die Bank (-en) bank
die Banknote (-n) banknote
der Bart (¨e) beard
basteln to make things with one's hands
der Bastler (-) modeller; do-it-yourselfer
der Bauch (¨e) tummy, belly
bauen to build
der Bauernhof (¨e) farm

beantworten to answer (a question)
der Becher (-) mug
sich bedanken to say 'thank you'
bedeckt cloudy, overcast
bedeuten to mean
bedienen to serve
sich beeilen to hurry
beenden to finish
sich befinden* to be located
beginnen* to begin
begleiten to accompany
begrüßen to greet
behalten* to keep
behandeln to treat
die Behandlung treatment
bei (+ dat.) at; near
bei mir at my house
beide both
beim (= bei dem)
das Bein (-e) leg
das Beispiel (-e) example
beißen* to bite
der/die Bekannte (decl. adj.) acquaintance
bekommen* to receive, to get
bellen to bark
sich benehmen* to behave
benutzen to use
das Benzin petrol
bequem comfortable
bereit ready
der Berg (-e) mountain
der Bericht (-e) report
berühmt famous
berühren to touch
die Beschäftigung (-en) activity
beschreiben* to describe
die Beschreibung (-en) description
besichtigen to visit, to have a look at
besonders particularly
besprechen* to discuss
besser better
die Besserung improvement
bestellen to order
bestimmt certainly, definitely
der Besuch (-e) visit
zu Besuch kommen* to visit
besuchen to visit; to go to (a school)
betrunken drunk
das Bett (-en) bed
die Bettwäsche bed linen
bevor before
bevorzugen to prefer
bewölkt cloudy
bezahlen to pay
die Bibliothek (-en) library
das Bier (-e) beer
das Bild (-er) picture
bilden to form
billig cheap
die Biologie biology
die Birne (-n) pear
bis to, until
bis Freitag by Friday

ein bisschen a bit, a little
bitte please; you're welcome; (equivalent to here you are)
bitte schön you're very welcome
blass pale
das Blatt (¨er) sheet (of paper)
blau blue
bleiben* (perf. **sein**) to stay
bleifrei lead-free
der Bleistift (-e) pencil
es blitzt there is lightning
blond blond
der Blumenkohl (no pl.) cauliflower
die Bluse (-n) blouse
das Blut blood
der Blutdruck blood pressure
bluten to bleed
die Bockwurst (¨e) bockwurst (type of sausage)
der Boden (¨) floor
die Bohne (-n) bean
das Boot (-e) boat
böse cross; bad, naughty
der Braten (-) roast meat
braten* to roast; to fry
das Brathähnchen roast chicken
die Bratkartoffeln (pl.) sauté potatoes
die Bratwurst (¨e) fried sausage
braun brown
brav good, well-behaved
brechen* to break; to be sick
breit wide
das Brettspiel (-e) board game
der Brief (-e) letter
der Brieffreund (-e) penfriend (m.)
die Brieffreundin (-nen) penfriend (f.)
der Briefkasten (¨) post-box
die Briefmarke (-n) stamp
die Brille (sing.) glasses
bringen* to bring
der Brite (wk) Briton (m.)
die Britin (-nen) Briton (f.)
britisch British
die Broschüre (-n) brochure
das Brot (-e) bread; loaf
das Brötchen (-) bread roll
die Brücke (-n) bridge
der Bruder (¨) brother
die Brust chest
das Buch (¨er) book
buchen to book
die Buchhandlung (-en) bookshop
der Buchstabe (wk) letter (of the alphabet)
buchstabieren to spell
bummeln to stroll; to wander
der Bungalow (-s) bungalow
bunt coloured; colourful
die Burg (-en) castle
das Büro (-s) office
der Bus (-se) bus
mit dem Bus by bus
die Bushaltestelle (-n) bus-stop

die **Butter** butter
das **Butterbrot (-e)** sandwich; bread and butter

C

das **Café (-s)** café
der **Campingplatz ("e)** campsite
die **CD (-s)** CD
der **Cent (-s)** cent (100 cents = 1 euro)
der **Champignon (-s)** mushroom
die **Chemie** chemistry
die **Chips** (pl.) crisps
der **Chor ("e)** choir
der **Club (-s)** club; disco
die **Cola (-s)** Coke®
der **Computer (-)** computer
der **Cousin (-s)** cousin (m.)
die **Cousine (-n)** cousin (f.)
die **Creme (-s)** cream
die **Currywurst ("e)** curried sausage

D

da there
da drüben over there
das **Dach ("er)** roof
der **Dachboden (")** attic
auf dem **Dachboden** in the attic
die **Dame (-n)** lady
der **Dank** thanks
danke thank you
danke miteinander thanks everyone (S. German)
danke schön thank you very much
danken (+ dat.) to thank
dann then
darf (see **dürfen**)
dass that
das **Datum (Daten)** date
dauern to last
der **Daumen (-)** thumb
dazu with that
DB (Deutsche Bahn) (German rail company)
dein your (inf.)
denken* (an + acc.**)** to think (of)
das **Denkmal ("er)** monument; memorial
denn for, because (also for emphasis)
deshalb therefore, because of that
deutlich clear; clearly
deutsch (adj.) German
das **Deutsch(e)** German (language)
auf **Deutsch** in German
der/die **Deutsche** (decl adj.) German (person)
Deutschland Germany
der **Diabetes** diabetes
der **Dialog (-e)** dialogue
die **Diät (-en)** diet
dich you (inf. sing., acc.)
dick fat
die **Diele (-n)** hall

(am) **Dienstag** (on) Tuesday
die **Dienstleistung (-en)** service
Diesel diesel
das **Dieselöl** diesel
dies(er/e/es) this
das **Ding (-e)** thing
dir to you (inf. sing., dat.)
der **Direktor (-en)** headmaster
die **Direktorin (-nen)** headmistress
die **Disko (-s)** disco, club
die **DM (Deutsche Mark)** Deutschmark
doch (used for emphasis, as 'really')
der **Dokumentarfilm (-e)** documentary
die **Dokumentarsendung (-en)** documentary
der **Dom (-e)** cathedral
der **Donner** thunder
donnern to thunder
(am) **Donnerstag** (on) Thursday
das **Doppelhaus ("er)** pair of semi-detached houses
die **Doppelhaushälfte (-n)** semi-detached house
doppelt doubly
das **Dorf ("er)** village
dort there
dort drüben over there
die **Dose (-n)** tin
das **Drama (Dramen)** drama
dran (du bist dran) on it (it's your turn)
draußen outside
dreckig dirty
der **Dress** (sports) kit; strip
drinnen inside
die **Drogerie (-n)** (non-dispensing) chemist's
in **Druckschrift** in capitals; printed
du you (inf. sing.)
dumm stupid
das **Düngemittel (-)** fertilizer
dunkel dark
dunkelblond light brown (hair)
dünn thin
durch (+ acc.) through
der **Durchfall** diarrhoea
der **Durchschnitt (-e)** average
im **Durchschnitt** on average
dürfen* to be allowed to
der **Durst** thirst
Durst haben* to be thirsty
durstig thirsty
die **Dusche (-n)** shower
duschen to shower

E

eben just
der **EC (EuroCity)** trans-Europe express train
echt real, genuine
die **Ecke (-n)** corner
egal (see **es ist mir egal**)
die **Ehefrau (-en)** wife
der **Ehemann ("er)** husband
eher (als) rather (than)

ehrlich honest; honestly
das **Ei (-er)** egg
eigen(er/e/es) own
eigentlich actually
sich **eilen** to hurry
der **Eilzug ("e)** fast stopping train
einfach easy
das **Einfamilienhaus ("er)** house (for one family)
der **Eingang ("e)** entrance
einige some
Einkäufe machen to go shopping
einkaufen gehen* to go shopping
der **Einkaufswagen (-)** shopping trolley
das **Einkaufszentrum (-zentren)** shopping centre
einladen* (sep.) to invite
die **Einladung (-en)** invitation
einlösen (sep.) to cash (in)
einmal once; one portion of
einpacken (sep.) to wrap
einreiben* (sep.) to rub in
einsam lonely
einschlafen* (sep.) (perf. **sein**) to go to sleep
einsteigen* (sep.) (perf. **sein**) to get on
der **Eintritt (-e)** entry
einverstanden agreed
der **Einwohner (-)** inhabitant
das **Einzelhaus ("er)** detached house
das **Einzelkind (-er)** only child
einzig only (single)
das **Eis** (no pl.) ice-cream
Eis laufen* to ice-skate
der **Eisbecher (-)** ice-cream sundae; tub
die **Eisenbahn (-en)** railway
die **Elektrizität** electricity
der **Ell(en)bogen (-)** elbow
die **Eltern** (pl.) parents
empfehlen* to recommend
das **Ende** end
am **Ende** at the end
enden to end
endlich at last
das **Endspiel (-e)** final
eng narrow
der **Engländer (-)** Englishman
die **Engländerin (-nen)** Englishwoman
englisch (adj.) English
das **Englisch(e)** English (language)
auf **Englisch** in English
der **Enkel (-)** grandson
die **Enkelin (-nen)** granddaughter
entfernt away, distant
entlanggehen* (sep.) (perf. **sein**) to go along
(sich) **entschuldigen** to excuse (oneself)
entschuldigen Sie bitte! excuse me, please!
Entschuldigung! excuse me!

179

sich entspannen to relax
entweder ... oder either ... or
er he
die Erbse (-n) pea
der Erdapfel (¨) potato
die Erdbeere (-n) strawberry
im Erdgeschoss on the ground floor
die Erdkunde geography
erfreut delighted, pleased
ergänzen to complete, to fill in
das Ergebnis (-se) result
sich erinnern an (+ acc.) to remember
erkältet sein to have a cold
erkennen* to recognize
erklären to explain
die Ermäßigung (-en) reduction
ernst serious
erreichen to reach
ersetzbar replaceable
ersetzen to replace
erst first; not until
erstaunt astonished
der/die Erwachsene (decl. adj.) adult
erwarten to expect
erzählen to tell
es it
es ist mir egal it's all the same to me
es tut mir Leid I'm sorry
das Essen food; eating; meal
essen* to eat
das Esszimmer (-) dining room
etwa approximately
etwas some; something
euch you (inf. pl., acc.); to you (inf. pl., dat.)
euer/eu(e)re/eu(e)res your (inf. pl.)
der Euro (-s) euro (currency)
Europa Europe

F

fabelhaft fabulous
die Fabrik (-en) factory
das Fach (¨er) subject
der Fahrausweis (-e) travel pass; ticket
fahren* (perf. **sein**) to go (except on foot and by air)
die Fahrkarte (-n) ticket
der Fahrplan (¨e) timetable
das Fahrrad (¨er) bicycle
der Fahrschein (-e) ticket (for public transport)
die Fahrt (-en) journey
fallen* (perf. **sein**) to fall
fallen lassen* to drop
falls in case
falsch wrong
die Familie (-n) family
das Familienmitglied (-er) member of the family
der Familienname (wk) surname
der Familienstand marital status
fangen* to catch
die Farbe (-n) colour

der Fasching carnival before Lent
fast almost
faul lazy
faulenzen to laze about
der Federball badminton
das Federmäppchen (-) pencil case
die Federmappe (-n) pencil case
die Federtasche (-n) pencil case
fehlen to be missing
der Fehler (-) mistake
feiern to celebrate
der Feiertag (-e) holiday; bank holiday
das Fenster (-) window
die Ferien (pl.) holidays
der Fernsehapparat (-e) television set
das Fernsehen television
fernsehen* (sep.) to watch television
der Fernseher (-) television set
das Fernsehgerät (-e) television set
fertig ready; finished
das Fest (-e) party; celebration
feucht damp
das Fieber temperature
der Film (-e) film
die Filmkomödie (-n) comedy
finden* to find
der Finger (-) finger
der Fisch (-e) fish
fischen to fish
fit fit
flach flat
die Flasche (-n) bottle
das Fleisch meat
der Fleischer (-) butcher
die Fleischerei (-en) butcher's
fleißig hard-working
fliegen* (perf. **sein**) to fly
das Fliegen flying
fließen* (perf. **sein**) to flow
fließend fluent
der Flughafen (¨) airport
der Flur (-e) hall; corridor
der Fluss (¨e) river
folgen (+ dat.) (perf. **sein**) to follow
folgend(er/e/es) (the) following
in Form sein* to be fit
das Foto (-s) photo
der Fotoapparat (-e) camera
fotografieren to photograph
die Frage (-n) question
fragen to ask
Frankreich France
das Französisch French
Frau Mrs; Miss (for an adult)
die Frau (-en) woman; wife
frech cheeky
frei free
das Freibad (¨er) outdoor pool
(am) Freitag (on) Friday
die Freizeit free time

die Fremdsprache (-n) foreign language
fressen* to eat (for an animal)
sich freuen auf (+ dat.) to look forward to
der Freund (-e) friend (m.)
die Freundin (-nen) friend (f.)
freundlich friendly
die Frikadelle (-n) rissole
frisch fresh
frieren* to freeze
froh happy
fröhliche Weihnachten! happy Christmas!
der Frost frost
die Frucht (¨e) fruit
früh early
das Frühjahr spring
im Frühjahr/Frühling in spring
der Frühling spring
das Frühstück breakfast
frühstücken to have breakfast
sich fühlen to feel
der Füller (-) fountain pen
für (+ acc.) for
der Fuß (¨e) foot
zu Fuß on foot
der Fußball football
der Fußboden (¨) floor
die Fußgängerzone (-n) pedestrian precinct
füttern to feed (an animal)

G

die Galerie (-n) gallery
der Gang (¨e) passage; hallway; landing
ganz quite (fairly; completely)
die Ganztagsschule full-day school
gar (nicht) (not) at all
die Garage (-n) garage
die Garantie (-n) guarantee
der Garten (¨) garden
das Gas gas
die Gasse (-n) alley; lane
der Gast (¨e) guest
die Gastfreundschaft hospitality
der Gastgeber (-) host
das Gasthaus (¨er) inn, country pub
das Gebäck (sing.) biscuits; pastries
das Gebäude (-) building
geben* to give
das Gebirge (-) mountains
(ich bin) geboren (I was) born
gebrauchen to use
die Geburt (-en) birth
das Geburtsdatum (-daten) date of birth
der Geburtsort (-e) place of birth
der Geburtstag (-e) birthday
die Geburtstagsfeier (-) birthday party
gebracht (p.p.: see **bringen**)
gebrauchen to use
gedacht (p.p.: see **denken**)
geduldig patient

gefallen* (+ *dat.*) to please
gegen (+ *acc.*) against; about (*for time*)
die Gegend (-en) area
das Gegenteil (-e) opposite
im Gegenteil on the contrary
gegenüber (+ *dat.*) opposite
gehen* (*perf.* **sein**) to go (*on foot*)
(gut) gelaunt in a (good) mood
gelb yellow
das Geld money
der Geldschein (-e) banknote
der Geldwechsel (-) money exchange; bureau de change
gemischt (*abbr.* **gem.**) mixed
das Gemüse (*no pl.*) vegetable(s)
gemütlich friendly; cosy; comfortable
genau exact; exactly
genug enough
geöffnet open
die Geographie geography
das Gepäck luggage
geradeaus straight on
das Gericht (-e) dish
gern(e) gladly, with pleasure
die Gesamtschule (-n) comprehensive school
das Geschäft (-e) shop
die Geschäftszeiten (*pl.*) opening hours
das Geschenk (-e) present
die Geschichte (-n) story; history
geschieden divorced
das Geschlecht (-er) gender, sex
geschlossen closed
der Geschmack (¨e) taste
die Geschwister (*pl.*) brothers and sisters, siblings
gesellig sociable
das Gesicht (-er) face
gespannt excited
gestern yesterday
gestorben (*p.p.: see* **sterben**)
gestreift striped
gesund healthy; healthily
die Gesundheit health
Gesundheit! bless you!
das Getränk (-e) drink
getrennt separate(ly); separated
gewinnen* to win
das Gewitter (-) thunderstorm
gewöhnlich usual
es gibt there is/are
der Gips plaster (of Paris)
das Glas (¨er) glass; jar
glatt smooth; straight
das Glatteis ice
eine Glatze haben* to be bald
glauben to believe
gleich same; immediately
gleichfalls likewise
das Gleis (-e) platform; line
das Glück luck; happiness
Glück haben* to be lucky
glücklich happy
glücklicherweise fortunately

der Glückwunsch (zu) congratulations (on)
golden gold
goldfarben/-farbig gold
der Goldfisch (-e) goldfish
der Grad (Celsius) degree (Centigrade)
das Gramm (-e) (*no plural after number*) gram
das Gras grass
gratulieren (+ *dat.*) to congratulate
grau grey
die Grippe flu
groß big; tall
Großbritannien Great Britain
die Größe (-n) size
die Großeltern (*pl.*) grandparents
die Großmutter (¨) grandmother
die Großstadt (¨e) city
der Großvater (¨) grandfather
grün green
der Grund (¨e) reason
die Grundschule (-n) primary school
die Gruppe (-n) group
der Gruß (¨e) greeting
grüßen to greet
gucken to look, to watch
gut good; well
gute Besserung! get well soon!
gute Nacht! good night!
guten Appetit! (*equivalent of*) enjoy your meal!
guten Morgen! good morning!
guten Tag! hello (*all-day greeting*)
das Gymnasium (Gymnasien) grammar school
die Gymnastik (*sing.*) gymnastics

H

das Haar (-e) hair
haben* to have
der Hafen (¨) port, harbour
das Hähnchen (-) chicken
der Haken (-) tick
Halb-, halb half
die Hälfte (-n) half
das Hallenbad (¨er) indoor pool
hallo hello
der Hals (¨e) neck; throat
haltbar bis 'best before'
halten* to stop
halten* von to think of, have an opinion on
die Haltestelle (-n) stop (*for bus or tram*)
die Hand (¨e) hand
die Handarbeit needlework
der Handball handball
handeln von to be about
das Handgelenk (-e) wrist
das Handtuch (¨er) towel
hart hard, tough
haselnuss- hazel

hassen to hate
hässlich ugly
Haupt- main
der Hauptbahnhof (¨e) main railway station
das Hauptgericht (-e) main course
die Hauptschule (-n) secondary modern school
die Hauptstadt (¨e) capital city
die Hauptstraße (-n) main street; major road
das Haus (¨er) house
die Hausaufgaben (*pl.*) homework
nach Hause (to) home
zu Hause (at) home
der Hausmeister (-) caretaker
die Hausnummer (-n) house number
das Haustier (-e) pet
die Hauswirtschaft (*sing.*) home economics
das Heft (-e) exercise book
das Heftpflaster (-) sticking-plaster
der Heiligabend Christmas Eve
die Heimatstadt (¨e) home town, native town
das Heimweh homesickness
heiraten to marry
heiß hot
heißen* to be called
heiter bright, clear, fine
helfen* (+ *dat.*) to help
hell light
das Hemd (-en) shirt
der Herbst autumn
im Herbst in autumn
hereinkommen* (*sep.*) (*perf.* **sein**) to come in
Herr Mr
Herr Ober! (*to call the waiter*)
herrlich marvellous, wonderful
das Herz (-en) heart
herzlich warm; sincere
der Heuschnupfen hayfever
heute today
hier here
die Hilfe help
die Himbeere (-n) raspberry
der Himmel sky
hinein in, into
sich hinsetzen (*sep.*) to sit down
hinten behind, at the back
hinter (+ *acc./dat.*) behind
die Hitze heat
hitzefrei haben* to have time off school for hot weather
das Hobby (-s) hobby
hoch high
das Hochhaus (¨er) high-rise building
die Höchsttemperatur (-en) highest temperature
die Hochzeit (-en) wedding
der Hof (¨e) yard
hoffentlich hopefully (= I hope)
die Hoffnung (-en) hope
höflich polite
holen to fetch

der **Honig** honey
hören to hear
Horror- horror
die **Hose (-n)** pair of trousers
das **Hotel (-s)** hotel
hübsch pretty
der **Hügel (-)** hill
der **Humor** humour
humorvoll humorous
der **Hund (-e)** dog
der **Hunger** hunger
Hunger haben* to be hungry
hungrig hungry
husten to cough
der **Hut (¨e)** hat

I

der **IC-Zug** intercity train
der **ICE (InterCityExpress)** intercity express
ich I
ihm to him (*dat.*)
ihn him (*acc.*)
ihnen to them (*dat.*)
Ihnen to you (*form., dat.*)
ihr you (*inf. pl.*); her (*poss. pron.*); to her (*dat.*); their
Ihr your (*form.*)
die **Illustrierte** (*decl. adj.*) magazine
im (= **in dem**)
der **Imbiss (-e)** snack
die **Imbissbude (-n)** fast-food stall
die **Imbisshalle (-n)** snack bar
der **Imbissstand (¨e)** fast-food stall
immer always
in (+ *acc./dat.*) in
inbegriffen included
die **Industrie (-n)** industry
die **Informatik** information technology
die **Information (-en)** information
inklusive included
die **Innenstadt** town centre
ins (= **in das**)
das **Insekt (-en)** insect
die **Insel (-n)** island
insgesamt altogether
intelligent intelligent
interessant interesting
das **Interesse (-n)** interest
sich **interessieren (für** + *acc.*) to be interested (in)
das **Internat (-e)** boarding school
der **IR (InterRegio)** regional train (*Germany*)
irgendwann sometime
Irland Ireland
Italien Italy

J

ja yes
die **Jacke (-n)** jacket
das **Jahr (-e)** year
die **Jahreszeit (-en)** season
je each
jed(er/e/es) every
jedenfalls anyhow, in any case

jedoch however
jemand someone
jetzt now
joggen to jog
das/der **Joghurt (-** *or* **-s)** yoghurt
die **Jugendherberge (-n)** youth hostel
der **Jugendklub (-s)** youth club
der/die **Jugendliche** (*decl. adj.*) young person, teenager
jung young
der **Junge** (*wk*) boy

K

der **Kaffee** coffee
der **Käfig (-e)** cage
der **Kakao** cocoa, drinking chocolate
das **Kalbfleisch** veal
kalt cold
die **Kälte (4° Kälte)** cold (-4°)
der **Kamerad** (*wk*) friend
der **Kanal (¨e)** canal; channel
der **Kanarienvogel (¨)** canary
das **Kaninchen (-)** rabbit
ich kann (*see* **können**)
das **Kännchen (-)** pot
die **Kanne (-n)** pot
die **Kantine (-n)** canteen
die **Kapelle (-n)** chapel; band
kaputt broken
kariert checked
der **Karneval** carnival
die **Karotte (-n)** carrot
die **Karte (-n)** card
die **Kartoffel (-n)** potato
der **Käse (-)** cheese
die **Kasse (-n)** till
die **Kassette (-n)** cassette
der **Kassettenrekorder (-)** cassette recorder
das **Kästchen (-)** box; square
die **Katze (-n)** cat
kauen to chew
kaufen to buy
das **Kaufhaus (¨er)** department store
die **Kegelbahn (-en)** bowling alley
kegeln to bowl (*skittles*)
kein no, none
der **Keks (-e)** biscuit
der **Keller (-)** cellar
der **Kellner (-)** waiter
kennen* to know (*be acquainted with*)
kennen lernen to meet (*become acquainted with*)
das **Kilo (-** *or* **-s)** (*no plural after number*) kilo
der **Kilometer (-)** kilometre
das **Kind (-er)** child
das **Kino (-s)** cinema
der **Kiosk (-e)** kiosk
die **Kirche (-n)** church
die **Kirsche (-n)** cherry
klar clear; clearly
die **Klasse (-n)** class

die **Klassenarbeit (-en)** test; class exam
der **Klassenkamerad** (*wk*) classmate
der **Klassensprecher (-)** form representative (*m.*)
die **Klassensprecherin (-nen)** form representative (*f.*)
das **Klassenzimmer (-)** classroom
klassisch classical
kleben to stick
der **Klebstoff (-e)** glue
das **Kleid (-er)** dress
der **Kleiderschrank (¨e)** wardrobe
die **Kleidung** (*sing.*) clothes, clothing
klein small; short
das **Kleingeld** (small) change
klettern to rock-climb
das **Klima (-s** *or* **-te)** climate
klingeln to ring (bell)
die **Klinik (-en)** clinic; hospital
das **Klo (-s)** loo
klopfen to knock
klug clever
die **Kneipe (-n)** pub
das **Knie (-)** knee
der **Knopf (¨e)** button
kochen to cook; to boil
der **Kofferraum (¨e)** boot
der **Kohl** (*no pl.*) cabbage
kommen* (*perf.* **sein**) to come
die **Kommode (-n)** chest of drawers
kompliziert complicated
die **Konditorei (-en)** cake shop
die **Konfitüre** jam
können* to be able to
kontaktfreudig sociable
das **Konzert (-e)** concert
der **Kopf (¨e)** head
der **Kopfsalat (-e)** lettuce
kopieren to copy
der **Korb (¨e)** basket
der **Körper (-)** body
korrigieren to correct
kosten to cost
kostenlos free
das **Kotelett (-s** *or* **-e)** chop, cutlet
der **Krach (¨e)** crash, bang
krank ill
das **Krankenhaus (¨er)** hospital
die **Krankheit (-en)** illness
die **Krawatte (-n)** tie
die **Kreditkarte (-n)** credit card
die **Kreide** chalk
der **Kreis (-e)** (administrative) district
die **Kreuzung (-en)** crossing
der **Krimi (-s)** detective story
Kriminal- detective/police/crime
die **Küche (-n)** kitchen
der **Kuchen (-)** cake
die **Kuh (¨e)** cow
kühl cool
der **Kuli (-s)** ballpoint pen
die **Kunst** art

die Kunsthalle (-n) art gallery
der Kunststoff (-e) synthetic material; plastic
kurz short
die Kusine (-n) cousin (f.)
der Kuss ("e) kiss
die Küste coast
an der Küste on the coast

L

das Labor (-s or **-e)** laboratory
lachen to laugh
der Laden (") shop
die Lampe (-n) lamp
das Land ("er) land; country; state
auf dem Land(e) in the countryside
die Landschaft (-en) landscape
lang long
langsam slow; slowly
die Langspielplatte (-n) long-playing record, LP
sich langweilen to be bored
langweilig boring
lassen* to let
lästig annoying
das Latein Latin
laufen* (*perf.* **sein**) to run
laut loud; loudly
das Leben (-) life
leben to live
das Lebensmittelgeschäft (-e) grocer's
die Leberwurst liver sausage
lebhaft lively
lecker delicious
ledig single
leer empty
legen to lay, put
der Lehrer (-) teacher (m.)
die Lehrerin (-nen) teacher (f.)
das Lehrerzimmer (-) staffroom
leicht light; easy
Leid (*see* **es tut mir Leid**)
leiden* (**unter** + *dat.*; **an** + *dat.*) to suffer (from)
leider unfortunately
leihen* to lend
leise quiet; quietly
lesen* to read
letzt(er/e/es) last
die Leute (*pl.*) people
das Licht (-er) light
lieb lovely; kind
die Liebe (-n) love
lieben to love
die Liebesgeschichte (-n) love story
Lieblings- favourite
das Lied (-er) song
liegen* (**auf** + *dat.*) to lie (on)
lila (*inv.*) purple
die Limonade (Limo) soft drink
das Lineal (-e) ruler
die Linie (-n) line
links (on/to the) left
die Liste (-n) list
der Liter (-) litre
das Loch ("er) hole

lockig curly
los! off you/we go!
die Lücke (-n) gap
die Luft air
lustig funny, comical; cheerful

M

machen to make; to do
das macht that comes to
es macht nichts it doesn't matter
das Mädchen (-) girl
ich mag (*see* **mögen**)
das Magazin (-e) magazine
der Magen (" or -) stomach
die Mahlzeit (-en) meal
Mahlzeit! (*equivalent of*) enjoy your meal!
mal (*abbr.* **einmal**) (*used for emphasis*)
das Mal (-e) time, occasion
malen to paint; to draw
man one
manche some (of them)
manchmal sometimes
mangelhaft unsatisfactory
der Mann ("e) man; husband
die Mannschaft (-en) team
die Mark (-) (*see also* **DM**) mark (currency)
markieren to mark, to highlight
der Markt ("e) market
der Marktplatz ("e) marketplace/square
die Marmelade (-n) marmalade
die Mathe(matik) math(ematic)s
die Mauer (-n) wall
die Maus ("e) mouse
mausgrau mousey
das Medikament (-e) medicine
die Medizin (*no pl.*) medicine
das Meer (-e) sea
am Meer by the sea
das Meerschweinchen (-) guinea-pig
das Mehl (-e) flour
mehr more
mehrere several
das Mehrfamilienhaus ("er) house divided into flats
die Mehrwertsteuer (*abbr.* **MwSt.** or **MWSt.**) VAT
die Meile (-n) mile
mein my
meinen to think (*have an opinion*)
die Meinung (-en) opinion
meiner Meinung nach in my opinion
die meisten most (of them)
meistens mostly
die Menge (-n) lot
der Mensch (*wk*) person
das Menü (-s) set menu
merken to notice
der Meter (-) metre
die Metzgerei (-en) butcher's
mich me (*acc.*)
die Milch milk
mindestens at least

das Mineralwasser mineral water
die Minute (-n) minute
mir to me (*dat.*)
mit (+ *dat.*) with
mitbenutzen (*sep.*) to share
mitbringen* (*sep.*) to bring
das Mitglied (-er) (in + *dat.*) member (of)
mitkommen* (*sep.*) (*perf.* **sein**) to come with/too
mitnehmen* (*sep.*) to take with one; to take away
der Mittag midday
zu Mittag essen to have a midday meal
das Mittagessen (-) lunch, midday meal
mittags at midday
die Mittagspause (-n) dinner break
die Mitte centre; middle
das Mittel (-) means, agent
mittelgroß medium-sized
mitten in in the middle of
die Mitternacht midnight
(am) Mittwoch (on) Wednesday
die Möbel (*pl.*) furniture
die Mode (-n) fashion
modebewusst stylish, fashionable (*person*)
modern modern
modisch fashionable (*clothes, etc.*)
mögen* to like
möglich possible
die Möglichkeit (-en) possibility
der Moment (-e) moment
Moment! just a moment!
der Monat (-e) month
(am) Montag (on) Monday
morgen tomorrow
der Morgen (-) morning
morgens in the morning(s)
müde tired
der Mund ("er) mouth
die Münze (-n) coin
das Museum (Museen) museum
die Musik music
müssen* to have to
die Mutter (") mother
Mutti Mum
die Mütze (-n) cap
MwSt./MWSt. VAT

N

nach (+ *dat.*) past, after; to (*a town /a country/home*)
der Nachbar (*wk*) neighbour (m.)
die Nachbarin (-nen) neighbour (f.)
nachher afterwards
der Nachmittag (-e) afternoon
am Nachmittag in the afternoon
nachmittags in the afternoon(s)
der Nachname (*wk*) surname
die Nachrichten (*pl.*) news
nachschauen (*sep.*) to look up; to check

nachschlagen* (*sep.*) to look up

nachsitzen* (*sep.*) to have detention

die Nachspeise (-n) dessert

nächst(er/e/es) nearest; next

die Nacht ("e) night

in der Nacht in the night

pro Nacht per night

der Nachteil (-e) disadvantage

der Nachtisch (-e) dessert

der Nagel (") nail

nah(e) near

die Nähe vicinity

in der Nähe (von) in the vicinity (of); near (to)

nähen to sew

der Name (*wk*) name

die Namensliste (-n) the register

die Nase (-n) nose

nass wet

natürlich of course

die Naturwissenschaft (-en) science

der Nebel (-) mist; fog; smog

neblig misty; foggy

neben (+ *acc./dat.*) next to

der Neffe (*wk*) nephew

nehmen* to take

nein no

nennen* to name

nervös nervous

nett nice

neu new

neugierig curious, inquisitive

das Neujahr New Year's Day

nicht not

nicht nur ..., sondern auch not only ... but also

die Nichte (-n) niece

nichts nothing

nichts zu danken not at all

nie never

der Niederschlag ("e) precipitation, shower

niedrig low

niemand no-one

niesen to sneeze

noch still

noch einmal once again

noch nicht not yet

nochmals once again

Nord- North, Northern

der Norden North

nordirisch Northern Irish

Nordirland Northern Ireland

nördlich northerly

das Normalbenzin regular (*petrol*)

normalerweise normally

die Note (-n) mark

nötig necessary

die Notiz (-en) note

die Nudeln (*pl.*) pasta; noodles

null zero

die Nummer (-n) number

nun now

nur only

die Nuss ("e) nut

O

ob whether

oben upstairs

die Oberstufe (-n) upper school; sixth form

das Obst (*no pl.*) fruit

oder or

offen (haben*) (to be) open

öffnen to open

die Öffnungszeiten (*pl.*) opening hours

oft often

ohne (+ *acc.*) without

das Ohr (-en) ear

das Öl oil

die Oma/Omi granny, grandma

das Omelett (-s or **-e)** omelette

der Onkel (-) uncle

der Opa/Opi grandpa, grandad

die Oper (-n) opera

operieren to operate

optimistisch optimistic

die Orange (-n) orange

orange (*inv.*) orange

orangenfarben orange

die Orangenmarmelade (-n) marmalade

der Orangensaft orange juice

das Orchester (-) orchestra

ordnen to organize, to order

der Ordner (-) file

der Ort (-e) place

örtlich local

Ost- East, Eastern

der Osten East

der Osterhase (*wk*) Easter bunny

Ostern Easter

zu Ostern at Easter

Österreich Austria

östlich easterly

der Overheadprojektor (-en) overhead projector

P

ein Paar a couple, a pair

ein paar a few

das Päckchen (-) packet

die Packung (-en) packet

das Paket (-e) parcel

das Papier (-e) paper

das Parfüm (-e or **-s)** perfume

der Park (-s) park

die Parkanlage (-n) park

das Parkett stalls (*theatre*)

die Partnerstadt ("e) twin town

der Pass ("e) passport; pass

passen to fit; to match

passieren (*perf.* **sein**) to happen

die Pauschalreise (-n) package holiday

die Pause (-n) break

die Person (-en) person

der Pfeffer pepper

der Pfennig (-e) pfennig (*100 Pf. = 1 DM*)

das Pferd (-e) horse

Pfingst- Whit

Pfingsten Whitsun

der Pfirsich (-e) peach

die Pflanze (-n) plant

das Pflaster (-) sticking-plaster

die Pflaume (-n) plum

pflegen to look after

das Pflichtfach ("er) compulsory subject

pflücken to pick (*e.g. from tree*)

das Pfund (-) 500 grams

phantastisch fantastic

die Physik physics

picken to peck

die Pille (-n) pill

der Pilz (-e) mushroom

das Plakat (-e) poster

der Plattenspieler (-) record-player

der Platz ("e) square

das Plätzchen (-) biscuit

die PLZ (Postleitzahl) postcode

das Polizeirevier (-e) police station

die Polizeiwache (-n) police station

die Pommes frites (*pl.*) chips

die Popmusik pop music

das Portemonnaie (-s) purse

die Post (*no pl.*) post office; mail

das Postamt ("er) post office

das Poster (-) poster

die Postkarte (-n) postcard

die Postleitzahl (-en) (*abbr.* **PLZ**) postcode

der Preis (-e) price

preiswert good value; cheap

prima great

die Privatschule (-n) private school, independent school

pro per

probieren to try

das Problem (-e) problem

das Programm (-e) channel; schedule, listing

prost! cheers!

prüfen to check

die Prüfung (-en) exam

der Pullover (-) (*abbr.* **Pulli**) jumper, sweater

der Punkt (-e) point

putzen to clean

Q

die Qualifikation (-en) qualification

die Querstraße (-n) turning, side road

die Quittung (-en) receipt

R

das Rad ("er) bike

mit dem Rad by bike

Rad fahren* (*perf.* **sein**) to cycle

der/das Radiergummi (-s) rubber

das Radio (-s) radio

der Rand ("er) edge

der Rang (¨e) circle (theatre)
der Rasen (-) lawn
   raten* to guess
das Rathaus (¨er) town hall
   rauchen to smoke
   rauh rough
der Raum (¨e) room; area; space
   raus! out!
die Realschule (-n) (type of) secondary school
die Rechnung (-en) bill
   Recht haben* to be right
   rechts (on/to the) right
die Rechtschreibung spelling
   reden to talk
das Regal (-e) shelf
die Regel (-n) rule, regulation
der Regen rain
   regnen to rain
   regnerisch rainy
   reichen to be enough; to pass (reach)
der Reifen (-) tyre
der Reifendruck tyre pressure
die Reihe (-n) row
die Reihenfolge (-n) order, sequence
das Reihenhaus (¨er) terraced house
der Reis rice
die Reise (-n) journey
der Reisebus (-se) coach
   reisen (perf. **sein**) to travel
der Reisepass (¨e) passport
der Reisescheck (-s) traveller's cheque
   reiten* (perf. **sein**) to ride
die Reklame (-n) advertisement
die Religion religion; RE
   rennen* (perf. **sein**) to run; to race
die Reparatur (-en) repair
   reparieren to repair
   reservieren to reserve
das Restaurant (-s) restaurant
das Rezept (-e) recipe; prescription
   richtig right, correct
die Richtung (-en) direction
   riechen* to smell
   riesengroß enormous
das Rindfleisch beef
der Rock (¨e) skirt
der Rollschuh (-e) roller-skate
   Rollschuh laufen* (perf. **sein**) to roller-skate
die Rolltreppe (-n) escalator
der Roman (-e) novel
   römisch Roman
   rosa (inv.) pink
die Rose (-n) rose
der Rosenkohl (no pl.) Brussels sprouts
   rot red
der Rücken (-) back
die Rückgabe (-n) return
   rufen* to call
die Ruhe quietness

der Ruhetag (-e) day off (closed all day)
   ruhig quiet
das Rührei scrambled egg

S

die S-Bahn urban railway
der Saal (Säle) auditorium
die Sache (-n) thing
der Saft (¨e) juice
   sagen to say
die Sahne cream
der Salat (-e) lettuce; salad
das Salz salt
die Salzkartoffeln (pl.) boiled potatoes
   sammeln to collect
die Sammlung (-en) collection
(am) Samstag (on) Saturday
die Sandale (-n) sandal
der Sänger (-) singer (m.)
die Sängerin (-nen) singer (f.)
   satt full
der Satz (¨e) sentence; clause
   sauber clean
das Schach chess
   schade! what a pity!
das Schaf (-e) sheep
   schaffen to do (manage)
der Schal (-s or -e) scarf
die Schallplatte (-n) record
   schauen to look
der Schauer (-) shower
das Schaufenster (-) shop window
das Schauspiel (-e) play
der Schauspieler (-) actor
die Schauspielerin (-nen) actress
der Scheck (-s) cheque
die Scheibe (-n) slice
der Schein (-e) note
   scheinen* to shine; to appear
   schenken to give (a present)
   scheußlich dreadful
   schick chic, stylish
   schicken to send
   schief gehen* (perf. **sein**) to go wrong
die Schildkröte (-n) tortoise
der Schinken ham
   schlafen* to sleep
das Schlafzimmer (-) bedroom
   schlagen* to hit
der Schläger (-) racquet
die Schlagsahne whipped cream
die Schlange (-n) snake
   schlank slim
   schlau clever, crafty
   schlecht terrible
   schließen* to close
   schlimm bad
der Schlips (-e) tie
der Schlittschuh (-e) ice-skate
   Schlittschuh laufen* (perf. **sein**) to ice-skate
das Schloss (¨er) castle; palace; stately home
der Schlussverkauf (¨e) end-of-season sale

   schmecken (+ dat.) to taste
der Schmerz (-en) pain
   Schmerzen haben* to be in pain
   schmutzig dirty
der Schnee snow
   schneiden* to cut
   schneien to snow
   schnell quick; quickly
das Schnitzel (-) schnitzel (veal/pork escalope)
der Schnupfen (-) cold
der Schnurrbart (¨e) moustache
die Schokolade (-n) chocolate
   schon already
   schön lovely
der Schotte (wk) Scot (m.)
die Schottin (-nen) Scot (f.)
   schottisch Scottish
   Schottland Scotland
der Schrank (¨e) cupboard
   schreiben* to write
das Schreibwarengeschäft (-e) stationer's
   schriftlich written, in writing
   schüchtern shy
der Schuh (-e) shoe
das Schulbuch (¨er) textbook
die Schule (-n) school
der Schüler (-) pupil (m.)
die Schülerin (-nen) pupil (f.)
   schulfrei time when there's no school
der Schulhof (¨e) school playground
die Schulmappe (-n) schoolbag
der Schultag (-e) schoolday
die Schultasche (-n) schoolbag
die Schulter (-n) shoulder
   schützen to protect
   schwach weak
   schwarz black
das Schwein (-e) pig
das Schweinefleisch pork
die Schweiz Switzerland
   schwer heavy; difficult; serious
die Schwester (-n) sister
der Schwiegersohn (¨e) son-in-law
   schwierig difficult
das Schwimmbad (¨er) swimming pool
   schwimmen* (perf. **sein**) to swim
   schwind(e)lig dizzy
   schwül close (weather)
die See (-n) sea
der See (-n) lake; loch
   seekrank seasick
   segeln (perf. **sein**) to sail
   sehen* to see
   sehenswert worth seeing
die Sehenswürdigkeit (-en) tourist sight
   sehr very
die Seife soap
   sein* (perf. **sein**) to be
   sein his; its
   seit (+ dat.) since

die **Seite** (-n) page; side
das **Sekretariat** secretary's office
der **Sekt** sparkling wine; champagne
selbst oneself
das **Selbsttanken** self-service (refuelling)
die **Sendung** (-en) programme
der **Senf** mustard
die **Serie** (-n) serial
der **Sessel** (-) armchair
sich (hin)**setzen** (sep.) to sit down
sicher sure(ly), certain(ly)
sie she; her (acc.); they; them (acc.)
Sie you (form., nom. + acc.)
silberfarben/-farbig silver
silbern silver
Silvester/Sylvester New Year's Eve
singen* to sing
sitzen* to sit
sitzen bleiben* (perf. **sein**) to repeat a year (at school)
Ski fahren*/laufen* (perf. **sein**) to ski
so so
so viel (wie) so/as much (as)
das **Sofa** (-s) sofa
sofort immediately
sogar even
der **Sohn** (¨e) son
sollen* to be (supposed) to
der **Sommer** summer
im **Sommer** in summer
der **Sommerschlussverkauf** (¨e) summer sale
das **Sonderangebot** (-e) special offer
sondern but
der **Sonderpreis** (-e) sale price
(am) **Sonnabend** (on) Saturday
die **Sonne** (-n) sun
sich **sonnen** to sunbathe
der **Sonnenbrand** sunburn
die **Sonnenbrille** (sing.) sunglasses
die **Sonnencreme** sun cream
der **Sonnenschein** sunshine
sonnig sunny
(am) **Sonntag** (on) Sunday
sonst otherwise
sonst noch etwas something/anything else
die **Sorge** (-n) worry; care
die **Sorte** (-n) kind, sort
das **Souvenir** (-s) souvenir
sowieso anyway
Spanien Spain
das **Spanisch** Spanish (language)
spannend exciting
sparen to save
der **Spaß** fun
spät late
spazieren gehen* (perf. **sein**) to go for a walk
das **Speiseeis** (no pl.) ice-cream
die **Speisekarte** (-n) menu
der **Spiegel** (-) mirror

das **Spiegelei** (-er) fried egg
das **Spiel** (-e) game
spielen to play
die **Spielmarke** (-n) counter
der **Spielplatz** (¨e) playground
die **Spielwaren** (pl.) toys
das **Spielwarengeschäft** (-e) toy shop
der **Sport** sport; PE
Sport treiben* to do sport
die **Sportart** (-en) kind of sport
sportlich sporty
der **Sportplatz** (¨e) playing fields
der **Sportverein** (-e) sports club
die **Sprache** (-n) language
sprechen* to speak
die **Sprechstunde** (-n) surgery/consultation hours
springen* (perf. **sein**) to jump
die **Spritze** (-n) injection
die **Spülmaschine** (-n) dishwasher
der **Staat** (-en) state; nation
die **Staatsangehörigkeit** nationality
das **Stadion** (**Stadien**) stadium
die **Stadt** (¨e) town
einen **Stadtbummel machen** to walk around town
die **Stadtmitte** town centre
der **Stadtplan** (¨e) street map
der **Stadtrand** outskirts/edge of town
am **Stadtrand** on the edge of town
der **Stadtteil** (-e) district; part of town
das **Stadtzentrum** town centre
stark strong
die **Station** (-en) station (for S- and U-Bahn)
statt (+ gen./dat.) instead of
stattfinden* (sep.) to take place
stecken to put (in)
stehen* to stand
steigen* (perf. **sein**) to climb, rise
der **Stein** (-e) stone
stellen to put
sterben* (perf. **sein**) to die
die **Stereoanlage** (-n) stereo system
Stief- step-
der **Stiefel** (-) boot
der **Stift** (-e) pencil; crayon; pen
der **Stil** (-e) style
still quiet
stimmen to be true, correct
der **Stock** storey
das **Stockwerk** (-e) storey
der **Stoff** (-e) material
die **Strafarbeit** (-en) extra homework (punishment)
die **Straße** (-n) street
die **Straßenbahn** (-en) tram
die **Straßenkreuzung** (-en) crossroads
streiten* to argue, fight
streng strict

stricken to knit
der **Strohhalm** (-e) drinking straw
der **Strumpf** (¨e) stocking; sock
die **Strumpfhose** (-n) pair of tights
das **Stück** (-e) piece
im **Stück** in one piece
der **Stuhl** (¨e) chair
die **Stunde** (-n) hour; lesson
der **Stundenplan** (¨e) timetable
der **Sturm** (¨e) storm
stürmisch stormy
suchen to look for
Süd- South, Southern
der **Süden** South
südlich southerly
Super super, premium (petrol)
der **Supermarkt** (¨e) supermarket
die **Suppe** (-n) soup
süß sweet
sympathisch pleasant, nice
das **System** (-e) system

T

die **Tabelle** (-n) table, chart
die **Tablette** (-n) tablet
die **Tafel** (-n) board; bar (of chocolate)
der **Tag** (-e) day
das **Tagesmenü** (-s) menu of the day
täglich daily
das **Tal** (¨er) valley
tanken to refuel
die **Tankstelle** (-n) petrol station
der **Tankwart** (-e) petrol pump attendant (m.)
der **Tannenbaum** (¨e) fir-tree; Christmas tree
die **Tante** (-n) aunt
tanzen to dance
die **Tasche** (-n) bag; pocket
das **Taschengeld** pocket money
die **Tasse** (-n) cup
die **Technologie** (-n) technology
der **Tee** tea
der **Teil** (-e) part
teilen to share
teilnehmen* (sep.) (**an** + dat.) to take part (in)
das **Telefon** (-e) telephone
telefonieren (mit + dat.) to telephone (make a phone call)
die **Telefonnummer** (-n) telephone number
die **Telefonzelle** (-n) phone booth
der **Teller** (-) plate
die **Temperatur** (-en) temperature
der **Teppich** (-e) carpet; rug
der **Teppichboden** (¨e) fitted carpet
teuer expensive
das **Theater** (-) theatre
das **Theaterstück** (-e) play
das **Thermometer** (-) thermometer
die **Tiefsttemperatur** (-en) lowest temperature
das **Tier** (-e) animal
der **Tisch** (-e) table

Glossar (Deutsch–Englisch)

das Tier (-e) animal
der Tisch (-e) table
die Tochter (¨) daughter
die Toilette (-n) toilet
die Tomate (-n) tomato
das Tor (-e) arch; gateway; goal
die Torte (-n) gateau; flan
tot dead
total totally
der Tourist (wk) tourist (m.)
das Touristeninformationsbüro (-s) tourist information office
die Touristin (-nen) tourist (f.)
tragen* to wear
die Traube (-n) grape
treffen* to meet
treiben (see **Sport treiben**)
trennen to separate
die Treppe (sing.) stairs
der Trickfilm (-e) cartoon
das Trimester (-) school term
trinken* to drink
trocken dry
der Tropfen (-) drop
trotzdem nevertheless
tschüs! bye!
tun* to do; to put
die Tür (-en) door
türkis (inv.)**/türkisfarben** turquoise
der Turm (¨e) tower
turnen to do gym
das Turnen (sing.) gymnastics
die Turnhalle (-n) gymnasium
die Tüte (-n) paper bag; plastic bag; carrier bag
typisch (für + acc.) typical (of)

U

die U-Bahn underground (railway)
mir ist übel I feel sick
üben to practise
über (+ acc./dat.) over; via
übernachten to spend the night
überprüfen to check
überqueren to cross
überraschen to surprise
überrascht (über + acc.) surprised (about)
die Überraschung (-en) surprise
die Überreste (pl.) remains
übersetzen to translate
die Übersetzung (-en) translation
die Übung (-en) exercise; practice
die Uhr (-en) clock; o'clock
um (+ acc.) at (time); around
um ... zu in order to
die Umfrage (-n) survey
die Umgebung (-en) area; surroundings
umsteigen* (sep.) (perf. **sein**) to change (trains)
der Umtausch (¨e) exchange
umtauschen (sep.) to exchange
die Umwelt environment

sich umziehen* (sep.) to change (clothes)
und and
der Unfall (¨e) accident
ungefähr about
unglücklich unhappy; unfortunate
die Uniform (-en) uniform
die Universität (-en) university
unmöglich impossible
uns us (acc.); to us (dat.)
unser our
unten downstairs
unter (+ acc./dat.) under
sich unterhalten* to have a conversation
die Unterhaltung (-en) conversation
die Unterhaltungssendung (-en) light entertainment; comedy programme
die Unterkunft (¨e) accommodation
der Unterricht (sing.) lessons; teaching
unterrichten to teach
unterschreiben* to sign
die Unterschrift (-en) signature
unterstreichen* to underline
untersuchen to examine
unverbleit unleaded (petrol)
unzufrieden dissatisfied, unhappy
der Urlaub (-e) holiday
Urlaub machen to have a holiday
auf Urlaub sein* (perf. **sein**) to be on holiday
in (den) Urlaub fahren* (perf. **sein**) to go on holiday
usw. (und so weiter) etc.

V

die Vanille vanilla
der Vater (¨) father
Vati Dad
sich verabschieden to leave, to say goodbye
der Verband (¨e) bandage; dressing
die Verbesserung (-en) improvement; correction
die Verbindung (-en) connection
verbleit leaded (petrol)
verbringen* to spend (time)
die Vergangenheit past
vergessen* to forget; forgotten
im Vergleich (zu) in comparison (with)
vergleichen* to compare
das Vergnügen (-) pleasure
verheiratet married
sich verirren to get lost
verkaufen to sell
die Verkehrsampel (sing.) traffic lights
das Verkehrsbüro (-s) tourist information office

verlassen* to leave (e.g. a place)
verletzen to injure
verlieren* to lose
verlobt engaged
vermissen to miss
vermisst werden to be missing
verpassen to miss (train, bus)
verschieden different
verschmutzen to pollute
die Verschmutzung pollution
verschreiben* to prescribe
die Verspätung (-en) delay
verstehen* to understand
verstopft constipated
die Verstopfung constipation
versuchen to try
der/die Verwandte (decl. adj.) relative
verwenden to use
Verzeihung! excuse me!
der Vetter (-) cousin (m.)
das Video (-s) video
die Videokassette (-n) video cassette
das Videogerät (-e) video recorder
viel much
viel Glück! lots of luck!
viel Spaß! have fun!
viele many
vielleicht perhaps
das Viertel (-) quarter; district, part of town
der Vogel (¨) bird
voll tanken to fill up (with fuel)
vollkommen complete(ly)
vom (= von dem)
von (+ dat.) from; of
vor (+ acc./dat.) before, in front of
vor einem Jahr a year ago
im Voraus in advance
vorbei past, by
vorbeikommen* (sep.) (perf. **sein**) to drop in
vorbereiten (sep.) to prepare
vorhaben* (sep.) to intend, to plan
vorlesen* (sep.) to read aloud
vorher beforehand
die Vorhersage (-n) forecast
der Vormittag (-e) morning
am Vormittag in the morning
vormittags in the morning(s)
der Vorname (wk) first name
vorne at the front
der Vorort (-e) suburb
Vorsicht Glatteis! danger, black ice!
Vorsicht! careful!
die Vorspeise (-n) starter
vorstellen (sep.) to introduce
sich vorstellen (sep.) to introduce oneself
sich (dat.) **vorstellen** (sep.) to imagine
die Vorstellung (-en) performance, showing (film)

die **Vorwahlnummer (-n)** dialling code

vorziehen* (*sep.*) to prefer

W

wachsen* (*perf.* **sein**) to grow

der **Wagen (-)** car; van

die **Wahl** choice

wählen to choose

das **Wahlfach (¨er)** option, optional subject

wahr true

während while

während (+ *gen.*) during

wahrscheinlich probably

der **Wald (¨er)** forest, wood

der **Waliser (-)** Welshman

die **Waliserin (-nen)** Welshwoman

walisisch Welsh

der **Walkman (-s)** Walkman®

die **Wand (¨e)** wall

wandern to hike

wann when (*in questions*)

das **Warenhaus (¨er)** department store

warm warm

die **Wärme (4° Wärme)** warmth (+4°)

warten (auf + *acc.*) to wait (for)

warum why

was what

was für what kind of

das **Waschbecken (-)** wash-basin

sich **waschen*** to get washed

die **Waschmaschine (-n)** washing machine

das **Wasser** water

das **WC (-s)** WC

wechselhaft changeable

wechseln to change; exchange

die **Wechselstube (-n)** bureau de change

der **Weg (-e)** road; path; way

wegen (+ *gen. or dat.*) on account of

weh tun* (+ *dat.*) to hurt

weich soft

Weihnachten Christmas

zu/an **Weihnachten** at Christmas

Weihnachts- Christmas

weil because

der **Wein (-e)** wine

weinen to cry

die **Weintraube (-n)** grape

weiß white

weit far

weiter further

welch(er/e/es) which

der **Wellensittich (-e)** budgerigar

die **Welt (-en)** world

ein **wenig** a little

wenn if; whenever

wer who

werden* (*perf.* **sein**) to become

werfen* to throw

das **Werken** woodwork, crafts, etc.

West- West, Western

der **Westen** West

westlich westerly

das **Wetter** weather

der **Wetterbericht (-e)** weather report

die **Wettervorhersage (-n)** weather forecast

wichtig important

wie how; as

wie geht es? wie geht's? how are you? (*lit.* how goes it?)

wie lange how long

wie spät ist es? what time is it?

wie viel how much

wie viel Uhr ist es? what time is it?

wie viele how many

wieder again

wiederholen to repeat

die **Wiese (-n)** meadow

der **Wievielte ist heute?** what is the date today?

ich/er **will** (*see* **wollen***)

willkommen welcome

der **Wind (-e)** wind

windig windy

windsurfen (*infinitive only*) to windsurf

der **Winter** winter

im **Winter** in winter

wir we

wirklich really

die **Wirtschaft** (*sing.*) economics

wissen* to know (*a fact*)

wo where

die **Woche (-n)** week

das **Wochenende (-n)** weekend

am **Wochenende** at the weekend

der **Wochentag (-e)** weekday

woher where from

wohin where to

der **Wohnblock (-s)** block of flats

wohnen to live

der **Wohnort (-e)** place of residence

die **Wohnung (-en)** flat

das **Wohnzimmer (-)** living room

die **Wolke (-n)** cloud

wolkig cloudy

wolkenlos cloudless

wollen* to want to

das **Wort (¨er)** word

die **Wunde (-n)** wound

wunderbar wonderful

wunderschön beautiful

der **Wunsch (¨e)** wish

wünschen to wish

der **Würfel (-)** die, dice

die **Wurst (¨e)** sausage

die **Wurstbude (-n)** hot-dog stall

Z

die **Zahl (-en)** number

zahlen to pay

zählen to count

der **Zahn (¨e)** tooth

der **Zahnarzt (¨e)** dentist (*m.*)

die **Zahnärztin (-nen)** dentist (*f.*)

die **Zahnpasta** toothpaste

zärtlich tender, affectionate

z. B. e.g.

der **Zeh (-en)** toe

zeichnen to draw

zeigen to show

der **Zeiger (-)** hand (*of clock*)

die **Zeit (-en)** time

die **Zeitschrift (-en)** magazine

die **Zeitung (-en)** newspaper

zelten to camp

das **Zentrum (Zentren)** centre

der **Zettel (-)** note (*piece of paper*)

das **Zeugnis (-se)** report

ziemlich fairly

die **Zigarette (-n)** cigarette

das **Zimmer (-)** room

die **Zitrone (-n)** lemon

zu too

zu (+ *dat.*) to

zubereiten (*sep.*) to prepare

der **Zucker** sugar

zudecken (*sep.*) to cover

zuerst firstly

zufrieden satisfied, happy

der **Zug (¨e)** train

mit dem **Zug** by train

das **Zuhause** home

zuhören (*sep.*) to listen

die **Zukunft** future

zuletzt lastly

zum (= zu dem)

zum Beispiel, z. B. for example, e.g.

zum ersten Mal for the first time

zum Wohl! cheers!

zunehmen* (*sep.*) to gain weight

die **Zunge (-n)** tongue

zuordnen (*sep.*) to assign, match

zur (= zu der)

zurück back

zurückfahren* (*sep.*) (*perf.* **sein**) to go back

zurückgeben* (*sep.*) to give back

zurückhaben* (*sep.*) to have back

zurückkommen* (*sep.*) (*perf.* **sein**) to come back

zusammen together

der **Zuschauer (-)** spectator; (*pl.*) audience

zu **zweit** in pairs

die **Zwiebel (-n)** onion

der **Zwilling (-e)** twin

zwischen (+ *acc./dat.*) between